Travaux
d'Humanisme et Renaissance

N° CCCXXXVII

JEAN DORAT

MYTHOLOGICUM

OU INTERPRÉTATION ALLÉGORIQUE
DE L'*ODYSSÉE* X-XII
ET DE *L'HYMNE A APHRODITE*

Texte présenté, établi, traduit et annoté
par
PHILIP FORD

LIBRAIRIE DROZ S.A.
11, rue Massot
GENÈVE
2000

ISBN: 2-600-00419-X
ISSN: 0082-6081

For Thomas,
who has always loved the
Odyssey

REMERCIEMENTS

Je tiens à remercier tout d'abord Geneviève Demerson, dont les recherches sur Dorat ont formé la base de mon propre travail, et qui m'a encouragé à préparer cette édition du *Mythologicum*. Mes remerciements vont ensuite à Baudouin Millet et à Christelle Rabier, lecteurs au Clare College, qui ont eu la gentillesse de corriger le texte de la traduction et de l'Introduction de cette édition. Plusieurs collègues m'ont proposé des suggestions très utiles pour le commentaire, parmi lesquels Jean Letrouit en particulier a partagé avec moi son érudition considérable pour en éclaircir certains passages. Pour ce qui est des ouvrages que j'ai consultés pour le commentaire, il faut signaler ceux de Félix Buffière, sans lesquels je n'aurais jamais pu entamer des recherches de ce genre, ainsi que ceux de Jean Dupèbe.

Je remercie également le personnel de la Bibliothèque ambrosienne à Milan, qui m'a procuré en premier lieu un microfilm du texte de Dorat et qui par la suite m'a si aimablement accueilli après la réouverture de la Bibliothèque et m'a fourni des renseignements sur le codex A 184 suss..

Enfin, je remercie le Département de Français de l'Université de Cambridge d'une subvention pour la publication de cet ouvrage, ainsi que Michel Magnien et Max Engammare, dont les conseils et suggestions m'ont beaucoup aidé dans la préparation de ce texte.

INTRODUCTION

Une lecture hâtive de la « Bibliographie chronologique des éditions et traductions latines et françaises d'Homère publiées en France au XVIᵉ siècle », établie par Noémi Hepp[1], pourrait suggérer que la poésie homérique n'était pas très en vogue à l'époque de la Renaissance française. La première édition de l'œuvre complète d'Homère procurée par un Français date de 1566[2], quoiqu'il existe des éditions partielles avant cette date, y compris le texte intégral de l'*Odyssée* imprimé par Neobar en 1541 et celui de l'*Iliade* édité par Turnèbe en 1554[3]. L'année 1530 voit la publication d'une traduction française de l'*Iliade* par Jehan Samxon, tandis que Hugues Salel, Amadis Jamyn, et Jacques Peletier entreprennent, au fil des ans, des versions françaises de certains chants des épopées homériques[4]. Néanmoins, cette activité relativement restreinte est loin d'indiquer l'importance d'Homère pour les humanistes de la Renaissance française.

En fait, malgré le petit nombre d'éditions françaises, il existait bien d'autres textes d'Homère, à commencer par l'édition *princeps* procurée par Démétrios Chalcondyle à Florence en 1488. Des éditions aldines suivirent en 1504, 1517, 1524, et 1528, ainsi que d'autres publiées à Bâle, Strasbourg, et Louvain. Comme c'est souvent le cas dans la *Respublica litterarum*, l'aspect international des études homériques est fort important. A cet égard, l'un des événements les plus significatifs pour ce qui regarde l'interprétation d'Homère est la publication par Conrad Gesner, en 1542 et en 1544, de quatre textes anciens : la *Moralis interpretatio errorum Ulyssis Homerici*, la *Commentatio Porphyrii philosophi de Nympharum antro in XIII. libro Odysseae Homericae*, et les *Ex commentariis Procli Lycii, philosophi Platonici in libros Platonis de Repub. apologiae quaedam pro Homero, & fabularum aliquot enarrationes*, publiées ensemble à Zurich par Froschauer, et, deux années plus tard, *Heraclidis Pontici, qui Aristotelis aetate vixit, Allegoriae in Homeri fabulas de diis, nunc primum e Graeco sermone in Latinum translatae*, imprimées à Bâle

---

[1] Voir son article « Homère en France au XVIᵉ siècle », *Atti della Accademia delle Scienze di Torino*, II. Classe di Scienze Morali, Storiche e Filologiche, 96 (1961–2), 389–508, p. 504–8.

[2] En fait, cette édition d'Henri Estienne parut à Genève.

[3] Voir Hepp, *art. cit.*, p. 400–1 et sa « Bibliographie chronologique », p. 505, n° 20 et p. 506, n° 33.

[4] Voir Hepp, *art. cit.*, p. 504 sq., n° 23, 29, 31, 35, 47, 48, 49, 50, 52, 55, 61, 62, 65. La plupart des traductions datent de la seconde moitié du siècle.

par Jean Oporin[5]. Dans l'épître liminaire que Gesner adresse à Jean Ribit dans sa traduction de Proclus, l'humaniste suisse identifie cinq traditions d'allégorie homérique, tout en indiquant une nette préférence pour les plus abstraites d'entre elles :

> omnes enim hic de diis fabulae, non iuxta Grammaticorum vulgus historice, physice aut ethice tractantur, sed theologicis & metaphysicis rationibus explanantur.
>
> (f. 32^v)
>
> (Car dans ce livre toutes les fables concernant les dieux sont examinées non d'après la multitude des grammairiens, à savoir selon des interprétations historiques, physiques, ou morales, mais elles sont expliquées par des principes théologiques et métaphysiques.)

Dorat, nous allons le voir, partageait lui aussi cette préférence.

Les trois premières formes d'interprétation mentionnées par Gesner étaient connues grâce au patrimoine médiéval, surtout dans les allégorisations d'Ovide[6]. L'explication historique consiste à considérer un événement mythique soit comme la représentation d'un événement historique devenu légendaire — l'évhémérisme —, soit comme la représentation d'une activité plus générale. Ainsi donc, les légendes concernant Hercule représenteraient sous forme mythique et imaginaire les exploits d'un véritable personnage historique. En revanche, l'adultère d'Arès et d'Aphrodite, raconté par Démodocus au chant VIII de l'*Odyssée*, pourrait symboliser, selon Héraclite le Rhéteur, le travail de la forge[7]. Quant aux explications physiques, elles sont particulièrement fréquentes parmi les stoïciens. En général, elles consistent à interpréter les dieux homériques en termes de forces de la nature : l'air, la mer, le feu, etc. Un exemple bien connu à la Renaissance consiste à considérer les amours de Zeus et de Héra sur le mont Ida (*Iliade* XIV) comme l'union de

---

[5]   Voir à ce sujet notre article « Conrad Gesner et le fabuleux manteau », *BHR*, XLVII (1985), 305–20.

[6]   Voir à ce sujet Ann Moss, *Ovid in Renaissance France : A Survey of the Latin Editions of Ovid and Commentaries Printed in France before 1600*, Warburg Institute Surveys, 8 (Londres : The Warburg Institute, 1982).

[7]   Voir Héraclite, *Allégories d'Homère*, texte établi et traduit par Félix Buffière (Paris : Les Belles Lettres, 1989, 2e tirage mis à jour), ch. 69, ainsi que, du même auteur, *Les Mythes d'Homère et la pensée grecque* (Paris : Les Belles Lettres, 1973), p. 241. Entre autres explications, Héraclite affirme que « ce peut être aussi une allégorie sur le travail de la forge. Arès peut très bien désigner le fer ; si Héphaistos l'a maîtrisé sans peine, c'est que le feu, doué, j'imagine, d'une puissance supérieure à celle du fer, amollit aisément dans ses flammes la dureté de ce métal. Mais l'artiste a besoin aussi d'Aphrodite pour son dessein : ce qui veut dire, je pense, qu'après avoir assoupli le fer avec le feu, il a achevé et réussi son œuvre avec un art *ravissant* ».

l'éther (Zeus) et de l'air (Héra) qui déclenche l'éclosion du printemps[8]. Enfin, les interprétations morales ou éthiques présentent les dieux et les héros de la mythologie comme des forces abstraites : Athéna incarnerait, par exemple, la sagesse divine, ou Hermès la pensée rationnelle. Très répandue parmi les allégoristes médiévaux, cette méthode herméneutique n'en continuait pas moins d'attirer des adeptes au XVIe siècle, parmi lesquels Natale Conti est incontestablement l'un des mieux connus[9].

Les deux sortes d'interprétation préférées par Gesner, à savoir « theologicis & metaphysicis rationibus », offrent l'avantage de renforcer l'importance des mythes homériques au lieu de les neutraliser, ce qui était souvent l'objet des explications médiévales. Au lieu d'attacher une signification concrète et, en dernière analyse, décevante aux incidents racontés par Homère, ces méthodes mettent en relief le statut de poète inspiré dont jouit l'auteur de l'*Iliade* et de l'*Odyssée* aux yeux de bien des humanistes, pour intégrer sa pensée dans la tradition judéo-chrétienne, souvent au moyen d'une forte dose de néo-platonisme. C'est cette tradition qui allait séduire Jean Dorat et dont nous découvrons la trace dans le texte reproduit dans ce volume.

Le manuscrit A 184 suss. de la Bibliothèque ambrosienne à Milan offre le témoignage le plus important que nous possédions actuellement sur les méthodes herméneutiques de l'un des humanistes les plus éminents de la Renaissance française. Signalé par Paul Oskar Kristeller à Geneviève Demerson, ce manuscrit contient les notes d'un étudiant anonyme sur le cours donné par Dorat sur les chants X–XII de l'*Odyssée*, ainsi que sur le début de l' « Hymne homérique à Aphrodite ». Mme Demerson a déjà publié deux extraits du manuscrit (les f. 2r–3r et 3v–4r) dans des articles parus en 1978 et 1980, et elle lui consacre une partie de son importante monographie, *Dorat en son temps* (p. 181–6)[10]. Vingt et une feuilles de notes concernent Homère, nous

[8]   Voir *Les Mythes d'Homère et la pensée grecque*, p. 110–12, et notre article « Ronsard the Painter : A Reading of "Des peintures contenues dedans un tableau" », *French Studies*, XL (1986), 32–44, p. 36–9.

[9]   Son ouvrage, *Mythologiae, sive explicationum fabularum libri decem. In quibus omnia prope naturalis & moralis philosophiae dogmata sub antiquorum fabulis contenta fuisse demonstrantur*, fut publié pour la première fois par Comin da Trino à Venise en 1567 (et non pas en 1551, comme le prétendent bien des érudits).

[10]   Les f. 2r–3r figurent dans « Dorat, commentateur d'Homère », in *Études seiziémistes offertes à M. le professeur V.-L. Saulnier*, THR, 177 (Genève : Droz, 1980), 223–34 ; les f. 3v–4r dans « Qui peuvent être les Lestrygons ? », *Vita Latina*, LXX (1978), 36–42. *Dorat en son temps : culture classique et présence au monde* fut publié à Clermont-Ferrand en 1983 par ADOSA. Voir également la notice sur Dorat par Mme Demerson dans *Centuriæ Latinæ : Cent une figures humanistes de la Renaissance aux Lumières offertes à Jacques Chomarat*, réunies par Colette Nativel, THR, 314 (Genève : Droz, 1997), 323–31, et nos deux articles « Jean Dorat and the Reception of Homer in Renaissance France », *International Journal of the Classical Tradition*, II (1995), 265–74, et « The *Mythologiae* of Natale Conti and the Pléiade », in *Acta*

présentant en détail la pensée de l'humaniste limousin dont nous avions auparavant un aperçu grâce à l'un de ses élèves, Guillaume Canter[11]. En entrant dans la pensée de Dorat, nous sommes en mesure de mieux évaluer et de comprendre l'impact de ses méthodes pédagogiques sur la génération d'humanistes et poètes qu'il a formés, y compris Ronsard, Baïf, et Du Bellay.

JEAN DORAT : QUELQUES POINTS DE REPÈRE

Nous disposons de très peu de précisions sur les années de jeunesse de Dorat. Quoique 1508 soit généralement acceptée comme l'année de sa naissance, Jean Dupèbe, suivant l'avis d'un ami du Limousin, La Croix du Maine, aurait plutôt tendance à fixer la date de sa naissance en 1517[12]. Nous ignorons où il reçut sa première éducation — Limoges, comme le pense G. Demerson[13], ou Toulouse, hypothèse avancée par Dupèbe[14]. Ce qui est maintenant certain, c'est qu'il se trouvait à Paris, inscrit à la Faculté des Arts, dès la rentrée de 1537, et qu'il obtint sa maîtrise en mai 1539[15]. C'est cette dernière date qui confirme selon Dupèbe la date de naissance de 1517 : Dorat aurait eu 22 ans lorsqu'il obtint sa maîtrise, âge tout à fait normal. Par contre, s'il était né en 1508, il aurait eu 31 ans, ce qui semblerait assez invraisemblable pour un humaniste de son calibre.

Un autre document repéré par Dupèbe nous présente Dorat entre 1542 et 1544/45 au collège de Chenac, « petite institution de la rue de Bièvre, destinée aux étudiants du diocèse de Limoges »[16], où il était maître et boursier. C'est en 1544 que Lazare de Baïf aurait employé Dorat comme précepteur de son fils, Jean-Antoine, âgé alors de 12 ans, et de Ronsard, son aîné de huit ans. Après la mort de Lazare de Baïf en 1547, Dorat obtint un poste au collège de Coqueret, où il continuait à éduquer ses deux élèves ainsi que Joachim Du Bellay, né en

---

Conventus Neo-Latini Bariensis : Proceedings of the Ninth International Congress of Neo-Latin Studies, Bari 29 August to 3 September 1994, éd. Rhoda Schnur (Tempe, AZ : Medieval & Renaissance Texts & Studies, 1998), 243–50.

[11] Voir *Novarum lectionum libri septem : in quibus, praeter uariorum autorum, tam Graecorum quam Latinorum, explicationes & emendationes : Athenaei, Agellij, & aliorum fragmenta quaedam in lucem proferuntur*, editio secunda, tribus libris aucta (Bâle : Jean Oporin, 1566). C'est en grande partie grâce à Pierre de Nolhac que les chercheurs ont découvert ces aspects de Dorat : voir *Ronsard et l'humanisme* (Paris : Champion, 1921 ; réimpr. 1965).

[12] Voir son article « Documents sur Jean Dorat », *BHR*, L (1988), 707–14.

[13] *Dorat en son temps*, p. 18.

[14] *Art. cit.*, p. 710.

[15] Voir Dupèbe, *art. cit.*, p. 707, qui cite les *Actes des recteurs de la Faculté des Arts*, BnF, ms lat. 9953, f. 68ᵛ, ainsi que les *Archives Université*, registre 17 (1), f. 136ᵛ.

[16] Dupèbe, *art. cit.*, p. 711, qui allègue A.N.H.³ 2869 (1), f. 6ᵛ et 15ᵛ, comptes du collège de Chenac du 7 octobre 1542 au 8 janvier 1544 (v. st.).

1522. Dupèbe a montré qu'en même temps qu'il exerçait les fonctions de professeur à Coqueret, il était également correcteur chez l'imprimeur royal, Robert Estienne[17].

Dorat resta au collège de Coqueret jusqu'en 1556, date à laquelle il succéda à Jean Strazel comme lecteur royal de grec. Il occupa ce poste plus de onze ans, jusqu'en novembre 1567. Depuis janvier de cette année, il était également poète royal. Mais 1567 était une année lourde de menaces. G. Demerson commente l'attitude de Dorat :

> Dorat, qui s'emploie diligemment, à la fin de 1567, à expliquer les signes funestes qui se sont déjà manifestés, suppose donc un esprit providentiel qui, par bonté, offrirait aux hommes un système de signes avertisseurs que l'interprète aurait mission de traduire pour éclairer ses semblables[18].

Pour le poète et interprète royal, il ne faisait pas de doute que l'on pouvait lire dans ces signes — par exemple, la naissance d'enfants monstrueux — des événements imminents.

Si, selon G. Demerson, Dorat aurait eu en 1567 une attitude plutôt déiste que catholique à l'égard de ces pronostics, cet état d'esprit ne devait pas durer. A la suite d'une maladie très grave, vraisemblablement au cours de l'hiver 1570–71, l'humaniste se serait converti à un catholicisme orthodoxe après le rétablissement de sa santé[19]. Après cette date, il aurait abandonné en grande partie le côté païen de sa vision du monde, pour adopter une attitude religieuse plus conventionnelle. Il meurt à Paris le 1er novembre 1588.

LE MANUSCRIT A 184 suss.

Le manuscrit conservé à l'Ambrosienne qui porte actuellement la cote A 184 suss., et anciennement B.S.II.3, est un cahier de 22 cm x 16 cm, relié en carton. Vingt et une feuilles sont consacrées au cours de Dorat, trente-sept feuilles à d'autres cours. Seules les feuilles écrites sont numérotées, au crayon, mais cette numérotation est postérieure à la rédaction du manuscrit. Certaines sections du cahier restent blanches, par exemple les pages entre les feuilles 32ᵛ et 33ʳ, où il y a vingt et une feuilles vierges.

Selon G. Demerson, il faudrait situer la rédaction du manuscrit entre 1554, « date de l'impression du livre de Cardan, *Geniturarum exempla*, mentionné f° 3 r° », et 1571, date de la « conversion » de Dorat : elle affirme que le jugement positif à l'égard d'Ulysse que l'on rencontre dans le manuscrit ne

---

[17]   Dupèbe, *art. cit.*, p. 712 et 714, où il reproduit en appendice l'acte notarial du 14 mai 1550 qui indique que Dorat était « lecteur publicq et correcteur demourant a Paris en l'imprimerie de Robert Estienne ».

[18]   *Dorat en son temps*, p. 134.

[19]   Voir *Dorat en son temps*, p. 138–40, et *Centuriæ Latinæ*, p. 324.

serait plus possible après cet événement déterminant. En fait, le *terminus post quem* offert par l'œuvre de Cardan devrait être situé en 1547, date de l'édition de ses *Libelli quinque* qui contiennent le *De iudiciis geniturarum* en troisième place et le *De exemplis centum geniturarum* en cinquième place[20].

Heureusement, nous disposons d'autres indications qui permettent de dater le manuscrit avec plus de précision, dont la plus importante est le papier sur lequel les notes sont écrites. Ce papier porte un filigrane, que nous reproduisons ici, consistant en la lettre S surmontée d'une couronne, placée sur une banderole portant une inscription, « PERRET ». Or, il s'agit d'un papier fabriqué à Sens entre 1564 et 1567, ce qui nous permet de situer le cours de Dorat soit vers la fin de sa période au Collège royal, soit au début de sa « retraite »[21]. Car, bien que Dorat se fût désisté de sa chaire au Collège royal en 1567, il n'en continua pas moins d'accueillir des pensionnaires, tant étrangers que français, à son domicile près de la porte Saint-Victor[22].

Cette datation à l'aide du filigrane est confirmée d'ailleurs par d'autres indices. Les feuilles 1–21 contiennent le texte du cours sur Homère[23]. Si on retourne le

---

[20] Ce livre fut publié à Nuremberg. A notre sens, il est plus probable que Dorat fait allusion (l. 77–8 de notre édition) au premier de ces deux ouvrages. A propos de la datation du manuscrit, voir G. Demerson, *Dorat en son temps*, p. 185–6.

[21] Pour des détails concernant ce filigrane, voir C. M. Briquet, *Les Filigranes : Dictionnaire historique des marques du papier dès leur apparition vers 1282 jusqu'en 1600*, première édition 1907, fac-similé publié à Amsterdam par The Paper Publication Society en 1968, n° 9085.

[22] Voir *Dorat en son temps*, p. 185, et Henri Chamard, *Histoire de la Pléiade*, 4 tomes (Paris : Henri Didier, 1939–40), IV. 4–5.

[23] Comme nous l'avons déjà fait remarquer, la numérotation des feuilles n'est pas contemporaine du texte du manuscrit : écrite au crayon, elle daterait peut-être du début du XVIIIe siècle, époque à laquelle Giuseppe Antonio Sassi (1675–1751) était chargé du catalogue des manuscrits de l'Ambrosienne. Celui-ci était *dottore* à l'Ambrosienne dès 1703 et *prefetto* dès 1711. Selon les responsables actuels de la Bibliothèque, il était en fonction lorsque notre manuscrit fut catalogué. Il faut noter que les feuilles blanches ne sont pas numérotées, même lorsqu'elles figurent dans le corps du texte : il y a, par exemple, quatre feuilles blanches non numérotées entre la fin du commentaire sur le chant XII de l'*Odyssée* et le début du commentaire sur l' « Hymne homérique à

manuscrit, la première feuille, numérotée 22^r, est écrite de la même main que celle du commentaire sur l'*Odyssée*, mais à la hâte et d'une façon assez négligée. En fait, le texte de cette page est répété plus soigneusement et plus complètement à la feuille 43^r. En voici le début :

> vide apud Gell. de partibus diei et Macrob. in Saturnal. et Alciatum referentem uersum illum Virgil. melior quoniam pars acta diei sic Turneb. in aduersarijs. lib. 3. cap. 14.

L'importance de cette phrase en ce qui concerne la datation du manuscrit réside, évidemment, dans l'allusion à l'ouvrage d'Adrien Turnèbe[24], qui parut en 1564 intitulé *Adriani Turnebi Regij philosophiæ græcæ professoris aduersariorum, Tomus primus duodecim libros continens. Cum Indice copiosissimo. Ad Clarissimum & Amplissimum Virum Michaëlem Hospitalem Franciæ Cancellarium* (Parisiis, Ex officina Gabrielis Buonij…, 1564)[25]. Le privilège date du 24 juin 1564. Comme il est tout à fait probable que ces notes sont quasi contemporaines du commentaire homérique, elles confirment la datation établie grâce au filigrane.

Les notes qui contiennent cette allusion à l'œuvre de Turnèbe proviennent d'une section intitulée *Annotationes Johannis Passeratij in tit. de uerb. signif.* Le reste de cette partie du manuscrit, les feuilles 24–41, concerne les mathématiques : les *Praelegomena* qui commencent à la feuille 24^r portent sur les origines des mathématiques, et ensuite, à partir de la feuille 33^r, on trouve une *In Geometriam introductio*.

Jean Passerat (1534–1602), dont notre étudiant a suivi le cours sur le traité *De significatione verborum* d'Alciat, succéda à Ramus comme lecteur royal en latin après la mort de celui-ci en août 1572 lors de la Saint-Barthélemy. Ainsi, les périodes où Dorat et Passerat ont enseigné au Collège royal ne coïncident pas, mais ce dernier était à Paris depuis 1569, à la maison de Henri de Mesmes, où il était précepteur de son fils.

Est-ce que les notes sur les mathématiques et le cours de Passerat sont antérieures ou postérieures aux notes sur Homère ? Quoique la numérotation du manuscrit semble indiquer l'antériorité du *Mythologicum*, c'est peut-être le

Aphrodite ». Selon les archives de la Bibliothèque, le manuscrit fut acquis au XVIIe siècle.
[24] Sur Turnèbe, qui fut lecteur royal entre 1547 et 1565, voir l'étude de John Lewis, *Adrien Turnèbe (1512–1565) : A Humanist Observed*, THR, 320 (Genève : Droz, 1998), et Jean-Marc Chatelain, « Les Recueils d'*adversaria* aux XVIe et XVIIe siècles », in *Le Livre et l'historien : études offertes en l'honneur du Professeur Henri-Jean Martin* (Genève : Droz, 1997), 169–86.
[25] Le manuscrit contient à la feuille 22^r une autre allusion à une œuvre récemment imprimée : *Antonii Augustini Iurecos. Emendationum, & Opinionum Lib. IIII…* (Lugduni : Apud Ioannem Frellonium, 1560). Il y est question des pages 197–200 de cet ouvrage.

fait que ce texte a paru plus intéressant et plus complet qui explique ce choix. La feuille 23ʳ offre une indication contraire, car l'ordre des notes de cours y est inversé :

carta faccio di uarie cose

Mathematicae qu.
It. Jo. Passeratij de Verb. significatione.

f. 85

Jo: Aurati explicatio fabularum

Odyss. Homeri

On peut néanmoins supposer que peu de temps séparait la rédaction des notes de ces trois cours.

En conclusion, donc, si l'on accepte la « conversion » de Dorat comme événement décisif pour son attitude à l'égard d'Ulysse, il faudrait situer le cours qu'a suivi notre étudiant anonyme entre 1569 (date du retour de Passerat à Paris) et 1571, alors que Dorat enseignait à son domicile. En même temps, il faut également tenir compte du fait que les professeurs de la Renaissance, pas davantage que leurs homologues d'aujourd'hui, n'auraient pas entièrement récrit leurs cours tous les ans. Il est donc légitime de penser que le *Mythologicum* ne diffère pas foncièrement des cours qu'auraient suivis Ronsard, Baïf, Du Bellay, et, plus tard, Guillaume Canter.

L'ÉTUDIANT

Malheureusement, l'identité de l'étudiant qui a suivi le cours de Dorat demeure une énigme. G. Demerson a avancé l'hypothèse qu'il serait Italien, et les quelques mots d'italien qui paraissent à la feuille 23ʳ (« carta faccio di uarie cose ») confirmeraient cette opinion. On ignore, pourtant, à quelle époque le manuscrit arriva en Italie.

Notre étudiant possédait une bonne maîtrise du latin : à l'exception de quelques fautes d'orthographe — par exemple, il écrit régulièrement *apellare* pour *appellare*, *ceu* au lieu de *seu*, et *silicet* au lieu de *scilicet* —, son latin est généralement correct. En revanche, sa connaissance du grec est beaucoup moins solide. Il confond souvent les esprits rudes et doux, il mêle les accents aigus et circonflexes et les déplace fréquemment ; et, sans doute à cause de la prononciation byzantine du grec, courante en France et en Italie à la Renaissance, il lui arrive souvent de confondre non seulement les voyelles mais aussi les consonnes. Il suffira de jeter un coup d'œil sur les notes en bas de page du texte latin pour relever ces erreurs.

Il est pourtant évident qu'il ne s'agit pas de notes que notre étudiant aurait prises directement pendant qu'il suivait le cours de Dorat, mais d'une copie au net qu'il aurait établie à loisir : il lui arrive souvent de corriger un mot qu'il a mal lu dans ses notes originelles (par exemple, il remplace « manus » par « animus », l. 128, et « quando » par « quoniam », l. 166), ou qu'il a écrit par erreur en sautant quelques mots ou une ligne (cf. la rature du verbe « erit », l. 560, et du nom « Lampetia », l. 976). Parfois, il ajoute ses propres commentaires en marge.

Il ne semble pas, pourtant, qu'il ait suivi ses cours avec une assiduité totale. Quoique ses notes pour le chant X de l'*Odyssée* paraissent complètes, il n'en est pas de même pour le chant XI. La feuille 7ʳ reste blanche, à la suite de quelques remarques générales sur la descente d'Ulysse aux enfers qui sont sans doute inachevées, et, deux pages plus bas, notre étudiant marque lui-même une lacune par les mots « Desunt multa » (f. 8ʳ). En revanche, le commentaire sur le chant XII, selon Dorat le plus important de l'*Odyssée*, semble complet.

Dans la mesure du possible, notre étudiant reproduit dans ses notes les paroles mêmes du maître, et dans ce sens-là nous avons affaire à un tout autre procédé que celui que l'on voit dans les notes sur Pindare publiées par Peter Sharratt [26]. En fait, plutôt que de notes, il est question ici d'un commentaire qui aurait pu être publié. Il découle de cela que le cours magistral auquel notre étudiant a assisté est très différent de ce à quoi on pourrait s'attendre de nos jours, et qu'il ressemble davantage à une dictée qu'à une conférence [27]. On notera, par exemple, les longues citations de Cicéron dans la section sur les Sirènes (l. 534 sq.).

LES COURS

Cela soulève la question de savoir quelle était la durée de chaque leçon. Malheureusement, il n'est pas du tout évident d'après les notes où se trouvent les interruptions entre les cours, mais on peut néanmoins hasarder quelques spéculations. Dans notre édition, les notes sur l' « Hymne homérique à Aphrodite », séparées par quatre feuilles blanches des notes sur le chant XII de l'*Odyssée*, occupent 162 lignes, et il est clair qu'elles sont restées inachevées. Cela pourrait suggérer qu'elles représentent une séance unique. Une autre indication possible consiste dans la lacune située après la ligne 350. Les

[26]   « Ronsard et Pindare : un écho de la voix de Dorat », *BHR*, XXXIX (1977), 97–114.
[27]   Voir l'article d'Anthony Grafton sur les cours de Claude Mignault pour un aperçu sur ce qui se passe dans une salle de classe à Paris vers le début des années 1570 : « Teacher, Text and Pupil in the Renaissance Class-Room : A Case Study from a Parisian College », *History of Universities*, I (1981), 37–70.

remarques entre les lignes 302 et 349 servent d'introduction générale au chant XI. Après la lacune, Dorat commente le texte homérique en détail, en l'occurrence le vers 262, où Ulysse parle du fondateur de Thèbes, Amphion. Il nous manque un commentaire sur les propos échangés par Ulysse et Tirésias (v. 93–149), ainsi que sur la conversation entre le héros grec et sa mère, Anticlée (v. 155–224), et sur les premières ombres qu'Ulysse voit aux enfers. Si notre étudiant n'a manqué qu'une seule leçon, cela suggérerait que Dorat était capable de commenter jusqu'à 150 vers à chaque séance. Mais il est vrai qu'il opérait un choix à l'égard des vers qu'il expliquait : il ne considère nullement tous les héros et héroïnes que rencontre Ulysse aux enfers.

Ainsi donc, il nous semble possible que les deux premières sections du commentaire sur Éole et les Lestrygons (l. 1–145) constituent la première séance. Elles traitent les 132 premiers vers du chant X (avec, certes, des omissions), et consistent en une quantité de notes comparable à la section sur l' « Hymne à Aphrodite ». En règle générale, il nous semble probable que chaque cours a duré une heure et qu'il en a résulté des notes courant entre 100 et 150 lignes dans notre édition. Cela suggère qu'il y aurait eu environ dix leçons sur les chants X–XII.

Dans son interprétation d'Homère, Dorat se sert de deux outils principaux : d'une part, l'authorité des érudits qui avaient commenté le texte homérique avant lui ; d'autre part — et c'est souvent sa pierre de touche quand il s'agit de choisir entre plusieurs explications possibles —, les principes de l'étymologie. Pour lui, ce qui importe plus que toute autre chose, c'est la cohérence de l'interprétation d'un mythe. Comme il affirme au début de la section consacrée à Circé (l. 151 sq.) : « dans toute explication de fables, il importe de lier le début à la fin, et le milieu aux deux extrêmes », ce qui est loin d'être le cas dans la majorité des œuvres mythographiques de l'époque. De ce point de vue, le Limousin a des préoccupations bien différentes de celles de ses contemporains, car le versant littéraire de l'œuvre homérique l'intéresse tout autant que le versant mythologique. Cela est très apparent dans sa discussion de l'authenticité des *Hymnes homériques* (l. 1065 sq.), où il affirme que ce sont des œuvres de jeunesse d'Homère qui sont, néanmoins, supérieures aux compositions de Callimaque et de Pindare.

C'est également au début de la section sur l' « Hymne à Aphrodite » qu'il présente ses idées sur un thème qui concernait tous les écrivains de la Renaissance : l'imitation littéraire. Dans ce contexte, il préconise une méthode recommandée par Vida dans son *Ars poetica* de 1527, d'une utilité pratique pour ses jeunes élèves dans leurs propres compositions[28] :

---

28   Cf. Marco Girolamo Vida, *Poétique de Vida*, traduite en vers français par J. F. Barrau (Paris, 1808), III. 216–20 : « Nec pudet interdum alterius nos ore locutos. / Cum vero cultius moliris furta poetis, / Cautius ingredere, et raptus memor occule versis / Verborum indiciis, atque ordine falle legentes / Mutato : nova sit facies, nova prorsus imago. »

Ceux qui imitent autrui et qui suivent l'exemple des anciens, pour ne pas donner l'air, tels des voleurs rusés, de nous apporter quelque chose d'antique après n'en avoir changé que les noms, donnent une forme nouvelle à ce texte antique, ou bien l'embellissent en en variant le style d'une façon nouvelle.

(l. 1050–2)

Quant à l'interprétation de l'*Odyssée*, les autorités citées par Dorat dans son commentaire sont assez variées[29], mais elles sont loin d'indiquer tous les auteurs dont il s'est servi. Il connaît, bien entendu, les quatre ouvrages publiés par Gesner[30], mais il se sert constamment du commentaire d'Eustathe, et à plusieurs reprises nous trouvons des citations qui proviennent de Strabon, d'Athénée, de Macrobe, de Cicéron, de la Bible et de bien d'autres sources. Dans certains cas, il a recours à des œuvres encyclopédiques contemporaines comme celle de Caelius Rhodiginus (voir l. 1175–6 et note), de sorte qu'il n'est pas toujours facile de déterminer la source exacte de telle ou telle allusion. En passant en revue les opinions de ses prédécesseurs, il ne les accepte pas aveuglément, choisissant les explications qui coïncident le plus avec son interprétation générale de l'*Odyssée*.

Dans une très grande mesure, cette vue est déterminée par l'étymologie des noms des dieux et des personnages homériques car, pour le Limousin, le nom d'un individu peut révéler sa nature et son destin. Comme nous l'a montré Jean Céard[31], il était réputé pour ce genre de pronostic :

Binet tenait Ronsard pour un poète inspiré. Binet reconnaissait le même privilège à Dorat : « Dorat, disait-il, a eu tousjours je ne scay quoy d'un divin Genie, pour prevoir les choses à venir. » Il se peut que Ronsard ait été confirmé par Dorat dans sa croyance au pouvoir prophétique des poètes. Dorat en était si convaincu que les anagrammes mêmes, cette spécialité française dont il était féru, devaient lui paraître, non pas, comme à beaucoup d'autres, un simple jeu d'esprit, mais une forme de la révélation ; Papire Masson affirme qu'il y réussissait fort bien : « Il semblait souvent prédire l'avenir d'une façon fort ingénieuse, à l'aide de ces transpositions de lettres. »

Si Dorat a prédit l'avenir par ce moyen, il n'est guère étonnant qu'il ait cru en ce procédé pour révéler les secrets du texte homérique.

En général, il emploie quatre types d'explication étymologique[32] :

(1)   l'analyse des éléments individuels d'un nom ;

---

[29]   Voir l'Index des auteurs et textes cités par Dorat, p. 161.
[30]   Voir *supra*, p. XI–XII.
[31]   Jean Céard, *La Nature et les prodiges : L'Insolite au XVIe siècle*, Titre courant 2 (Genève : Droz, 1996), p. 215.
[32]   Sur les méthodes étymologiques employées par Dorat, voir Demerson, *Dorat en son temps*, p. 206–30.

(2)   la paronomase ou *allusio*, où les jeux de mots sont censés contenir des vérités importantes concernant l'individu ou l'objet en question ;

(3)   l'anagrammatisme, procédé, comme nous l'avons vu, très cher à Dorat et à ses disciples, où les mots formés par la transposition des lettres d'un nom peuvent également indiquer les qualités de la personne en question ;

(4)   la numérologie.

Dorat a très souvent recours à la première de ces méthodes. Les Lestrygons « attristent, vexent, et torturent le peuple » (l. 111–13), Télèphe signifie « qui tue de loin » (l. 400), les Sirènes sont les « interprètes des dieux » (l. 591–4), et ainsi de suite. Quoiqu'un peu moins répandue, l'*allusio* constitue également un outil important. Demerson cite l'exemple de l'explication du breuvage offert par Circé aux compagnons d'Ulysse (l. 207–13)[33], et le nom de l'épouse d'Alcinoos, Arété, reçoit une interprétation selon la même méthode (« Arété, ou pour ainsi dire *haïrété*, "celle qu'il faudrait choisir et désirer", prénom qui consiste en un jeu de mot » (l. 393–4))[34]. Pour ce qui est de la méthode anagrammatique, il existe plusieurs exemples dans notre manuscrit, par exemple l. 422–3, où le nom Tantale est présenté comme une anagramme de *talanton*, et l. 657–8, où les mots « opa kallimon » désignerait la Muse Calliope. L'intérêt de Dorat pour les nombres est également attesté dans le commentaire, par exemple l. 938–43 :

> Il existe une sorte de mystère dans la figure de la croix formée par la coque posée de biais par rapport au gouvernail, à l'aide de laquelle Ulysse, à califourchon, échappa du naufrage. Car comme la lettre X représente le nombre dix, le plus parfait de tous les nombres, il faut en déduire que c'est l'homme parfait qui échappera de n'importe quel naufrage.

Dorat discute plus généralement de la signification des nombres aux lignes 819–23.

Ce qui est particulièrement frappant dans son analyse de la mythologie homérique, c'est que, contrairement à ses contemporains, il écarte très souvent les explications morales. Il rejette, par exemple, les interprétations tradition-nelles de Circé, de Calypso, et des Sirènes comme symboles de la luxure, ou du sort du jeune Elpénor comme allégorie des malheurs de l'ivresse, pour pencher vers une allégorisation plus globale, selon laquelle les errances d'Ulysse représentent le périple de l'âme humaine qui retourne à la patrie céleste. On connaissait depuis longtemps cette explication, grâce à l'un des élèves de Dorat, Guillaume Canter[35], ainsi qu'aux recherches de Pierre de

---

[33]   *Dorat en son temps*, p. 211.
[34]   Pour d'autres *allusiones* de ce genre, voir l. 466 et 630–3.
[35]   Voir son ouvrage *Nouarum lectionum libri septem*, p. 260–3, et *supra*, p. XIV.

Nolhac[36], mais il est intéressant de voir dans le manuscrit de l'Ambrosienne la façon détaillée dont le Limousin explique l'*Odyssée* selon cette optique. Conformément à son principe de cohérence herméneutique, il considère que le voyage d'Ulysse est surtout un voyage d'exploration — de soi-même. Ainsi donc, le rôle de Circé et de Calypso consiste à révéler au héros grec les secrets des mondes physique et métaphysique, les Sirènes représentent les dangers de la vie contemplative et de la recherche scientifique comme fin en soi, Tirésias enseigne à Ulysse la doctrine de l'immortalité de l'âme.

Il existe, néanmoins, quelques exceptions à ce genre d'interprétation philosophique. Par exemple, Dorat avance une explication morale pour l'histoire de Charybde et de Scylla (Charybde symbolise l'avarice, Scylla la luxure), et une explication historique pour plusieurs détails du récit homérique. C'est le cas de son interprétation d'Éole, « homme sage et expert en astronomie [qui] amène Ulysse en son île et lui enseigne l'art de la navigation » (l. 36–8), ou bien de la destruction du navire d'Ulysse par Charybde, qui symbolise, grâce en partie à une *allusio* sur *malus* (« mât ») et *malum* (« mal »), les troubles provoqués par le gouvernement tyrannique :

> Ainsi donc, le régime le plus solide dans un État et dans les affaires publiques est celui qui est gouverné par les aristocrates. Il ressemble au mât, qui ne doit pas pencher dans une direction ou une autre, qui ne doit pas être exalté et porté aux nues par la faveur du peuple, ni non plus accablé par ses menaces. Mais dès que le mât s'est incliné en arrière et qu'il s'est éloigné du peuple, il tend vers la tyrannie. Alors les armes tombent dans la sentine, c'est-à-dire que le peuple, qui est le rebut de l'État, prend les armes et provoque un terrible carnage. A l'extrémité du navire, sur la poupe, se tient le pilote qui dirige tant le navire que l'État. Pourtant le mât heurta et fendit en deux la tête du pilote, ce qui indique que ce dernier manquait de prudence et de raison. Car un mal qui pèse sur la tête indique un manque et une perte de prudence, particulièrement chez les princes.
>
> (l. 895–905)

Ailleurs dans son commentaire, Dorat offre d'autres explications de ce genre : Alcinoos symboliserait l'aristocratie, Éole la démocratie, et les Lestrygons l'oligarchie (l. 178–80) ; les lions, les ours, et les porcs qui ornent le baudrier d'Hercule représenteraient également trois formes de gouvernement (monarchie, aristocratie, démocratie, l. 432–40) ; et le Cyclope Polyphème est présenté comme symbole de la tyrannie (l. 777).

Le Limousin ne néglige pas non plus les allégories physiques. Il suggère, par exemple, que les enfants d'Éole qui passent toute la journée à banqueter seraient, selon Platon et les stoïciens, « les constellations et les astres, tant les planètes que les étoiles fixes, [qui] s'alimentent et se nourissent des vapeurs qui s'élèvent de la terre et des eaux » (voir l. 27–33). Ou bien, les Sirènes, d'après certaines traditions, n'étaient que « des écueils dangereux aux parages

---

[36]   *Ronsard et l'humanisme*, p. 71–2.

desquels les navires, en y abordant, faisaient naufrage, et où l'on croyait que le tumulte des vagues et du vent confiné émettait une harmonie et une consonance de voix » (l. 529–32). Enfin, d'après une tradition qui remonte à Aristote, les bœufs et les brebis du Soleil représentent les jours et les nuits d'une année solaire (l. 952–75). Parfois, Dorat se contente de rapporter ce genre d'explication, sans forcément y ajouter trop de foi.

En fait, l'image d'Homère qui ressort de ce commentaire est sans aucun doute celle du poète inspiré, du *uates* qui, à la manière des Sibylles anciennes, a révélé aux hommes des vérités philosophiques et religieuses. En outre, Dorat n'hésite pas à établir des liens entre Homère et les Sibylles. A propos du chant XI de l'*Odyssée*, il nous explique que

> Nombreuses sont les choses dans ce chant qui semblent avoir été choisies parmi les oracles sibyllins, surtout les traditions concernant Hercule. De même que les Sibylles avaient prédit la descente aux enfers de notre Seigneur Jésus-Christ, de même Homère écrit ici qu'Ulysse et ailleurs qu'Hercule y sont descendus, histoire que les poètes anciens racontent également à propos d'Orphée.
>
> (l. 340–4)

Ailleurs, il ne semble pas faire de distinction entre « les Sibylles, les prophètes, et les poètes anciens » (l. 652–3), et il affirme que « les Sibylles firent beaucoup de prédictions sur Homère, comme il est possible de le constater dans leurs vers » (l. 674–6). Le disciple de Dorat, Guillaume Canter, avait sans aucun doute appris cette même leçon auprès de son maître, car il déclare dans ses *Nouarum lectionum libri septem* : « Il est bien reconnu qu'Homère a imité la Sibylle à maints endroits, et il a introduit bon nombre de ses hémistiches dans sa poésie.[37] » Nul doute que cet esprit de syncrétisme, qui sous-tend le commentaire tout entier, aurait influé sur les autres élèves du Limousin, à commencer par Ronsard et Baïf.

Dorat cite la Bible à plusieurs reprises au cours de son commentaire, tantôt pour établir des parallèles entre la pensée homérique et les doctrines judéo-chrétiennes, tantôt pour accréditer certains aspects des légendes qu'il commente. Il allègue saint Paul, par exemple, concernant la nature de l'âme :

> Saint Paul établit l'existence de deux parties dans l'âme : l'une, qu'il appelle *nous*, l'intelligence, et que Platon appelle *autos anemos* (« le souffle même »), est entièrement séparée de l'agrégat composé de la partie la plus lourde qui tend vers le bas ; l'autre, qu'il appelle *pneuma* ou *psychê*, qui est en termes propres appelée « âme », est commune à tous les êtres vivants, d'où leur nom de *psychikoï*, « êtres animés ».
>
> (l. 359–2)

---

[37] Canter, *op. cit.*, p. 266 : « Cum enim Homerus multis in locis, ut aperte constat, Sibyllam sit imitatus, eiusque hemistichia multa poesi suae inseruerit… »

Dans sa discussion des Troupeaux du Soleil, il rapproche assez curieusement l'apaisement de la tempête du jour du sabbat :

> Pendant six jours, les compagnons d'Ulysse ont fait bonne chère, c'est-à-dire qu'ils ont consacré six jours à la folie, à la débauche, à la gourmandise, au sacrilège, et c'est le septième jour qui voit commencer, ou appliquer, pour les bons et pour les méchants, la fin, le remède, et la récompense qu'ils méritent, de même que chez les théologiens il y a six jours de travail et le septième est un jour de repos.
>
> (l. 1038–41)

Dans la section sur les Sirènes, il fait allusion au chapitre 30 de Job (version des Septante), où le verset 29 contient en effet la phrase « Je suis devenu le frère des Sirènes, et le compagnon des autruches »[38] (l. 678), sans doute pour renforcer l'authenticité des Sirènes. De même, il se réfère à Moïse en parlant des troupeaux du Soleil :

> Les bœufs, étant des êtres mâles, représentent les jours, parce qu'ils ont des cornes à l'instar du soleil, qui paraît couronné de tous côtés de cornes, c'est-à-dire de rayons, d'où la légende selon laquelle Moïse lui aussi avait des cornes au visage ou au front du fait de l'éclat et de la splendeur de sa face.
>
> (l. 959–62)

Les rapprochements de cette sorte tendent à confirmer l'hypothèse de G. Demerson concernant le *terminus ante quem* de ce commentaire.

En revanche, il n'y a nulle trace dans le cours sur l'*Odyssée* de l'épicurisme qui, selon Demerson, caractérise la période où Dorat fréquentait le cercle de Jean de Brinon pendant les années 1550[39]. En fait, il ne laisse passer aucune occasion pour critiquer cette philosophie. Il parle, par exemple, de « la hardiesse mauvaise et perverse de la philosophie dont les épicuriens et leurs semblables s'étaient imprégnés » (l. 231-2), et il établit un parallèle entre le Silène de l'*Églogue* 6 de Virgile et Épicure, « qui ne transmet les principes de son école que forcé par ses disciples » (l. 635-6)[40].

Enfin, un dernier débat animé par Dorat dans son commentaire concerne l'astrologie et les limites de l'influence astrale sur la vie humaine. Il semble suivre l'avis de Plotin selon lequel le choix de profession devrait se faire en fonction de notre étoile tutélaire (l. 1109-20). En outre, il croit à l'efficacité des horoscopes : « quand ils ont correctement mis en ordre les positions des planètes, les astrologues peuvent faire des investigations efficaces et prévoir

---

[38] Ἀδελφὸς γέγονα σειρήνων, ἑταῖρος δὲ στρουθῶν.

[39] Voir *Dorat en son temps*, p. 123-6, et *Centuriæ Latinæ*, p. 324, où Demerson précise que, avant l'hiver 1570-71, « [Dorat] avait déjà délaissé, selon nous, l'épicurisme de son jeune âge ».

[40] Voir également l. 250-1.

l'avenir » (l. 73–5). Mais en même temps, il rejette la notion selon laquelle
« le jour de sa naissance détermine pour l'homme son malheur ou son bonheur,
et que celui-ci ne peut éviter la prédestination et l'influence des astres »
(l. 994–6), affirmation, dans le contexte des débats religieux de l'époque, tout
aussi théologique que philosophique. En général, le Limousin voit le ciel
comme un livre que l'on peut lire, mais qui ne dénie pas la volonté à
l'individu.

Il est donc évident que le commentaire de Dorat sur l'*Odyssée* n'est pas
limité à des sujets strictement philologiques ou littéraires. Dorat y déploie une
bonne partie de sa pensée, de sa vision du monde et, en dehors de ses
connaissances prodigieuses de la langue et de la littérature grecques, c'est sans
doute ce côté personnel, l'un des charmes de sa méthode d'enseignement, qui a
le plus attiré ses élèves, ainsi que son évidente compréhension des jeunes.

L'INFLUENCE DE DORAT

Nous avons déjà fait allusion aux éléments de l'enseignement de Dorat
qui se trouvent dans l'œuvre de Guillaume Canter, mais il ne faut pas, bien
entendu, négliger son influence sur Ronsard, Du Bellay, et les autres membres
de la Pléiade. A cet égard, le passage célèbre de l' « Hymne de l'Autonne », où
Ronsard emploie la métaphore du « fabuleux manteau », est révélateur :

> Ainsi disoit la Nymphe, et de là je vins estre
> Disciple de d'Aurat, qui long temps fut mon maistre,
> M'aprist la Poësie, et me montra comment
> On doit feindre et cacher les fables proprement,
> Et à bien deguiser la verité des choses
> D'un fabuleux manteau dont elles sont encloses :
> J'apris en sa maison à immortalizer
> Les hommes que je veux celebrer et priser,
> Leur donnant de mes biens, ainsi que je te donne
> Pour present immortel l'hymne de cet Autonne[41].

Il est intéressant de constater d'emblée que Ronsard considère que l'activité du
poète consiste avant tout à représenter la réalité par le biais de l'allégorie. En
tant que poète plutôt qu'humaniste, le Vendômois travaille en sens inverse par
rapport à Dorat : ce dernier expliquait le sens caché de la poésie ancienne,
l'astre de la Pléiade pour sa part exploitait les fables des Grecs et créait ses
propres mythes pour présenter une image fictive, pour ne pas dire mystique,
énigmatique, de la réalité contemporaine. Ce processus frôle souvent l'évhé-

---

[41]   Citation d'après l'édition des *Œuvres complètes*, édition critique avec
introduction et commentaire par Paul Laumonier *et al.*, 20 t., (Paris : STFM, 1924–75),
XII, p. 50, v. 77–86.

mérisme lorsqu'il s'agit de célébrer les exploits de ses mécènes, mais le simple acte de dédier un poème, comme c'est le cas de l' « Hymne de l'Autonne », suffit pour immortaliser le destinataire, quoique le contenu du poème soit philosophique plutôt qu'historique.

Ronsard n'était pas le seul à faire preuve d'une prédilection pour ce côté mystique de la poésie. Du Bellay a créé toute une série d'allégories obscures dans son *Songe*[42], et ses œuvres latines contiennent bien des exemples de jeux de mots destinés à suggérer une vérité cachée. En effet, dans son introduction à ses *Xenia, seu Illustrium quorundam nominum allusiones* (« Étrennes, ou Jeux sur les noms de quelques hommes illustres »)[43], en bon disciple de Dorat, il déclare à propos des noms français :

> Mais comme ces noms, dans la plupart des cas, sont tels qu'ils paraissent avoir été donnés plutôt par hasard que par suite d'une démarche rationnelle et réfléchie, voire par la nature elle-même (comme l'a voulu Platon), je n'ai pas tenté d'appréhender l'origine même des mots — l'étymologie — qu'il est peut-être bien impossible de découvrir, mais la nécessité m'a obligé à me replier sur, si j'ose dire, une sorte de jeu, l'« allusion » (si seulement le terme d'*allusio* est bien latin).
>
> Et certes les anciens, et particulièrement Platon lui-même dans le cas des noms grecs, ont joué de cette manière en bien des endroits, et même tout spécialement dans le *Cratyle* : c'est bien établi. Dans ce texte, Socrate démontre que le nom de Tantale ne lui a pas été donné par hasard, mais, d'une certaine manière, par la nature elle-même, comme si l'on avait voulu appeler Tantale *talantatos*, c'est-à-dire « très malheureux ».
>
> (éd. cit., p. 58)

Si Du Bellay opte ici pour une interprétation du nom Tantale quelque peu différente de celle de Dorat dans le commentaire sur Homère, nous voyons néanmoins qu'il a bien assimilé la méthode de son maître.

Pour ce qui est de Jean-Antoine de Baïf, nous trouvons les mêmes réflexes littéraires. A l'instar de Ronsard, il reconnaît sa dette envers Dorat dans un poème qu'il adresse à son ancien précepteur :

> A peine estant hors du berceau
> Je ne teray qu'en mon enfance,
> Au bord du chevalin ruisseau

---

[42]   Voir ses *Œuvres poétiques*, édition critique publiée par Henri Chamard *et al.* (Paris : 1910–31 ; réimpr. Paris : Marcel Didier et Librairie Nizet, 1970–85), II, p. 30–9, ainsi que Gilbert Gadoffre, *Du Bellay et le sacré* (Paris : Gallimard, 1978), ch. 5, « Le Message codé du "Songe" », p. 151–82, qui décrit ces sonnets comme « un des textes poétiques les plus obscurs du répertoire français ».

[43]   Cette œuvre fut publiée à Paris chez Frédéric de Morel en 1569. La traduction citée ici est celle de Geneviève Demerson dans son édition des œuvres latines de Du Bellay, éd. cit., t. VIII, p. 56 sq.

> J'allay voir des Muses la dance,
> Par toy leur saint Prestre conduit
> Pour estre à leurs festes instruit[44].

Il montre également le même intérêt pour les anagrammes que les autres membres de la Pléiade [45], et affirme ailleurs l'importance d'une interprétation allégorique des mythes homériques :

> Je n'enten selon le vulgaire
> Simplement les fables d'Homere,
> Comme quand il conte l'effait
> Des charmes qu'une Circe fait,
> Assenant, quiconque elle happe,
> Sans qu'un seul de sa verge échappe :
> Les transformans de puissans coups,
> D'aucuns en porcs, d'autres en loups.
>
> (éd. cit., IV, p. 241)

En revanche, l'explication qu'il offre au lecteur — « Circe est vne putain méchante » — est décevante, bien plus terre à terre que celle de Dorat.
    Toujours est-il que l'éducation que le Limousin offrit à ses élèves les marqua bel et bien et, quoiqu'il ait assez peu publié, sa doctrine n'en continua pas moins à survivre, grâce aux œuvres de tous ceux qui avaient suivi ses cours. Mais l'influence de Dorat ne s'est pas limitée à un petit cercle d'humanistes et de poètes érudits. Il est fort probable, par exemple, que le Limousin a été pour quelque chose dans le programme iconographique de la Galerie d'Ulysse à Fontainebleau[46]. Citons à titre d'exemple le tableau qui représente le retour d'Ulysse à sa patrie, qui reçoit l'explication suivante de la part de Melchior Tavernier dans l'album gravé de Van Thulden (*Les Travaux d'Ulysse peints à Fontainebleau par le Primatice* (Paris, 1633)) :

> Des Pheaciennes accompagnent Ulysse en son pays, où elles le posent doucement, tout endormy qu'il estoit. Ces courtoises Dames sont le vray symbole des Vertus ; *Qui apres la mort (que les plus Contemplatifs ont comparé au sommeil) nous ravissent insensiblement au Ciel, d'où nous tirons nostre origine*[47].

---

[44] « A Ian Dorat », in *Euvres en rime de Ian Antoine de Baïf*, éd. Ch. Marty-Laveaux, 5 t. (Genève : Slatkine Reprints, 1966), II, p. 161.
[45] Voir, par exemple, Baïf, éd. cit., IV, p. 262, « Anagrammes », et p. 325, « Anagramme de Madeleine de Baïf ».
[46] Voir Sylvie Béguin, Jean Guillaume, Alain Roy, *La Galerie d'Ulysse à Fontainebleau* (Paris : Presses Universitaires de France, 1985), p. 99 : « Dans le cercle des humanistes de la Cour, où s'est élaboré le programme de la galerie, on connaissait l'interprétation de l'*Odyssée* donnée par Dorat. »
[47] *La Galerie d'Ulysse*, p. 112.

Malheureusement, la Galerie fut détruite en 1739, preuve, sans doute, de la nature éphémère des beaux-arts en comparaison de la littérature. Car même après plus de quatre siècles, la voix de Dorat nous parvient toujours, grâce à ces notes de cours que nous présentons ici.

CETTE ÉDITION

Le texte du cours sur l'*Odyssée* est intéressant à plusieurs égards, au-delà même des informations sur l'enseignement de Dorat. Il nous offre une bonne indication des compétences d'un jeune homme qui était sans doute représentatif des élèves du Limousin : ses connaissances du grec et du latin, sa propre réaction aux propos de son maître. Tous les témoignages donnés sur ce qui se passait dans les salles de classe du XVIe siècle nous sont précieux. C'est pourquoi nous avons essayé, dans la mesure du possible, de présenter le texte du *Mythologicum* tel qu'il apparaît dans le manuscrit de l'Ambrosienne. La numérotation des feuilles est indiquée en caractères gras entre crochets (par ex. [**3r**]). Nous avons conservé l'orthographe latine, tout en résolvant, pourtant, les abréviations (marquées par l'emploi de crochets obliques, < >) et en ajoutant les lettres omises par erreur (également indiquées par < >). Certains mots communs qui sont souvent mal orthographiés dans le texte sont indiqués par l'emploi de [*sic*]. Les ratures lisibles sont notées dans le texte (par ex. « ~~quando~~ »), les ratures illisibles sont indiquées entre des crochets droits (par ex. [*deux mots raturés*]). Les crochets droits à l'intérieur d'un mot servent à indiquer les lettres à supprimer (par ex. « Elp[p]enora », l. 314). Les notes marginales, généralement des commentaires faits par l'élève de Dorat, se trouvent également entre crochets droits dans le corps du texte. Quant aux signes de ponctuation, ils sont rares dans notre manuscrit. Nous n'avons pourtant ajouté que les points omis par l'étudiant à la fin des phrases. De même, nous avons suivi son emploi de lettres majuscules et minuscules.

Les mots grecs présentent plus de problèmes. Comme il était impossible d'indiquer les formes correctes dans le corps du texte sans provoquer des interruptions inacceptables, nous avons respecté l'orthographe et l'accentuation hasardeuses de l'étudiant, tout en indiquant la forme correcte dans une note en bas de page. Ce procédé présente l'avantage d'attirer l'attention du lecteur sur les erreurs commises par un étudiant à d'autres égards assez doué, et de nous suggérer quelles étaient les connaissances moyennes du grec à cette époque.

En revanche, la traduction française présente la forme correcte des mots grecs, pour la plupart translittérés en caractères latins. D'une manière générale, notre but a été de présenter un texte qui soit à la fois fidèle au manuscrit et lisible.

Pour ce qui est du texte de l'*Odyssée* et des *Hymnes homériques*, nous avons consulté plusieurs éditions datant de la Renaissance, y compris l'édition *princeps* de 1488, les éditions aldines de 1504, 1517 et 1524, l'édition Junte de

1519, l'édition de Théodore Martin (Louvain, 1523), celles de Mosheim et de Camerarius (Bâle, 1535 et 1541), et l'édition de Lonicerus (Strasbourg, 1542). Nous nous sommes toutefois servi de l'édition de *L'Odyssée* de Victor Bérard (Paris : Les Belles Lettres, 1924 ; 11ᵉ tirage 1995) et celle des *Hymnes* de Jean Humbert (Paris : Les Belles Lettres, 1936) pour toutes nos citations. Nos références aux autres auteurs anciens renvoient aux éditions qui figurent dans la bibliographie.

MYTHOLOGICUM

DE

JEAN DORAT

Jo< hannis > Aurati

Mithologicum, seu Interpretatio fabularum quae continentur in lib< ro > x Odyss< eae > Homeri

[1v]   [PAGE BLANCHE]

[2r] Mythologicum siue interpretatio atque explicatio allegorica fabularum
5   quae continentur in ῥαψοδία¹ κ. id est in lib< ro > 10. Odyss< eae > Homeri per Iohannem Auratum.

Aeolus non solum uarium denotat sed etiam annum uarium et inaequalem. Nomen enim est serpentis alibi apud Homerum qui quidem apud Aegyptios mordicus caudam tenens et in gyrum deflexus annuam conuersionem ostendit.
10 praeterea serpentes solent quotannis pellem exuere et extrinsecus immutari. proinde Aeolus uarietates et infinitas fere anni mutationes significabit.
Coeterum ad serpentium quandam naturam refertur et figurae sinuatae comparatur quae non solum pro anno uario uerum pro quolibet orbe et sphaera hocque modo Aeolus pro Zodiaco i< d est > circulo obliquo et proinde pro
15 contemplatore Zodiaci usurpabitur cuius cognitio necessaria est ijs, qui ad astronomiam accedunt.
Filius autem Hippoti fuit, hoc est Equitis nempe solis. sol etenim uelocissimo, citissimoque cursu tanquam eques rapitur. Coeterum de Aeolo plura leges apud

---

¹   ῥαψῳδία

Mythologie

Interprétation des fables contenues dans le chant X de l'*Odyssée* d'Homère

de Jean Dorat

[1v]   [PAGE BLANCHE]

[2r] Mythologie, ou interprétation et explication allégorique des fables contenues dans la *rhapsodie* κ, chant X de l'*Odyssée* d'Homère, de Jean Dorat

      Éole ne signifie pas seulement « bigarré », mais il désigne aussi les variations climatiques de l'année. Ailleurs dans Homère, c'est le nom d'un serpent qui, lorsqu'il se mord la queue, formant ainsi un cercle, indique chez les Égyptiens le cycle des saisons. D'ailleurs, les serpents ont l'habitude de muer tous les ans et de subir une transformation extérieure. Ainsi Éole signifiera les variations et les changements presque infinis de l'année.

      Enfin, Éole contient une allusion à la nature des serpents, et se voit comparer à leur forme ondoyante qui représente non seulement l'année changeante mais aussi toute forme sphérique : le nom d'Éole désignera ainsi le cercle oblique du zodiaque, puis, par extension, celui qui contemple le zodiaque, dont la connaissance est nécessaire pour aborder l'astronomie.

      Éole fut par ailleurs le fils d'Hippotès, le Chevalier du soleil. Et de fait, le soleil s'avance d'une course très rapide, précipitée, comme celle d'un cheval. Pour le reste, vous aurez plus de renseignements sur Éole en lisant Diodore de Sicile, livre 6, et Pline, *Histoire naturelle* livre III, chapitre 9.

Diodor< um > Sicul< um > lib< ro > 6. et apud Plinium histor< iae > natur< alis >
20 lib< ri > 3. cap< itulo > 9.

Aeolus habet sex filios et totidem filias. nam Zodiacus qui per Aeolum
significatur sex habet signa mascula et totidem foeminina id quod pulchre
persequitur Manilius Poeta. Alij tamen per 6. filios intelligunt sex menses
hybernos In quibus sterilis est terra nec quicquam ex se producit. per 6. filias
25 totidem menses aestivos qui foecunditatem mulierum imitantur. sic pro anno
sumetur Aeolus, qui tot liberos habet quot annos menses.

Filij et filiae totos dies epulantur et conuiuantur noctu uero quiescunt. siquidem
ex Platonis Stoicorumque opinione signa stellaeque omnes tam uagae quam
fixae ex uaporibus qui ex terra et aquis sursum educuntur alimentum
30 pabulumque sibi sumunt ijsdemque pascuntur interdiu. nam diurno solis calore
eleuantur. Quiescunt autem noctu quoniam eo tempore rari aut nulli ~~sursum~~
efferuntur uapores. Nox enim cum humida sit et frigida admodum illos reprimit
neque tolli permittit. Coeterum orbes coelestes significant diuinas potestates
actiones, et essentias.

35 Aeolus porro dicitur pater id est author et artifex. Eo nomine patris
ap< p >ellatur Homerus. Itaque Vlysses ab Aeolo astronomia perito et sapiente
deducitur in Insulam [2v] et instruitur ab eodem quo pacto esset nauigandum et
qui uenti secundi erant et ex qua parte contrarij spirarent. Eamque ob rem
uentorum Rex quando in alterum et tertium diem qui uenti erant spiraturi
40 praedicebat uel ex mari iam agitato uel ex fumo Liparae ardentis vt Plin< ii >
cap< itulo > 9. lib< ri > 3. natural< is > historiae. In utre includebat uentos id
est pelle et membrana describebat res nauticas, nauigandi rationem, geo-
graphiam et quaecunque in nauigationibus obseruanda erant perspecta. hac
enim membrana cognoscitur qui uenti spirarent et quonam terrarum deuenirent.
45 Vt enim vellus aureum arietis seu pellem significare uidentur libros in quibus
erant literae aureae, mysticae et pretiosae idem de utre iudicare oportet.

[*en marge* : Huius rei meminit Vlys< ses > Ouid< ii > 14. metam< orphoseon >]

Éole a six fils et autant de filles, car le zodiaque, symbolisé par Éole, possède six signes masculins et autant de signes féminins, idée qu'expose admirablement le poète Manilius. D'autres auteurs, quant à eux, associent les six fils aux six mois d'hiver pendant lesquels la terre est stérile et ne produit rien, et les six filles aux six mois d'été qui imitent la fécondité des femmes. Ainsi Éole figurera l'année, car il a autant d'enfants qu'il y a de mois dans une année.

Les fils et les filles passent la journée entière à banqueter et à festoyer, tandis que, durant la nuit, ils se reposent. En effet, selon Platon et les Stoïciens, les constellations et les astres, tant les planètes que les étoiles fixes, s'alimentent et se nourissent des vapeurs qui s'élèvent de la terre et des eaux ; les astres se repaissent donc de ces vapeurs pendant le jour, car celles-ci montent grâce à la chaleur du soleil diurne. Par contre, ils se reposent la nuit, car durant celle-ci les vapeurs s'élèvent en quantité quasi nulle. Par son humidité et sa froideur, la nuit fait disparaître en grande partie ces vapeurs et les empêche de s'élever. Pour le reste, les orbes célestes représentent les puissances, les actions et les essences divines.

En outre, Éole porte le nom de « père », c'est-à-dire de créateur et d'artisan. Homère est désigné par ce même nom de père. Ainsi, Éole, homme sage et expert en astronomie, amène Ulysse en son île **[2v]** et lui enseigne l'art de la navigation, la reconnaissance des vents propices et de la direction des vents contraires. Ainsi, quand le roi des vents prévoyait quels vents allaient souffler jusqu'au deuxième et au troisième jour, c'était soit grâce à la mer, qui était déjà agitée, soit grâce à la fumée venant des îles Lipari, qui émettent des flammes ; voir le chapitre 9 du livre III de Pline, *Histoire naturelle*. Éole enfermait les vents dans une outre ; cette expression signifie qu'à l'aide de peau et de parchemin, il expliquait les questions navales, la science de la navigation, la géographie, et tout ce dont il faut tenir compte pour naviguer. Car après avoir consulté ce parchemin, il connaissait la direction dans laquelle soufflaient les vents et vers quelle partie de la terre ils viraient. Cette outre d'Éole est semblable à la toison d'or, peau de bélier semblant faire référence aux livres qui contenaient les mystiques et précieux écrits dorés.

[*en marge* : Ulysse se rappelle ceci, au livre XIV des *Métamorphoses* d'Ovide]

Socij Vlyssis qui stulti sunt illo dormitante nimirum prudente et artis nauticae
perito uentorum ligamina utre dissoluto dempserunt et eo unde soluerant nauis
50 redijt. ita ignari cum ad clauum et gubernaculum Reipubl< icae > accedunt
totam Rempub< licam > funditus subuertunt.

Aeolia insula dicitur tanquam picturatum opus ubi descripta erant 12. signa
coelestia. quaecunque enim picturata et uariegata erant ἄιολα² dicebantur.
alludere huc uidetur Plautus qui uocat tapetia belluata ubi beluae et uenationes
55 erant descriptae et pictae. Haec omnia possunt referri ad Zodiacum nam
ζωγράφος dicitur pictor aut animalium pictor.

Vocatur etiam πλωτὴ id est nauigabilis ad quam licebat qualibet ex parte
accedere et adnauigare et proinde rotunda aut natatilis quod super aquam
fluitaret id est ad morem erraticarum insularum e quibus sunt Delos et Plaute.

60 Domus autem uapora Aeoli significare potest terram in qua uapores exoriuntur
seu in qua homines uictimas Dijs concremant et sacrificant. Vnde etiam
interdum terra pro altari sumitur. At Aeolus significat Zodiacum qui terram non
habitat. Verum dicemus coelum fulciri terra secundum ueterum quorundam
opinionem quemadmodum tradunt Atlantem suis humeris coelum sustinere.

65 Coitus et coniunctio filiorum et filiarum Aeoli nihil aliud est quam respectus et
sympathia quaedam signorum ad rerum inferiorum naturam pertinens.

[3r] Per tapetia et lectos sculptiles intelligi potest coelum quod uelut tapetum
quoddam et pellis a Deo extensum est.

[*en marge* : sic enim loquitur Dauid et Sybilla]

70 In quo uidentur esse quaedam foramina per quae nobis astra, et lumina
flammaeque celestes apparent.

Vlysses commemorat sorte socios hoc est ordine. sors enim deinceps et
secundum ordinem progreditur. sic Astrologi domicilijs planetarum recte
dispositis in quaque re cognoscenda multum possunt nec non futuras res

---

2   αἰόλα

Pendant que dormait Ulysse, homme passé maître dans l'art de la navigation, ses sots compagnons ouvrirent l'outre et dénouèrent les liens qui retenaient les vents, de sorte que le navire retourna au lieu d'où ils étaient partis. Ainsi, quand les ignorants prennent la barre et le gouvernail de l'État, ils le renversent complètement.

Le nom d'île éolienne évoque une œuvre d'art bigarrée, où figurent les douze signes du zodiaque. Car tout ce qui était bigarré et multicolore était qualifié de l'adjectif *aïolos*. Plaute semble y faire allusion lorsqu'il qualifie des tapis de l'adjectif « belluata », parce que des animaux et des scènes de chasse y étaient présentés et dépeints. Tout cela peut se référer au zodiaque, car *zôgraphos* veut dire « peintre » ou « peintre d'animaux ».

L'île est aussi qualifiée de *plôtê*, c'est-à-dire, « navigable », car un navire pouvait l'aborder et s'en approcher de n'importe quelle direction, et de « ronde » ou « capable de flotter », parce qu'elle flottait sur l'eau à la manière d'îles errantes telles que Délos et Plôtê.

La demeure d'Éole, couverte de vapeurs, peut aussi désigner un pays dans lequel s'élèvent des vapeurs, ou dans lequel les hommes brûlent et sacrifient des victimes aux dieux. Aussi parfois la terre est-elle assimilée à un autel. Mais Éole désigne le zodiaque qui n'occupe pas la terre. Pourtant, nous dirons que le ciel est soutenu par la terre, selon l'opinion de quelques anciens, qui racontent qu'Atlas portait le ciel sur ses épaules.

L'accouplement et l'union des fils et des filles d'Éole ne signifient pas autre chose que le respect et la sorte de sympathie qu'éprouvent les constellations pour les choses d'ici-bas.

[3r] Par « couvre-lit » et « lits sculptés » on peut entendre le ciel, que Dieu a étendu comme un tapis,

[*en marge* : ainsi parlent David et la Sibylle]

une peau maculée, semble-t-il, de certains trous, par lesquels les astres, les lumières et les flammes célestes nous apparaissent.

Ulysse mentionne ses compagnons selon leur sort, c'est-à-dire de façon ordonnée. Car le sort s'avance progressivement et selon un certain ordre. De même, quand ils ont correctement mis en ordre les positions des planètes, les astrologues peuvent faire des investigations efficaces et prévoir l'avenir. Car ils

75 praesentiunt. Supputant enim et secundum illam supputationem unicuique
Planetarum et signorum propriam sedem assignant unde eorum sympathia
uirtus et influentia aduertitur. Plura uidebis apud Cardan< um > in lib< ro > de
Genituris, et apud Haly de iudicijs astrorum.

φίλειν ³ non solum est amare sed amice, amanter, prolixe liberaliterque aliquem
80 excipere.

πέμπειν uero non solum significat dimittere sed abeuntem deducere subsidijs
itinerarijs munire et quasi uiaticum dare.

Per pellem bouis possumus intelligere extremum uelum nauis quo
accom< m >odate disposito possunt homines nautici quolibet uento uti et
85 nauigare uel etiam uentum aduersum secundum facere.

Vlysses potest significare Politicum qui ad patriam aspicit id est ad foelicitatem
ciuilem. nam in patria degentes foelices putantur. Vnde Claud< ianus > in
epigrammat< tis >

      Foelix qui proprijs aeuum transegit in aruis
90   Ipsa domus puerum quem uidet ipsa senem.

Et seruasse cupit socios, id est ciues suos in officio continere et iustitia sed
uenti reflant. sic multa impediunt quominus ad metam perueniamus.

Clauum regendae nauis nulli sociorum dederat Vlysses. varia enim et multiplex
est in sapientibus rerum cognitio et non effutienda mysteria artium quae quidem
95 communicare uoluisset socijs sed non erant capaces.

Qui manus simul iunctas habent uel in sinum inanes congerunt aut otiosi esse
uidentur aut plus satis rapaces et auari ut ex Theocrit< o > manifestum est
εἰδυλ. ⁴ 15 πᾶς δ'ὑπὸ κόλπου χεῖρας ἔχειν manus ambas in sinu habere aut bonis
praedatitijs prorsus uacui.

---

3   φιλεῖν
4   εἰδύλ< λιῳ >

font des supputations et, d'après ces supputations, ils assignent sa place à chacune des planètes et des constellations, de sorte que leur influence et leur filiation dominante peuvent apparaître clairement. Pour plus de détails, voir Jérôme Cardan, *De genituris*, et Aboul Hasan Ali, *Liber de judiciis astrorum*.

philéïn signifie « aimer », mais aussi « accueillir quelqu'un d'une façon amicale, affectueuse, généreuse, et libérale ».

pempéïn signifie certes « renvoyer » mais aussi « escorter quelqu'un qui part », « fournir des ressources pour le voyage », et, pour ainsi dire, « pourvoir d'un viatique ».

Par « peau de bœuf », nous pouvons entendre la voile de l'extrême avant du navire qui, une fois disposée comme il faut, permet aux marins de naviguer par n'importe quel vent, et même de rendre favorable un vent contraire.

Ulysse peut désigner l'homme politique qui prend garde à la patrie, c'est-à-dire au bonheur des citoyens. Car ceux qui habitent dans leur patrie sont réputés heureux. Ainsi Claudien dans ses *Épigrammes* écrit :

> Heureux celui qui a passé sa vie dans ses propres champs, et qui, dans sa vieillesse, est vu par la même maison que dans sa jeunesse.

Ulysse désire protéger ses compagnons, c'est-à-dire maintenir ses citoyens dans le devoir et la justice ; mais les vents y sont contraires. De même, bien des choses nous empêchent d'atteindre notre but.

Ulysse n'avait cédé la manœuvre du gouvernail du navire à aucun de ses compagnons. Car la connaissance des choses chez les sages est variée et multiforme, et il ne faut pas parler inconsidérément des mystères des arts, que certes Ulysse aurait voulu divulguer à ses compagnons, eussent-ils été capables de les recevoir.

Ceux qui ont les mains jointes ensemble ou qui mettent leurs mains vides dans leur poche semblent être soit oisifs, soit excessivement cupides et avares, comme il apparaît avec évidence dans l'*Idylle* 15 de Théocrite, πᾶς δ'ὑπὸ κόλπου ἔχειν, « avoir les mains dans les poches », ou « n'avoir pas le moindre butin ».

100 Obuoluto capite ij dicuntur esse qui dictis et sententijs bonis animum muniunt
ut cum se morti uicinos uideant timorem omnem abijciant neque timide aut
indecore in morte subeunda se gerant id quod est alienum a sapiente.

Deductum autem illud uidetur ab ijs qui decollentur quorum oculos carnifices
uitta obuoluunt ne mortis quodam horrore se incommode gerant.

105 [*en marge* : Vnde Cicero pro Rabirio I lictor caput obnubito]

[3v] De Antiphate

Antiphates quasi ἀντιδικός⁵ id est aduersarius causae et litium autor atque
ingens litigator qui idcirco dicitur carnes humanas deuorare quoniam a litibus
forensibus et hominibus pragmaticis homines exeduntur et deroduntur. Idcirco
110 est Rex Laestrigonum hoc est pragmaticorum et causidicorum.

Laestrigones enim ap< p >ellantur ἀπὸ τοῦ λαος⁶

[*en marge* : forte τρογειν⁷]

id est quod populum tristificent uexent excarnificent.

Angustus est portus in limine ad Laestrigones quia per minimam occasionem et
115 leuissimam causam populus ad lites accedat uerum ubi se litibus intricauit haud
facile se potest illinc extrahere.

Vxor uero instar cacuminis erat ut notetur immensa magnitudo litium et
forensium negotiorum quae in principio quidem parua erant sed tandem in
immensum protrahuntur et augescunt. Proinde tranquillitas a fluctibus in portu
120 apparebat. cum enim homines litem ingrediuntur non multum perturbantur sed
hoc modo sperant se facili uento ad portum peruenturos.

---

5   ἀντίδικος
6   λαός
7   τρώγειν

De ceux qui abritent leur esprit sous des sentences et des dictons moraux, on dit qu'ils ont la tête voilée : en effet, lorsque la mort est imminente, ils ont chassé toute peur et ne se comportent ni craintivement ni honteusement à son approche ; car une telle attitude n'est pas digne d'un sage.

Il semble pourtant que l'expression dérive de ceux à qui on coupe la tête et auxquels les bourreaux bandent les yeux de peur que, en proie à l'horreur de la mort, ils n'agissent mal à propos.

[*en marge* : Ainsi Cicéron, *Pro Rabidio Perduellonis Reo*, écrit : « Va, Licteur, voile-toi le visage. »]

[3v] D'Antiphatès

Antiphatès, tout comme *antidikos*, signifie « adversaire dans un procès, auteur de litiges, grand plaideur » ; c'est pourquoi le poète dit de lui qu'il mange la chair humaine, car les hommes sont rongés et dévorés par les procès civils et par les praticiens. Il est pour cette raison le roi des Lestrygons, c'est-à-dire des avocats et des praticiens.

Car les Lestrygons tirent leur nom de *laos*,

[*en marge* : peut-être *trôgéïn*, (« ronger »)]

parce qu'ils attristent, vexent, et torturent le peuple.

L'entrée du havre qui donne accès aux Lestrygons est étroite, parce que le peuple recourt à la justice sous le moindre prétexte et pour la plus insignifiante des raisons, mais dès qu'il s'est empêtré dans des litiges, il ne lui est pas facile de s'en tirer.

La femme [d'Antiphatès] était aussi grande que le sommet d'une montagne, ce qui indique l'immensité des litiges et des affaires des avocats, qui, bien que peu importants au début, finissent par traîner en longueur et augmenter à l'infini. Ainsi, la mer était calme à l'intérieur du havre et protégée des vagues ; de même, quand les hommes s'engagent dans un procès, ils ne sont pas très tourmentés, espérant qu'ils parviendront de cette manière au port avec un vent favorable.

Apud Laestrigones neque homines neque boues arant. Isti enim causidici
nullum fere patrimonium habent nullasque haereditates quapropter coguntur
insidiari omnibus et quosque laqueis suis irretiunt, irretitosque denudant
125 spoliant ac corrodunt. Et ueluti apud illos solus fumus uidebatur ita ij causidici
sunt uere fumiuenduli merasque nugas prae se ferunt.

Via quae ducit ad urbem est plena [*sic*] et laeuis καὶ λαόφορος[8] uia regia. le
grand chemin des vaches. procliuis enim hominum ~~manus~~ animus ad lites tum
facilis causa est et origo litium quae quamuis sit communis et explorata non
130 potest tamen euitari a male sanis hominibus.

Deuehunt plaustris ligna e montibus hoc est montanos et pauperes eorumque
bona et substantiam in forum attrahunt pragmatici qui licet desideant ignaui
tamen quidquid alij labore magno acquisiuerunt deuorant et consumunt. hoc
enim genus deuorandi est illis perfamiliare.

135 Clades sociorum Vlyssis si ad Politicen spectemus, pertinet ad eos qui cum diu
in aura populari captanda fuerunt occupati tandem miserum exitum sortiuntur vt
Demosthenes et Themistocles apud Athenienses Cicero Scipio et alij multi apud
Romanos qui cum multa in Repub< lica > gessissent tandem misera et iniqua
morte perierunt.

140 **[4r]** Filia Antiphatis potest ap< p >ellari ζημία id est damnatio, poena, multa
quae solet nasci ex lite et causidico.

ποιμένες[9] interpretamur reges qui quidem non solum armorum sed etiam
causarum sunt praesides unde a nonullis δωρώφαγοι[10] dicuntur. Illi uero
pastores si noctu atque interdiu pecudes pauissent duplicem mercedem ferebant
145 ex quo facile deprenditur auaritia causidicorum qui insomnem prope noctem
agunt. Nam alij e foro sub crepusculum noctis redeunt alij uero antelucano
tempore in forum se conferunt ut maius lucrum referant.

---

[8]   λαοφόρος
[9]   ποιμένες
[10]   δωροφάγοι

Chez les Lestrygons, ni les hommes ni les bœufs ne labourent. Car ces avocats n'ont presque pas de biens de famille ou de patrimoine, de sorte qu'ils sont obligés de tendre des embuscades à tout le monde, de prendre des victimes dans leurs filets, et, une fois celles-ci prises, de les piller, les dépouiller, et les ronger. Et tout comme, chez les Lestrygons, on ne voyait que de la fumée, de même, ces avocats sont véritablement des vendeurs de fumée, et n'offrent que de vaines bagatelles.

Le chemin qui conduit à leur ville est plat et très fréquenté ; il est qualifié de *laophoros* [« portant le peuple »], c'est-à-dire voie royale, « le grand chemin des vaches ». Car l'esprit des hommes est enclin aux litiges. Il est facile de provoquer des litiges et, bien que les motifs en soient communs et connus, il est impossible à des hommes insensés de les éviter.

Ils transportent du bois dans des chariots du haut des montagnes. Cette image signifie que les praticiens attirent au forum les montagnards et les pauvres avec leurs biens et leur fortune ; et que ces hommes qui mènent une vie oisive dévorent et consument tout ce que les autres ont amassé à force de grands efforts. Cette manière de dévorer les biens d'autrui leur est tout à fait familière.

Si nous considérons la fable d'un point de vue politique, la destruction des compagnons d'Ulysse rappelle ceux qui, s'étant longtemps exercés à gagner la faveur du peuple, finissent par essuyer un triste sort, comme Démosthène et Thémistocle chez les Athéniens, Cicéron, Scipion, et bien d'autres chez les Romains, qui, après une vie très active au profit de la République, finirent par périr d'une mort misérable et injuste.

[4r] On peut appeler *Zêmia* la fille d'Antiphatès, c'est-à-dire « la condamnation, peine, ou amende », occasionnée habituellement par les litiges et les avocats.

Nous interprétons *poïménès* (« bergers ») dans le sens de « rois ». Car ils président non seulement à la guerre mais aussi aux procès, de sorte que certains les appellent *dôrophagoï* (« qui dévorent les cadeaux »). En effet, si ces bergers faisaient paître leurs moutons de nuit et de jour, ils gagnaient deux salaires, ce qui peut facilement être rapporté à la cupidité des avocats, qui passent la nuit quasi sans dormir. Car les uns rentrent du forum à la nuit tombante, tandis que les autres se rendent au forum dès l'aube pour gagner plus d'argent.

Aretalogus dicitur qui auribus apta et iucunda loquitur quasi ἀρετήλογος quod omnibus placeat quodque ad placitum omnium loquatur.

150 De Circe

Cum in omni fabularum expositione id sit obseruandum ut prima cum ultimis et media cum utrisque cohaereant dicendum erit ipsam Circem non significare uoluptatem et libidinem ut Horat< ius > putauit sed potius scientiam et rerum inferiorum cognitionem. Itaque sub Circe naturalis philosophia ceu [sic]
155 Physica commode intelligetur quae quidem inferos ostendit Vlyssi id est res humanas et in uisceribus terrae abstrusas nobisque occultas herbarum uires. quae idcirco Dea dicitur quia scientia est diuina et a Dijs infusa mentibus hominum. Quanquam tamen per inferos hoc sequente libro intelligere uidetur res quae post mortem solent consequi nempe animae immortalitatem quae
160 potest sub Physica contineri ut et illa nobilis de anima tractatio.
Habitat autem in Insula Aea nam scientia naturae perdurat aut in rerum longinqua experientia usuque perficitur neque ullo modo potest esse sine uetustate quae omnium magistra est unde ab Aristotel< e > tempus dicitur omnium sapientissimum. Aea igitur quasi ἀιεὶ ὢν ἐίς ἀιῶνα καὶ ἀιώνια[11]. seu
165 quod sit aeterna scientia seu quod in longo temporum tractu acquiratur.
[4v] Solis uero filia ~~quando~~ quoniam conuersio solis tempora efficit et distinguit. cum igitur certis anni partibus herbarum uires magis uireant idque benigni Solis calore fiat certe illa naturalis scientia quam per Circem intel-ligimus a Sole ipso exorietur.
170 Perse autem mater Circes nihil aliud est quam uis penetrandi ἀπὸ τοῦ πειρεῖν [12] id est penetrare. Radij enim solares intima fere terrae uiscera penetrant et

---

11   ἀιεὶ ὢν εἰς ἀιῶνα καὶ ἀιώνια
12   πείρειν

Aretalogus se dit de quelqu'un dont les paroles sont judicieuses et agréables aux oreilles, et qui est, pour ainsi dire, *aretêlogos*, parce qu'il plaît à tout le monde et qu'il parle au gré de chacun.

De Circé

Comme, dans toute explication de fables, il importe de lier le début à la fin, et le milieu aux deux extrêmes, on dira que Circé ne désigne pas la volupté ni la débauche, comme l'a cru Horace, mais plutôt la connaissance et l'étude des choses d'ici-bas. Aussi conviendra-t-il d'interpréter Circé comme le symbole de la philosophie naturelle, ou la Physique : c'est elle, en effet, qui montre à Ulysse les enfers, c'est-à-dire les choses humaines et les pouvoirs des herbes cachées dans les entrailles de la terre et dérobées à nos yeux. Elle est pour cette raison appelée Déesse, car la science est de nature divine et ce sont les dieux qui la transmettent à l'esprit des hommes. Pourtant, au chant suivant, Homère semble entendre par « inferi » les choses qui suivent ordinairement la mort, à savoir l'immortalité de l'âme. Celle-ci peut faire partie de la Physique, comme [c'est le cas dans] cette noble discussion qu'est *De anima*.

Circé habite dans l'île d'Aea, parce que les connaissances de la nature sont durables, ou qu'elles s'acquièrent à force de longues années de pratique et d'expérience, et qu'elles ne peuvent exister sans le passage du Temps, maître de toutes choses. Ainsi, selon Aristote, le Temps est l'être le plus savant. Aea signifie, donc, « celle dont l'existence est éternelle et perdure dans les siècles des siècles », soit parce que la science est éternelle, soit parce que les connaissances s'acquièrent après une longue période de temps.

[4v] Circé est fille du Soleil, puisque l'orbite du soleil produit et distingue les saisons. Ainsi, comme, à des époques déterminées de l'année, les herbes deviennent plus vigoureuses grâce à la chaleur du Soleil bienveillant, sans doute est-il probable que cette science naturelle représentée par Circé tire son origine du Soleil même.

Or, Persé, la mère de Circé, n'est autre que « la force de pénétration », du verbe *péïréïn*, « pénétrer ». Car les rayons du Soleil pénètrent presque au

secundo calore tepefaciunt ex quo plantae omnes ortum alimentum et
accretionem capiunt.

Per fumum qui Vlyssi apparet intelligemus exhalationem quae fit cum Sol
175   calore suo in terram et flumina agit.

Deus aliquis Vlyssem deducebat ad Circem nam homines scientiarum cupidi
diuino quodam afflatu excitantur ad rerum naturalium inuestigationem.

Coeterum status omnes Reipub< licae > ab Homero descripti esse uidentur.
Nam in Alcinoo Aristocratia, in Aeolo Democratia id est popularis status, in
180   Laestrigonibus ὀλιγαρχία¹³ paucorum status.

Status autem qui est extra Rempub< licam > duplex constituitur. aut enim est
naturalis nempe φύσικη¹⁴ et continetur sub Circe uel est supranaturalis
uocaturque μεταφύσικη¹⁵ et sub Callypso intelligi potest. haec enim rerum
diuinarum excellentiam et immortalitatem et puras essentias contemplatur quae
185   quoniam mortalibus sane obscurae id nomen sortita est ἀπὸ τοῦ καλύπτειν id
est tegere et latitare. Illa uero inuestigat quae in terra et quae sub terra sunt.

Incidit Vlysses in Ceruum eundemque interfecit quoniam naturae contemplator
is qui rerum causas cognoscere affectat sub pedibus ponere conculcare atque
opprimere omnem metum debet qui significatur per illud animal quod est
190   omnium animalium timidissimum.

Quod autem dicit Vlyssem carnes cerui epulatum esse et proinde citius timidum
fore quoniam carnes timidi animalis timidum reddunt hominem hoc non rationi
consentaneum est. Licet enim scorpiones et serpentes nobis omnibus fere
semper noceant et mortem interdum inferant tamen ex ijsdem remedia aduersus
195   uenena sumuntur. Achilles etiam caprino lacte educatus est at capra imbellis est
admodum et infirma cum tamen fortissimus euaserit.

13   ὀλιγαρχία
14   φυσικὴ
15   μεταφυσικὴ

plus profond des entrailles de la terre, qu'ils réchauffent d'une chaleur propice, à l'origine des plantes, de leur nourriture, et de leur croissance.

Nous interpréterons la fumée qui apparaît à Ulysse comme l'exhalaison émanant de l'action calorifère du Soleil sur la terre et les fleuves.

C'est un dieu qui conduisait Ulysse chez Circé, car les hommes avides de connaissances sont incités à l'investigation du monde naturel par une certaine inspiration divine.

Pour le reste, il semble que tous les régimes [*status*] politiques aient été décrits par Homère. Car chez Alcinoos [nous avons] l'aristocratie, chez Éole la démocratie, le gouvernement populaire, et chez les Lestrygons l'*oligarchia*, le gouvernement par un petit groupe de personnes.

Mais l'ordre [*status*] qui existe en-dehors de la politique revêt un caractère double. Il est, en effet, soit naturel, c'est-à-dire la science physique, et représenté par Circé, soit surnaturel, en d'autres termes la métaphysique, et reconnaissable sous les traits de Calypso. Celle-ci, en effet, contemple l'excellence, l'immortalité, et les pures essences des choses divines ; et comme ces choses sont sans aucun doute obscures aux hommes mortels, le sort lui a attribué son nom du verbe *kalptéïn*, « couvrir, se cacher ». La première, quant à elle, examine les choses qui se trouvent sur la terre et sous la terre.

Ulysse tomba sur un cerf qu'il tua ; la fable signifie que celui qui contemple la nature, et qui s'efforce de découvrir les origines des choses, doit fouler aux pieds, piétiner, et supprimer toute peur, symbolisée par ce cerf, le plus timide de tous les animaux. ˘

Qu'Homère ait prétendu qu'Ulysse, ayant mangé de la chair du cerf, serait par là devenu plus enclin à la timidité, dans la mesure où la chair d'un animal timide rend un homme timide, n'est pas une idée conforme à la raison. Car bien que, comme c'est presque toujours le cas, les scorpions et les serpents soient pour nous des animaux néfastes et, parfois même, mortels, néanmoins, ce sont ces mêmes bêtes qui fournissent des remèdes contre les venins. En outre, Achille a été nourri de lait de chèvre, animal faible et tout à fait pacifique, ce qui ne l'a pas empêché de se révéler très fort.

[5r] Manus abluerunt antequam epulas degustarent. non decet enim Illotis ut aiunt manibus ad naturae mysteria tractanda accedere.

Domus Circes in uallibus quia φυσικὴ est plurimum occupata in ijs quae in
200 terra oriuntur et sunt quae omnium elementorum maxime depressa est sub-
sidetque.

Tres beluarum species apud Circem reperiuntur Leones ~~Tigres~~ Lupi et sues. Vita enim humana tribus praesertim uitijs irretitur. alij enim sunt uiolenti ambitiosi ac Tyranni, qui per Leonum naturales impetus declarantur. alij auari
205 sunt et rapaces fraudulenti sunt non aliter quam lupi. Nonnulli uoluptuarij et rebus venereis uentrique addicti quales sunt sues ac porci.

Potio uero ceu [*sic*] pharmacum superiorem allegoriam confirmat. per partes ~~quas~~ ex quibus commixta fuerat siquidem primum τυρος[16] caseus allusionem quandam Tyrannidis prae se fert deinde ἄλφιτον farina, significat lucra ab
210 ἀλφέω ceu [*sic*] ἀλφαίω inuenio acquiro lucror unde ἄλφη[17] pretium. Postremo μέλι[18] significat uoluptates quibus ut nihil suauius uidetur ita nihil peius et animo magis inimicum. Ex his tribus inter se commixtis medicamentum effecit Circe ex quo homines in feras immutabat. nam natura neglecta aut male intellecta ignauos homines et ἀμουσοὺς[19] naturaeque repugnantes infatuat
215 rationeque priuat ita ut facile in uoluptatum laqueos irretiantur.

Praeterea Circe potest dici ἀλογιστία id est inconsiderantia aut imprudentia qua imbuti homines saepius ferarum naturam imitari et mores assumere uidentur.

Quatuor erant famulae Circes. Naturae enim quatuor elementa subijciuntur quorum ope utitur in rerum omnium compositione. Itaque Circe dicitur quasi
220 κιρκος[20]. natura enim uelut in gyrum uicissitudinemque agitur. Generatio enim

16   τυρὸς
17   ἀλφὴ
18   μέλι
19   ἀμούσους
20   κίρκος

[5r] Ils se sont lavé les mains avant de manger le repas ; cette image signifie qu'il ne convient pas d'entreprendre une investigation des mystères de la nature « les mains non lavées », comme on dit.

La maison de Circé se trouve dans une vallée parce que la Physique traite essentiellement des choses terrestres. Or, la terre est l'élément bas et valonné par excellence.

On trouve chez Circé trois espèces de fauves : les lions, les loups, et les porcs, car la vie humaine est prise dans le filet de trois vices principaux. Certains hommes sont violents, ambitieux, et tyranniques, vice qui est figuré par l'aggressivité naturelle des lions ; d'autres sont avares, cupides, et fourbes, à la manière des loups ; d'autres encore sont enclins à la volupté et s'adonnent aux plaisirs de l'amour, ainsi qu'à la gourmandise, comme les cochons et les porcs.

En effet, le philtre magique confirme, par les ingrédients dont il avait été composé, la présence d'une allégorie supérieure : son premier élément, *tyros*, « le fromage », offre un jeu de mots fondé sur « tyrannie » ; le second, *alphiton*, « la farine », signifie « profits », du verbe *alphéo* ou *alphaïo*, « je trouve, j'obtiens, je gagne », d'où *alphê*, « récompense » ; enfin, *méli* désigne les plaisirs, dont la nuisance et la nocivité pour l'esprit sont à la mesure de leur apparence agréable. Circé prépara une drogue en mélangeant ces trois éléments, qu'elle utilisait pour transformer les hommes en bêtes. Car si la nature est négligée ou mal comprise, elle rend sots les hommes paresseux et grossiers qui s'opposent à elle, et elle les prive de leur raison, de sorte qu'ils sont facilement enveloppés dans le filet des plaisirs.

En outre, Circé peut signifier *alogistia*, c'est-à-dire « inadvertance » ou « imprévoyance ». Quand les hommes en sont imbus, ils se mettent souvent à imiter et à adopter les mœurs des bêtes sauvages.

Circé avait quatre servantes, car la Nature dispose de quatre éléments qu'elle emploie dans la composition de toutes choses. Ainsi, Circé signifie *kirkos* (« cercle »), parce que le mouvement de la nature est circulaire et répétitif et que la génération d'une chose a pour contrepartie la corruption

unius est corruptio alterius et e contrario ut pulchre testatur Ouid< ius >
lib< ro > 15. metamorphos< eon >

>   Nec species sua cuique manet rerumque nouatrix

>   Ex alijs alias reparat natura figuras

225   Nec perit in toto quidquam (mihi credite) mundo

>   Sed uariat faciemque nouat nascique uocatur

>   Incipere est aliud quam quod fuit ante, morique

>   Desinere illud idem est etc.

[5v] Medicamentum duplex Circe habebat. unum quo homines in feras
230 conuertit alterum quo pristinae formae restituit. hoc significat bonam
philosophiam qualem olim ueri sapientes exercuerunt illud malam et peruersam
philosophiae praesumptionem qua Epicurei et ijs similes imbuti fuere uel in
naturali historia ceu [sic] scientia et in eius parte medicina quaedam venena et
herbarum nocentium siccitates multaque alia noxia declarantur sic quaedam
235 sunt antidota herbaeque salutares. in ea perdocentur quibus sanitatem
recuperamus. Vtque duplex Circe modo hostis modo amica sic natura interdum
parens interdum nouerca.

Setae decidebant ex membris sociorum Vlyssis nam ex bono medicamento
s< c >ilicet morali et Socratica philosophia ea quae erant ualde noxia et
240 tanquam excrementa eluuntur in uoluptuarijs uiris. Pili uero et setae pro
excrementis ponuntur unde Aegyptij sacerdotes totum corpus denudabant pilis.
hi enim sordes et immunditiam arguere uidentur.

Iuniores Vlyssis socij facti sunt et pulchriores : quidam enim ex morbo saniores
resurgunt ut de Hierone Syracusano refertur.

245 [en marge : rege Syracus< ano >]

deinde qui a se ignorantiam expulerunt meliores sunt et praestantiores multoque
gratiores omnibus quam antea fuerant.

d'une autre, et vice versa, comme Ovide en atteste admirablement au livre XV des *Métamorphoses* :

> Rien ne conserve son apparence primitive ; la nature, qui renouvelle sans cesse l'univers, rajeunit les formes les unes avec les autres. Rien ne périt, croyez-moi, dans le monde entier ; mais tout varie, tout change d'aspect ; ce qu'on appelle naître, c'est commencer une existence différente de la précédente ; mourir, c'est la terminer, etc.

[5v] Circé disposait de deux sortes de drogues : l'une lui permettait de transformer les hommes en bêtes sauvages, l'autre de leur rendre leur ancienne forme. La seconde drogue désigne la bonne philosophie, telle que l'ont exercée autrefois les vrais sages ; la première la hardiesse mauvaise et perverse de la philosophie dont les épicuriens et leurs semblables s'étaient imprégnés. Ou bien, dans l'histoire ou science naturelle et dans une de ses divisions, la médecine, certains venins et les formes sèches d'herbes nocives et de nombreuses autres choses se présentent comme nuisibles ; de même, il existe certains contrepoisons et herbes salutaires. Grâce à elle, nous apprenons à fond les antidotes à l'aide desquels nous puissions recouvrer notre santé. De même que la nature de Circé est double, tantôt hostile, tantôt bienveillante, ainsi la nature est parfois mère, parfois marâtre.

Les soies tombaient des membres des compagnons d'Ulysse ; cette image signifie qu'au moyen d'un bon médicament, comme la philosophie morale de Socrate, les hommes voluptueux se purifient de leurs excès nocifs, pareils aux excréments. En effet, les soies et les poils représentent les excréments, de sorte que les prêtres égyptiens se dépouillaient le corps entier de leurs poils. Car ces poils semblent indiquer l'ordure et la saleté.

Les compagnons d'Ulysse sont devenus plus jeunes et plus beaux : car après une maladie certains se lèvent plus sains, comme en témoigne le cas de Hiéron de Syracuse.

[*en marge* : roi de Syracuse]

De plus, les hommes qui ont banni l'ignorance de leur esprit s'améliorent et inspirent davantage de sympathie.

Praeterea Vlyssem socij non cognoscebant nisi postquam in pristinam redierunt
formam nam mali et Epicurei ueros praeceptores non agnoscunt nisi ex animo
250   mala persuasione expulsa.

Patria est coelum unde a principio animae in corpora n< ost >ra immittuntur.
foelicitas significatur per asperam Ithacam. Ad beatitudinem enim nos quidem
peruenimus sed per uiam asperam angustam et arduam per multos labores
cruciatus et miserias.

255   Errorem molestum uocat cursum seu peregrinationem quam homines in hoc
mundo peragere debent ut ad coelestem patriam peruenire possint.

ἐπαινὴ περσεφόνεια : id est laudanda Proserpina dicitur quasi auerrenda
fugienda recusanda auerruncanda. nam apud antiquos laudare erat interdum
quodammodo recusare ut apud Virgil< ium > Laudato exigua rura sed tamen
260   ista recuses aut quid simile et Horat< ii > lib< ro > 2. sermon< um >.

Laudamus ueteres sed nostris utimur annis.

[6r] De Tiresia

Tiresias non ἀπὸ τοῦ τείρειν laborare et contristare sed ἀπὸ τῶν τερατῶν καὶ
τεραῶν ἢ τῆς τερατίας²¹ a prodigijs portentis spectris unde Τεραστίος²² Ζεὺς
265   Juppiter prodigiosus prodigiorum author. Cum igitur post mortem sint nonnulli
daemones qui fidem inferorum faciunt multis spectris et portentis recte Tiresias
ita ap< p >ellatur ut qui fuerit princeps inferorum quod primus docuerit animae
immortalitatem per necromantiam. Qua de causa illae artes quae pertinent ad
κλύτα²³ ἔθνεα νεκρῶν non sunt penitus explodendae. ex illis enim praemia aut
270   supplicia quibus animae a corpore dissolutae afficiuntur perspicuum habemus.

21   τεράτων καὶ τεράων ἢ τῆς τερατείας
22   Τεράστιος
23   κλυτὰ

En outre, ses compagnons ne reconnurent Ulysse qu'après avoir recouvré leur ancienne forme, car les méchants et les épicuriens ne reconnaissent les vrais professeurs qu'après avoir chassé de leur esprit les mauvaises convictions.

La patrie représente le ciel d'où, depuis l'origine, les âmes sont envoyées jusque dans nos corps. La félicité est désignée par l'île rocailleuse d'Ithaque. Car nous parvenons en effet au bonheur, mais par un chemin rocailleux, étroit, et dur, en traversant bon nombre de souffrances, de peines, et de misères.

Homère appelle « errances difficiles » le voyage ou périple que les hommes doivent entreprendre dans ce monde pour parvenir à leur patrie céleste.

Epaïnê Perséphonéïa, « que Proserpine soit louée », se dit pour signifier « que Proserpine soit emportée, évitée, repoussée, éloignée ». Car, chez les anciens, louer signifiait parfois approximativement « rejeter » : ainsi on trouve à peu près chez Virgile, « Louez les petites fermes, que vous refuseriez pourtant vous-même », et au second livre des *Satires* d'Horace : « Nous louons les vieilles gens, mais nous jouissons de notre propre âge. »

[6r]   De Tirésias

Le nom de Tirésias ne dérive pas du verbe *téïréïn*, « accabler, attrister », mais de *terata* et *teraa* ou de *teratéïa*, « merveilles, prodiges, spectres », d'où *Terastios Zeus*, « Jupiter le prodigieux, l'auteur de prodiges ». Or, il existe certains démons qui après la mort inspirent confiance aux habitants des enfers au moyen de force spectres et prodiges ; il est donc juste que Tirésias porte ce nom en sa qualité de prince des enfers, parce qu'il fut le premier à enseigner l'immortalité de l'âme à l'aide de la nécromancie. Pour cette raison, les arts qui ont rapport aux « célèbres races des morts » ne devraient pas être entièrement condamnés. Car au moyen de ces arts, nous voyons clairement les récompenses ou les peines que reçoivent les âmes libérées de leur corps.

Huius itaque mens erat integra. anima enim extra corpus liberior et syncerior
synceriusque contemplatur tumque sapere solum uidetur.

εἰς ἄιδος δόύπω τίς ἠφίκετο νῆι μελαίνη[24]. Ad inferos nondum aliquis iuit naue
nigra. Per nauem nigram intelligit corpus mortale ut hoc carmine ostendatur
275   non fas esse mortalibus quam diu anima in corporis ergastulo continetur immortalitate et foelicitate frui.

ἴστος[25]. malus nauis animi fortitudinem significat. ἱστία[26] λευκὰ id est uela
alba eppandenda id est libros s< c >ilicet qui sunt excutiendi ubi mysteria et
animae immortalitatis cognitio explicatur. Deinde nauem flatus Boreae impellit
280   ut doceatur nullum fortunae impetum doctos remorari posse quominus ad
ueram cognitionem inferorum hoc est eorum quae sunt post mortem et extra
corpus, perueniant.

Naufragio nullo pereunt. artes semper exstant. fortuna opes non animum auferre
potest.

285   Oceanus significat materiam, syluam, molemque rerum corporearum per quam
transuehimur ut ad coelum ex quo facta est animae eiectio, tandem redeamus.

Apud Inferos sunt ἴτεαι ὠλεσικάρποι[27] nam luci et syluae sunt illic infrugiferae
vnde ραψοδ.[28] λ. dicit Prata elysia consita esse ἀσφοδέλου id est hastula regia
vel albuco quod est sterile. omniá enim inferis sterilia quoniam anima cum a
290   corpore dissoluta est nullam iam rerum externarum cupiditatem habet ac nuda
ijs omnibus est bonis quae cum superstes esset, habebat. vnde Propert< ius >
lib< ro > 3 Eleg< orum > 4

Haud ullas portabis opes Acherontis ad undas
Nudus ad infernas stulte uehere rates

---

24   εἰς ’Αιδα’ οὔ πώ τις ἀφίκετο νῆι μελαίνη
25   ἱστός
26   ἱστία
27   ἰτέαι ὠλεσίκαρποι
28   ῥαψῳδ< ία >

Ainsi l'esprit de Tirésias était intact. Car l'âme séparée du corps étant plus libre et plus pure, elle médite plus purement, et ce n'est qu'alors qu'elle semble juger sainement.

εἰς ᾿Αιδα᾿ οὔ πώ τις ἀφίκετο νήι μελαίνῃ. « Personne encore n'est arrivé aux enfers dans un navire noir. » Par « navire noir », Homère entend le corps mortel, afin de démontrer dans ce poème qu'il n'est pas permis aux mortels de jouir de l'immortalité et du bonheur tant que leur âme est enfermée dans la prison de leur corps.

histos. Le mât du navire désigne la force de l'esprit. *histia leuka* signifie « [il faut déployer] les voiles blanches », c'est-à-dire consulter les livres, dans lesquels sont expliqués les mystères et la connaissance de l'immortalité de l'âme. Le souffle du vent du Nord fait ensuite avancer le navire pour nous instruire qu'aucun coup de la Fortune ne saurait empêcher les érudits d'atteindre une véritable connaissance des enfers, c'est-à-dire des choses qui existent après la mort et en dehors du corps.

Ils ne périssent pas dans un naufrage. Les arts survivent toujours. La Fortune peut emporter les richesses, non pas l'esprit.

Océan signifie « matière, substance, la masse des choses matérielles » à travers laquelle nous sommes transportés pour parvenir finalement au ciel, d'où l'âme avait été expulsée.

Aux enfers se trouvent des « saules aux fruits morts », car les bosquets et les bois y sont improductifs ; c'est pourquoi le poète dit au chant XI que les Champs Élysées sont plantés d'asphodèles, c'est-à-dire de l'*hastula regia* ou de l'*albucus*, qui est stérile ; car aux enfers, tout est stérile. Homère emploie cette image pour dire qu'une fois libérée du corps, l'âme n'éprouve plus le désir des choses externes, étant dépouillée qu'elle est de tous ces biens dont elle jouissait quand elle était en vie. Ainsi, Properce écrit à la quatrième *Élégie* du livre III :

Tu n'emporteras rien de tes richesses sur les bords de l'Achéron ; tu seras nu, insensé, pour monter sur la barque infernale.

295 **[6v]** κώχυτος²⁹ dicitur luctificus fluctus eiulatu plenus a κωκύω id est ploro. ἄχερων id est amor tristitiae sine gaudio quasi ἄχη ρεών³⁰. πυριφλεγετων³¹ igne ardens. στυξ³² id est odium ex quo luctus, luctum autem tristitia et dolor sequuntur.

Per ἀρνειὸν intelligere oportet ἄρνισιν³³ id est abnegationem.

300 per ὄιν uero ὀιεσὶν³⁴ id est opinionem. Debent enim humanam credere opinionem et non sensibus credere qui uolunt cognoscere ea quae sunt extra uitam. Coeterum qui immolabant superis caput attollebant coelum suspicientes qui inferis reclinabant uersus terram. His in terra defossa libamina fundebant quae χόαι³⁵ uocabantur inferiae. illis in altari aut terrae aggere ueteres

305 significabant quae sacrificia proprie dicta sunt σπονδαὶ id est induciae et libationes quibus intercedentibus foedera inire solebant.

Ελπενωρ³⁶ ab ἔλπομαι id est spero quod credulus esset et fluxa quadam spe teneretur et ultra modum speraret. Itaque hic poterit Puero illi Ambraciotae comparari qui lecto Platonis dialog< o > de immortalitate ex immenso desiderio

310 in terram se praecipitem dedit. ut quam citissime fructum immortalitatis consequeretur et bonis quae post uitae exitum nobis constituta sunt frueretur. quae historia penitus Elpenori accom< m >odare debet. Itaque non uinosos intelliges quantumuis Ouid< ius > 14. metamorphos< eon > hunc uinosum dicat nimijque Elp[p]enora uini quo obrutus deiectus est de gradibus. vnde dicit in

315 Ibim.

Neue gradus adeas Elpenore cautius altos.

29   Κώκυτος
30   ῥέων
31   Πυριφλεγέθων
32   Στὺξ
33   ἄρνησιν
34   οἴησιν
35   χοαὶ
36   Ἐλπήνωρ

[6v] *Kôkytos* veut dire « fleuve qui cause le chagrin, plein de gémisse-
ments », du verbe *kôkyô*, « je me lamente ». *Achérôn* veut dire « amour de
tristesse, sans joie », mot à mot *achê rhéôn* [« qui verse la douleur »]. *Pyri-
phlégéthôn*, « brûlant de feu ». *Styx* veut dire « la haine » qui provoque
l'affliction ; car la tristesse et la douleur suivent l'affliction.

Par *arnéïos* [« d'un agneau »] il faut entendre *arnêsis*, c'est-à-dire
« dénégation ».

Par *oïn* (« mouton ») le poète entend *oïêsis*, « opinion ». Car ceux qui
veulent connaître l'au-delà doivent croire l'opinion humaine, et non pas se fier
à leurs propres sens. Pour le reste, ceux qui sacrifiaient aux dieux célestes
dressaient la tête, levant les yeux vers le ciel ; ceux qui sacrifiaient aux dieux
infernaux s'inclinaient vers le sol. Pour les seconds, on versait dans un trou fait
dans le sol des libations, appelées *choaï*, « sacrifices offerts aux morts ». Pour
les premiers, les anciens accomplissaient les libations sur un autel ou un tertre.
En termes propres, ces sacrifices furent appelés *spondaï*, c'est-à-dire *indutiae*,
libations, à la faveur desquelles on avait coutume d'inaugurer les traités.

Le nom d'Elpénor est dérivé du verbe *elpomaï*, « j'espère », parce que
cet homme était crédule, et possédé par un espoir lâche et sans mesure. Ainsi
donc, il pourrait être comparé avec le célèbre jeune homme d'Ambracie qui,
ayant lu le dialogue de Platon sur l'immortalité, et sous l'empire d'une
immense impatience, se précipita à terre, pour obtenir au plus vite les fruits de
l'immortalité et jouir des bienfaits qui nous sont réservés après la fin de notre
vie. Cette histoire peut très pertinemment être rapportée à Elpénor. Aussi ne
faut-il pas entendre [par Elpénor] les ivrognes, même si Ovide, au livre XIV
des *Métamorphoses* raconte que celui-ci, s'étant immodérément gorgé de vin,
s'était jeté d'une échelle, épisode qui donna lieu au mot d'Ovide contre Ibis :

Ne monte pas la haute échelle plus prudemment qu'Elpénor.

Mythologia ραψοδ.[37] λ.   siue lib< ri > 11. odiss< eae > [*sic*] Homeri

per Johan< nem > Auratum.

Descensus Vlyssis ad inferos nihil aliud significat quam naturalis scientiae
320 inuestigationem. Vlysses enim causarum rerum cupidus, philosophus, et ad

beatitudinem ueram quae per patriam intelligitur adspirans docetur animam esse

immortalem. Cuius immortalitas ex eo maxime deprehenditur ab Vlysse quod

manes siue umbrae siue animae mortuorum apud inferos torqueantur

scelerumque debitas poenas luant. Vnde perspectum habere debemus animas
325 superesse et remanere aeternum corpore organico separato et interempto unde

illud Ouid< ii > 15 metamorph< oseon > Morte carent animae etc.

[7r]   [PAGE BLANCHE]

[7v] Cum uero a ~~multis~~ nobis Circe supra sit dicata et interpretata φυσικὴ

cumque tractatio de anima ad Physicum pertineat (ut Aristotel< es > uidetur

non absurde<) > per illam Circen addiscit Vlysses ea quae sunt animae propria
330 munera.

Descensus uero recte praemit< t >itur nam Vlysses uenturus erat ad Syrenas

[*sic*] Scyllam Charybdim quibus miseriae, perturbationes, cruciatus coeteraque

infortunia designantur quae omnia monstra euincere aut sufferre aequo animo

nisi immensa et nobili immortalitatis mercede adduceremur nisi inquam
335 diuinitatem animae cognosceremus. Deinde poenae sceleratorum hic cernuntur

quibus etiam a uitijs et flagitijs in meliorem uitam descendimus et deflectimus.

Nec temere Plato illos dicebat frustra laborare qui oeconomiae politicaeque

---

37   ῥαψῳδ< ίας >

Mythologie de la *rhapsodie* λ ou du chant XI de l'*Odyssée* d'Homère, de Jean Dorat

La descente d'Ulysse aux enfers ne signifie pas autre chose que l'investigation de la science naturelle. Ulysse, le philosophe désireux de connaître les origines des choses et d'atteindre le vrai bonheur, symbolisé par sa patrie, apprend que l'âme est immortelle. Il comprend d'autant mieux cette immortalité de l'âme que les mânes, les ombres ou âmes des morts, sont torturés aux enfers et qu'ils doivent subir le juste châtiment de leurs crimes. D'où il faut voir clairement que les âmes survivent pour exister éternellement après la séparation et la mort du corps organique, d'où le mot d'Ovide au livre XV des *Métamorphoses* : « Les âmes ne sont pas sujettes à la mort, etc. »

[7r]   [PAGE BLANCHE]

[7v] Comme nous avons plus haut envisagé et interprété Circé comme symbole de la Physique, et comme l'étude de l'âme appartient au *physicien* (ainsi qu'Aristote, non sans raison, semble l'indiquer), Ulysse apprend par l'entremise de la déesse Circé quels devoirs incombent à l'âme.

Mais il est juste que sa descente soit mise au début, car Ulysse devait affronter les Sirènes, Charybde et Scylla, qui symbolisent les malheurs, les troubles, les supplices, et les autres infortunes ; nous ne nous laisserions pas persuader à vaincre ou à supporter avec calme tous ces monstres sans l'immense et noble récompense de l'immortalité, sans, à mon sens, la connaissance de la divinité de l'âme. Ensuite, nous voyons ici le châtiment subi par les criminels, lequel nous fait nous détourner de nos vices et de nos actions honteuses pour nous engager dans une vie meilleure. Et Platon n'affirmait pas au hasard que ceux qui transmettaient les lois et les préceptes réglant la gestion de la maison et de l'État ou qui déterminaient la punition des méchants et la

leges praeceptionesque traderent aut qui supplicia malis praemiumque bonis constituerent nisi animae immortalitatem faterentur.

340   Plurima quae in hoc libro sunt desumpta esse uidentur e Sybillinis [*sic*] oraculis eaque praesertim quae de Hercule traduntur. quemadmodum illae D< omi >ni n< ost >ri Jesu Christi descensum ad inferos praedixerant ita Homerus hic Vlyssem alioque in loco Herculem descendisse scribit quod de orpheo ueteres Poetae etiam fabulantur.

345   Nonnulli Poetae posuerunt inferos duplices nocentum et bonorum. In his heroum et eorum qui de societate hominum bene meriti essent animos aeuo sempiterno frui existimabant. In illis nefariorum et malorum vt Tantali, Ixionis, Tytij [*sic*] et Sisyphi umbras multiplici poenarum genere torqueri. Homerus autem coelestem sedem locumque facit ad quem migrant terranae [*sic*] faecis

350   nihil habentes.

Herculis anima partim est apud Superos partim apud inferos siue in terra ut ex hac diuisione cognoscamus quorumdam animas a corpore dissolutas easdemque purissimas in numerum aut domicilium Deorum statim deferri. quapropter Hercules Hebem in uxorem duxit id est iuuentae Deam. qui enim in coelo sunt

355   semper in iuuenili aetate manent **[8r]** et proinde immortalem uitam agunt. Aliorum uero aut in inferis purgari aut centum annis in terris errare (ut est apud Virgil< ium > 6. Aeneid< os >) ut contagione mole faeceque corporea relicta tandem integri et puri in coelum aduolent.

Paulus duas animae partes facit unam uocat νοῦν id est mentem quam Plato

360   uocat αὐτὸν [38] ἄνεμον a concretione grauioris partis deorsumque tendentis prorsus secretam alteram πνευμα [39] seu ψυχὴν quae proprie anima ap< p >ellatur communis cunctis animantibus unde ψυχικοι [40]. animales dicuntur.

---

38   αὐτὸν
39   πνεῦμα
40   ψυχικοί

récompense des bons ne travaillent pas en vain ; tout cela serait vain, en effet, s'ils n'admettaient pas l'immortalité de l'âme.

Nombreuses sont les choses dans ce chant qui semblent avoir été choisies parmi les oracles sibyllins, surtout les traditions concernant Hercule. De même que les Sibylles avaient prédit la descente aux enfers de notre Seigneur Jésus-Christ, de même Homère écrit ici qu'Ulysse et ailleurs qu'Hercule y sont descendus, histoire que les poètes anciens racontent également à propos d'Orphée.

Certains poètes ont proposé une vision dualiste des enfers, composés d'une partie réservée aux méchants et d'une autre réservée aux bons. Ils croyaient que, parmi ces derniers, les âmes des héros et de ceux qui auraient rendu des services à la société humaine jouissaient de la vie éternelle. Pour les autres, ils croyaient que les ombres des impies et des méchants, tels que Tantale, Ixion, Tityus, et Sisyphe, étaient affligées de toutes sortes de maux. Homère, lui, établit un lieu et un séjour célestes vers lesquels se dirigent ceux qui sont exempts de l'impureté terrestre.

L'âme d'Hercule se partage entre la demeure des dieux célestes et les enfers ou la terre, afin que nous apprenions par cette division que les âmes de certains individus, une fois libérées du corps, sont, si elles sont très pures, immédiatement transportées aux rangs ou domicile des dieux. C'est pourquoi Hercule épousa Hébé, la déesse de la jeunesse, car tous deux demeurent aux cieux et restent à jamais dans la fleur de l'âge, **[8r]** menant une vie immortelle. Les âmes des autres individus, quant à elles, sont purgées aux enfers, ou bien errent, pendant une centaine d'années, sur terre (comme c'est le cas chez Virgile au chant VI de l'*Énéide*) pour se débarrasser de la contagion, de la masse, et de l'impureté du corps, et s'envoler enfin, pures et sans tache, dans les cieux.

Saint Paul établit l'existence de deux parties dans l'âme : l'une, qu'il appelle *nous*, l'intelligence, et que Platon appelle *autos anémos* (« le souffle même »), est entièrement séparée de l'agrégat composé de la partie la plus lourde qui tend vers le bas ; l'autre, qu'il appelle *pneuma* ou *psychê*, qui est en termes propres appelée « âme », est commune à tous les êtres vivants, d'où leur nom de *psychikoï*, « êtres animés ».

ἄιδος[41] nominatur Orcus uel quia obscurus est ater caliginosus tenebrosus coecus. Itaque superiore libro circa finem dixit : εὐρώεις δόμος ἀΐδεω[42]

365 Tenebrosa est domus Plutonis. Dein Pluto ap< p >ellatur ἄιδης καὶ ἄιδνος καὶ ἀιδόνευς[43] a privat< iva > particula α. et ἔιδω[44] uideo quasi coecus et tene- brosus. Vnde apud Claud< ianum > de capta Proserpina sic Pallas irata loquitur Plutoni

Nocte tua contentus abi quid uiua sepultis

370 Admisces ?

Desunt multa

Amphion ad Thebarum constructionem ingredi fecit lapides cantu id est cum mathematicarum artium ceu [sic] potius mechanicarum esset peritissimus certis quibusdam machinis et instrumentis rationem subministrauit quae facillime

375 ingentia pondera et saxa tum uehi tum in altum portari sine magno labore non possent. Quem Rhodij sunt imitati. Celebrantur enim inter eos qui machinas per se mouentes fabricati sunt. Deinde Archimedes qui nauem filo tenui per forum Athenien< sem > deduxit et columbam ligneam subinde saltantem et uolantem finxit.

380 Amphion fecit septem portas Thebis. uoluit enim harmoniam septem Planetarum imitari uel septem fidium quibus omnis concentus et harmonia perficitur. Quemadmodum et Mercurius qui lyram septem chordarum composuit in honorem 7. Pleiadum.

Moenia proprie sunt urbium munimenta, turres, ualla, propugnacula et alia

385 huiusmodi. Sicque a muris multum discrepant. olim pro urbibus et oppidis

---

41   ’Ἄιδης

42   εὐρώεις δόμος ’Ἄιδεω

43   ’Ἄιδης καὶ ’Ἄιδνὸς καὶ ’Ἀιδωνεὺς

44   ἔιδω

Orcus s'appelle *Aïdês* parce qu'il est sombre, noir, brumeux, ténébreux, privé de lumière. Aussi Homère a-t-il écrit vers la fin du chant précédent εὑρώεις δόμος 'Αΐδεω « la demeure de Pluton est ténébreuse ». Ensuite Pluton s'appelle *Aïdês*, *Aïdnos* et *Aïdônéus*, qui proviennent de la particule privative *a* et de *ëïdô*, « je vois », et qui signifient « aveugle, ténébreux » ; d'où, dans *Le Rapt de Proserpine* de Claudien, la parole que Pallas adresse à Pluton avec colère : « Va-t'en, content de tes ténèbres. Pourquoi mêler les vifs avec les morts ? »

LACUNE

C'est en chantant qu'Amphion fit déplacer les pierres pour la construction de Thèbes : très habile en mathématiques, ou plutôt en mécanique, il conçut des machines et des instruments qui permirent de soulever et de transporter très facilement des masses et des pierres énormes, qu'il aurait été impossible de déplacer sans beaucoup de peine. Les Rhodiens l'imitèrent. Car les constructeurs de machines automotrices sont célébrés parmi eux. Puis vint Archimède qui, au moyen d'un câble fin, fit traverser à un navire la place publique d'Athènes, et inventa une colombe de bois qui sautillait et volait tout le temps.

Amphion bâtit sept portes à Thèbes, voulant par là imiter l'harmonie des sept planètes, ou des sept cordes au moyen desquelles on crée tous les accords et l'harmonie musicale, de même que Mercure, lui aussi, qui inventa la lyre à sept cordes en l'honneur des sept Pléiades.

Les murailles [*moenia*] sont à proprement parler les fortifications d'une ville, les tours, les palissades, les remparts et autres édifices de défense ; elles

usurpabantur unde nunc apud nos Burgi dicuntur **[8v]** ab Homero πυργὸι[45] quod turribus sint munita loca.

Pollux et Castor dicuntur alternatim uiuere nam fratres inter se fuerunt charissimi qui mutuis bonis mutuo sibi spitulabantur [*sic*] uicissimque alter 390   alterum iuuabat. Coeterum illi uiui in terris sunt qui memoriam aeternam apud posteros reliquerunt.

Alcinous dicitur uir fortis et magnanimus q ab ἄλκη[46] id est fortitudo et uirtus subsidium et νοῦς mens quasi fortis animo. Cuius uxor Arete uocatur quasi ἄιρετη[47] id est eligenda et expetenda estque allusio nominis. uel ἄιρετη[48] idem 395   significat quod ἄιρεσις[49] id est electio. uir siquidem fortis non est sine consultatione electione ac recto consilio forte etiam αρ quasi ἄρετη[50].

Κητεῖοι[51] nuncupantur homines monstrosi statura et mole immani quales olim fuerunt gigantes. a κηται[52] id est cetae et balenae quae sunt belluae in oceano omnium maximae. itaque illi erant balenis corporis mole similes.

400   Telephus dicitur qui procul interficit uel τελέσφορος[53] finem et mortem afferens. Astiochê eius uxor est urbis custodia ab ἄστυ urbs et ὄχυρος[54] uel potius ὀχυρότης[55] quasi urbis minutio [*sic*]. Qua tandem muneribus corrupta. Euripilus id est qui latas portas et latum aditum sine ullo praesidio tanquam malus custos obseruare et defendere susceperat. Dicitur autem ab ἐυρὺ et πηλη[56].

45	πύργοι
46	ἀλκή
47	αἱρετή
48	αἱρετή
49	αἵρεσις
50	ἀρετή
51	Κήτειοι
52	κῆται
53	τελεσφόρος
54	ὀχυρὸς
55	ὀχυρότης
56	ἐυρὺ et πύλη

sont bien différentes des murs. Jadis elles étaient érigées devant les cités et les villes, d'où le nom de *Burgi* (« châteaux forts ») chez nous, **[8v]** et celui de *pyrgoï* (« enceintes fortifiées ») chez Homère, désignant des lieux entourés de tours.

La légende veut que Pollux et Castor vivent tour à tour ; car ces frères étaient liés d'une très forte amitié ; ils s'étaient engagés l'un à l'autre pour leur bien commun, et ils s'entraidaient. En outre, ceux qui ont laissé à la postérité un souvenir éternel restent en vie sur la terre.

Alcinoos veut dire « homme fort et généreux », du mot *alkê*, « force, vaillance, aide », et de *nous*, « faculté intellectuelle » ; ce nom signifie donc plus ou moins « ayant de la force d'âme ». Son épouse s'appelle Arété, ou pour ainsi dire *haïrétê*, « celle qu'il faudrait choisir et désirer », prénom qui consiste en un jeu de mot ; ou bien *haïrétê* peut avoir le même sens qu'*haïrésis*, « choix ». Car un homme ne saurait être fort sans délibération, choix, et bon conseil. Peut-être même signifie-t-il *arétê* (« vertu »).

Kêtéïoï est le nom attribué à des hommes de taille et de masse monstrueuses, comme le furent jadis les géants. Le nom est dérivé de *kêtaï*, c'est-à-dire « monstres marins, baleines », qui sont les plus grandes de toutes les bêtes de l'océan. Aussi les Cétéiens ressemblaient-ils aux baleines par la masse de leur corps.

Télèphe signifie « qui tue de loin », ou bien *télesphoros*, « qui amène la fin et la mort ». Sa femme Astioché est « le bastion de la ville », de *asty*, « ville », et *ochyros*, ou plutôt *ochyrotês*, signifiant plus ou moins « défense de la ville ». Celle-ci fut enfin corrompue par des présents. Eurypylus est le nom de celui qui, tel un mauvais gardien, avait entrepris de surveiller et de défendre sans la moindre assistance les larges portes d'entrée. Son nom dérive de *eury* (« large ») et *pylê* (« porte »).

405 Faber equi Troiani ap< p >ellabatur Epeus ut Homerus significat non tam
ligneum equum ad Troiae expugnationem profuisse quam stratagema quoddam
uerbis potius quam alio modo factum. ἐπὴ⁵⁷ enim sunt uerba. Vlysses autem
ianitor equi erat qui per latus apertilis erat. author enim et minister proditionis
insidiarumque fuit. Suspicor posse dici stratagema uerbo patratum posse
410 intelligi ut resciuerit tesseram id est le mot du guet qua furtim ingressus sit.
Orioni comparare possumus rebelles superbos blasphemos qui se Dijs
potentiores esse opinantur ut ille qui uiribus nimium fidens uim Dianae inferre
uoluit uel iactitauit nullam esse feram quam conficere iaculis non posset. Tytius
libidinosos. Tantalus auaros. Sysiphus uersutos et fures significare uidetur.

415 **[9r]** De Tytio Tantalo et Sysipho

In his tribus uocabulis priores duae syllabae ceu [*sic*] litterae non sine causa ad
augmentum significationis geminantur. Τιτυὸς uero non a τιτίειν⁵⁸ honorare sed
a τυνεῖν⁵⁹ furere. libidinosi enim maxime furere et insanire uidentur. uel a
τεῖω⁶⁰ καὶ τηω τατω τάω καὶ τειτένῶ καὶ τέτυσκω⁶¹ id est impetuose ruo,
420 quaero admodum appeto unde etiam τέινεσθαι⁶² conari. Dianam enim ille
conatus est uiolare.
τάνταλος uero per quoddam anagrammatismum dicitur tanquam ταλαντον⁶³
quod significat pecunias opes immensas et diuitias. cum enim ingentia bona

57   ἔπη
58   τίειν
59   θύνειν
60   θείω
61   τητάω καὶ τείνω καὶ τιτύσκω
62   τείνεσθαι
63   τάλαντον

L'artisan du cheval de Troie s'appelait Épéus. Comme l'indique Homère, c'est moins un cheval de bois qui permit la prise de Troie qu'un stratagème d'une nature essentiellement verbale ; car *épê* veut dire « paroles ». Ulysse était le portier du cheval, lequel s'ouvrait au flanc. Car ce fut lui, en effet, l'auteur et l'agent de ce stratagème perfide. Je crois qu'on peut dire que ce stratagème exécuté à l'aide d'un mot peut signifier qu'il découvrit la *tessera*, c'est-à-dire « le mot de guet », au moyen de laquelle il entra furtivement.

Nous pouvons comparer à Orion les rebelles, les orgueilleux, les blasphémateurs qui se croient plus puissants que les dieux, comme celui qui, se fiant trop à sa force, voulut violer Diane, ou si vous voulez qui prétendait continuellement qu'il n'y avait pas de bête sauvage qu'il ne pût tuer de ses javelots. Tityos semble être une allusion aux libidineux, Tantale aux avares, Sisyphe aux astucieux et aux voleurs.

[9r]   De Tityos, de Tantale, et de Sisyphe

Dans ces trois noms, les deux premières syllabes ou lettres sont à juste titre répétées pour renforcer leur signification. Tityos en effet n'est pas dérivé de *tiéïn* (« honorer ») mais de *t[h]ynéïn* (« être en délire »), car les débauchés semblent être particulièrement fous et en délire ; ou bien de *t[h]éïô* et *têtaô* et *téïnô* et *tityskô*, c'est-à-dire « je me précipite avec impétuosité, je cherche, j'essaie dans les limites du possible d'atteindre », d'où aussi le verbe *téïnesthaï* (« s'efforcer »). Car il s'est efforcé de violer Diane.

Tantalos, quant à lui, par le procédé d'anagrammatisme, a le même sens que *talanton*, qui signifie « argent, immenses fortunes, richesses ». Car quoiqu'il disposât de biens considérables un peu partout, il ne voulait pas s'en servir. Ainsi donc il est juste que l'homme avide et malheureux s'appelle Tantalos, comme tous les avares.

susque deque illi suppeterent ijs tamen nolebat uti itaque uere ap< p >ellatur

425 ταντιαλος⁶⁴ miser et calamitosus quales sunt omnes auari.

σισυφος⁶⁵ praeterea augmento sublato dictus est quasi σοφος⁶⁶ id est prudens,

cautus, subdolus, uafer. Astutia enim in furibus requiritur. Non absurde autem

v. mutatur in o. ut manifestum est in dictione ὡμονυμον⁶⁷. quae dicitur ab

ὥνομα⁶⁸ mutato v. in o. ut in plerisque alijs.

430 Hercules Hebem uxorem duxerat nam praemium ueris bonis post hanc mortem

assignatur perpetua iuuentus id est immortalitas.

Herculis in baltheo [sic] descripti erant Leones Vrsi et Porci. Tria enim genera

sunt improborum qui Respubl< icas > regere uolunt. Per Leones significantur

reges et monarchae atque Tyranni. Animalium enim Rex Leo dicitur. Per vrsos,

435 magistratum gerentes quales sunt optimates. Nam vrsi caput infirmum

admodum habent sic etiam sententiae optimatum non ~~tantum~~ locum apud

uulgus obtinent sunt igitur ἄρκτοι⁶⁹. Per sues uulgares et plebeios quorum

Respub< lica > dicitur δημοκρατία quod s< c >ilicet hoc hominum genus sit

pingue et imperitum unde δῆμος⁷⁰ id est pinguedo, adeps. ad hos tres status

440 philosophus qualis Hercules peruenisse debet.

Hercules ad inferos usque duce Mercurio et Minerua descendit. ille est ratio

haec iudicium et scientia quibus duobus ad philosophiam in aeternitate ani-

morum uersantem peruenimus quae nihil aliud est quam mortis contemplatio.

[9v] Gorgoneum caput dicitur pro horrendissimo monstro nam γοργὸς significat

445 terribilem ἀπὸ τῆς ὀργῆς ab ira et ὀργαιεῖν⁷¹ quod non solum irasci sed

---

64   Τάνταλος
65   Σίσυφος
66   σοφός
67   ὁμώνυμον
68   ὄνομα
69   ἄρκτοι
70   δημός
71   ὀργαίειν

De plus, si nous enlevons l'augmentatif, Sisyphos se prononce presque comme *sophos*, c'est-à-dire « prudent, circonspect, astucieux, rusé ». Car la fourberie est nécessaire aux voleurs. Il n'est cependant pas absurde de changer l'upsilon en omicron, comme cela s'est évidemment produit dans le mot *homô-nymon* [« homonyme »], qui est dérivé de *onoma* [« nom »], après un changement de l'upsilon en omicron, et comme c'est le cas de plusieurs autres mots.

Hercule avait épousé Hébé : après la mort terrestre, en effet, la jeunesse éternelle, ou immortalité, est accordée comme récompense aux hommes véritablement bons.

Des lions, des ours, et des porcs étaient peints sur le baudrier d'Hercule. Il existe, en effet, trois espèces de méchants qui veulent gouverner les États. Rois, monarques, et tyrans ont pour symbole le lion, roi des animaux. Les ours quant à eux désignent ceux qui exercent une magistrature, comme les aristocrates. Car les ours ont la tête extrêmement faible et, de même, les opinions des aristocrates ne tiennent pas de rang selon l'avis populaire ; ainsi ils sont *arktoï* (« ours »). Les cochons représentent les hommes du peuple et les plébéiens, qui ont donné son origine au mot « démocratie » ; en effet, les hommes qui gouvernent sous ce régime sont gras et ignorants : d'où le mot *dêmos*, « corpulence, graisse ». Un philosophe tel qu'Hercule doit endurer ces trois États.

Hercule descend jusqu'aux enfers accompagné de Mercure et de Minerve. L'un représente la raison, l'autre le discernement et la connaissance. C'est grâce à ces deux qualités que nous pouvons connaître la philosophie, qui demeure dans l'âme éternelle et n'est autre chose que la contemplation de la mort.

[9v] La tête de la Gorgone désigne un monstre des plus épouvantables : *gorgos* signifie « terrifiant » du substantif *orgê*, « colère », et d'*orgaïéïn*, qui

aestuare significat. Deinde γοργὼς καὶ γοργωνὴ καὶ γοργοτὴς[72] truculentiam
horribilitatem terriculamentum significat.

    Finis Mithol< ogiae > in lib< rum > 11. odys< seae >

Mythol< ogia > lib< ri > 12 odys< seae > per Iohannem Auratum

450 Nullius sane sunt pretij libri qui praecesserunt si cum hoc 12° comparentur. In
quem Homerus praeclara illa miracula quae ab Horat< io > lib< ro > de arte
poetica enumerantur distulit. ita uero Horat< ius > « Non fumum ex fulgore sed
ex fumo dare lucem, Cogitat ut speciosa dehinc miracula promat, Antiphaten
Scyllamque et cum Cyclope Charibdim... » Principia enim poematum non
455 debent esse inflata et sublimia sed potius ab humil[l]ibus negotijs ad altiora
progrediendum ad imitationem fistulae de qua Ouid< ius > 8° meta-
morphos< eon > — « Sic rustica quondam, Fistula disparibus paulatim surgit
auenis. Verum primum ne medio, medio ne discrepet imum. » cum exordium
huius operis a Calypso duxisset absoluta errorum Vlyssis enarratione tandem ad
460 ipsam euadere fingit. Antequam tamen longius progrediatur aduertendum est μ.
literam qua inscribitur hic liber esse symbolum cuiusdam mysterij quasi
quodam fato hic liber ap< p >elletur μυ[73]. Cum enim μῦς significet murem,
muresque habeantur μάντικοι[74] id est diuinatores et praesagi sua natura. ruinam
enim aedificiorum praenunciare solent ut in fabula de Melampo licet uidere.
465 non aliena prorsus erit haec allusio. Denique huc accedit quod μυεῖν significet
initiare sacris et instruere tum μυζεῖν[75] mussitare, tacereque. qui enim sacris

---

72   Γοργὼ καὶ Γοργόνη καὶ γοργότης
73   μύ
74   μαντικοί
75   μύζειν

signifie à la fois « se fâcher » et « se déchaîner ». En outre, *gorgô*, *gorgonê*, et *gorgotês* veulent dire « âpreté », « horreur », « fantôme ».

Fin de l'interprétation mythologique du chant XI de l'*Odyssée*

Interprétation mythologique du chant XII de l'*Odyssée*, de Jean Dorat

Les chants précédents n'ont aucune valeur en comparaison du douzième chant, où Homère a mis au jour les fameuses merveilles énumérées par Horace dans son *Art poétique*. Il y écrit en effet : « Il ne s'apprête pas à jeter de la fumée après un éclair, mais à faire sortir de la fumée la lumière pour ensuite montrer d'éclatantes merveilles, Antiphatès, Scylla, Charybde et le Cyclope. » Car le début d'un poème ne doit pas être d'un style boursouflé et grandiloquent, mais on doit plutôt progresser de thèmes modestes vers des sujets plus élevés, à l'instar du chalumeau dont Ovide parle au huitième livre des *Métamorphoses* : « C'est ainsi qu'à l'ordinaire vont grandissant les tuyaux inégaux de la flûte champêtre… pour qu'il n'y ait pas de désaccord entre le début et le milieu, ni entre le milieu et la fin. » Comme il avait commencé son œuvre par Calypso, après avoir achevé le récit des errances d'Ulysse, Homère trouve enfin moyen de revenir à elle. Mais avant d'aller plus loin, il faut signaler que la lettre *mu* inscrite au début de ce chant est le symbole de quelque mystère, comme si le destin en quelque sorte attribuait le *mu* à ce chant. Car comme *mus* signifie « souris », et que les souris sont considérées comme *mantikoï*, c'est-à-dire naturellement divinatrices et prophétiques, car elles ont l'habitude de prédire l'effondrement de bâtiments, comme on peut voir dans l'histoire de Melampus, ce jeu de mot ne sera certes pas hors de propos. Il faut enfin ajouter que *myéïn* signifie « initier et instruire aux mystères », et que *myzéïn* signifie « murmurer, se taire ». Car ceux qui assistent à des rites secrets ne doivent pas en révéler les

praesunt non debent mysteria detegere. Quae omnia uidentur arguere in hoc
libro. M. uocato quoddam eximium mysterium et non omnibus aperiendum.

[10r] Principio huius libri Vlyssem sociosque ab inferis siue Oceano reduces
470 facit. Ponit autem differentiam inter Oceanum et θαλάσσαν[76]. Oceanus enim
mare illud ap< p >ellatur quod totam terram ambiens eam facit insulam et est
externum. θαλάσσα[77] uero est internum quod cum sit triplex idcirco tridentem
Neptuno tribuerunt Poetae. hoc est mare superum quo superius haemisphaerium
in quo fit solis circumuectio significatur. Nec Circe dicitur illic habitare cuius
475 aedes Circaeum ap< p >ellatur promontorium quod tantam in altitudinem
uerticem tollit ut Sol ad mediam noctem illic luceat et ideo ortus Solis et
aurorae et domus Circes in eodem loco ponuntur. Haec ab antiquis geoghraphis
[sic] et grammaticis. Coeterum duos uersus primos huius libri refert et explicat
Strab< o > lib< ro > 1 de situ orbis.

480 κῦμα[78] est proprie tumor aquae et fluctus ex tempestate ortus. ῥόος est secundus
fluxus aut aestus aquae cum mare tranquillum est unde κατὰ ῥόον est secundo
allabi aestu. illud est maris superi nam homines perpetuis in perturbationibus et
maximis uersantur. hic oceani nam post mortem tranquillitas et finis malorum
adest.

485 Per mare superum, per domum Circes et choreas intelligit materiam quae est in
motu et assidue formatur qualis est illa quae a physicis dicitur secunda. Per
oceanum materiam informem quae omnis motus mutationisque est expers
qualis est prima materia aut moles indigesta ab antiquis chaos ap< p >ellata.

Per ὁικίαν ἠοῦς[79] id est domum et cubile Aurorae tum χορούς[80] et saltationes et
490 choreas postremo ἀντολοιο ἠελίοι[81]. ortus solis tria praecipue loca tresque

---

76   θάλασσαν
77   θάλασσα
78   κῦμα
79   οἰκίαν ᾿Ηοῦς
80   χορούς
81   ἀντολαὶ ᾿Ηελίοιο

mystères. Toutes ces considérations semblent démontrer la présence dans ce
chant intitulé M d'un mystère privilégié, qui ne devrait pas être divulgué à tout
le monde.

[**10r**] Au début de ce chant, Homère ramène Ulysse et ses compagnons de
l'Océan, qui symbolise les Enfers. Le poète fait une différence entre Océan et
thalassa (« mer »). Car Océan est le nom attribué à la mer qui, entourant la
terre ferme, et faisant de celle-ci une île, se trouve à l'extérieur. *Thalassa*, en
revanche, est une mer intérieure, et en raison de sa nature triple, les poètes ont
attribué à Neptune le trident. Elle représente la haute mer, qui désigne
l'hémisphère supérieur où le soleil accomplit sa révolution. On ne dit pas que
Circé y habite, dont la demeure s'appelle le promontoire de Circé, lequel
s'élève à une telle hauteur que le Soleil y brille à minuit ; c'est ainsi que le lieu
où le Soleil et l'aube se lèvent sont situés au même endroit que la demeure de
Circé. Voilà ce que disent les géographes et les grammairiens anciens. Au
demeurant, Strabon mentionne et explique les deux premiers vers de ce chant
au premier livre de la *Géographie*.

kyma (« vague ») est à proprement parler la houle, les flots provoqués
par une tempête. *rhoös* (« courant ») est le flux ou la marée favorable alors que
la mer est calme, d'où l'expression *kata rhoön*, qui signifie « glisser au fil de
l'eau ». *Kyma* se rapporte à la haute mer, car les hommes y sont assaillis
d'énormes perturbations ininterrompues ; *rhoös* se rapporte à l'Océan, car
après la mort viennent la tranquillité et la fin des malheurs.

Par « haute mer », « demeure de Circé », et « danses en chœur »,
Homère entend la matière en mouvement et constamment en train d'être
façonnée, analogue à celle que les physiciens appellent « matière seconde ».
Par « Océan », il entend la matière informe qui est privée de tout mouvement et
de tout changement, comme la matière primitive, ou masse originelle, que les
anciens appelaient « chaos ».

Par *oïkia Êous* (c'est-à-dire la demeure et la couche d'Aurore), *choroï* (à
la fois danses et rondes), et *antolaï Eëlioïo* (le lever du soleil), nous devons

stationes solis intelligere debemus. Ortum meridiem et occasum. Cubiculum
primo ubi quiescere solemus significat occasum. Sol enim cum occidit fessus
diurnis laboribus requiescere putatur sic Aurora cum Tithono concumbere. Per
choreas meridiem ubi enim chorea ducitur ibi est στάσις cum enim mouemur in
495   orbem eodem in loco semper esse uidemur. Propter< e >a **[10v]** Sol dicitur
στάτερος⁸² quod in meridionali puncto stare quodammodo neque celerrimo ut in
ortus motu cieri uidetur. Itaque χοροὶ⁸³ unde et χοροστασίαι id est Tripudia.
saltationes et coetus τῶν παιδῶν καὶ ἀδόνιων⁸⁴ accipi possunt pro loco spatioso
uel rotundo. In orbem enim fieri solent. Ortus uero Solis expresse satis
500   declaratur.

Quoniam quae Vlysses in inferis uiderat tanquam per somnia uisa fuerant neque
pro certis exarauerat ritus et uerba somniantum obseruat dicitque lucem oriri.
Nam in somniorum narrationis fine his uerbis utimur Il fut iour et ie m'esueillay
et est allusio ad prouerb< ium > talem qualem post somnia uiri facere solent.

505   Quod dictum est alias de portis somniorum dicit Virgil< ius > de portis
inferorum. Vna est cornea per quam transeant uera somnia. nam illa sunt
inuolucris obducta et aliquantulum obscura ita tamen ut perspici et enodari
possint, ut cornu quod in luce est diaphanum corpus est. Eburnea altera per
quam transeant falsa. ebur enim est corpus solidum nec quis potest aliquid
510   cognoscere per ipsum, visus enim non potest penetrare.

Apud Calypso duo genera ciborum erant quae mortalibus et aeternis
conuenirent panis caro et uinum rubrum. haec enim cum sub Lunari globo sint
caduca et interitui obnoxia esse necesse est.

Epulae corporum significat pabulum animi ut apud Platonem et Ciceronem
515   pluries usurpatur. has autem Circe offert sedula Vlyssi id est amasio et suo

---

82   σταθερὸς
83   χοροὶ
84   Ἀδώνιων

surtout entendre les trois positions et les trois stations du soleil : le lever, le midi, le coucher. En premier lieu, la chambre à coucher où nous avons coutume de nous reposer désigne le coucher du soleil ; car quand le soleil se couche, il est censé se reposer, fatigué par les travaux du jour. Ainsi Aurore est censée se coucher avec Tithonus. Par *choréaï* (« rondes ») est désigné le midi ; car là où l'on fait la ronde se trouve la *stasis* (« stabilité ») : lorsque nous tournons sur nous-mêmes, il semble en effet que nous restions toujours au même endroit. Pour cette raison [10v] on dit que le Soleil est *statheros* (« fixe ») parce que, à l'extrémité méridionale, il semble, d'une certaine manière, rester immobile et ne pas se mouvoir aussi précipitamment que quand il se lève. Ainsi, on peut expliquer le sens de *choroï* (d'où également le mot *chorostasiaï*), c'est-à-dire « danses sacrées, danses, assemblées de garçons et de jeunes Adonis », comme désignant un endroit spacieux ou rond. Car il est normal que le parcours des astres forme un cercle et, à la vérité, il est manifestement évident que celui du Soleil est ainsi.

Comme tout ce qu'Ulysse avait vu aux enfers avait eu l'apparence d'un songe et qu'il ne l'avait pas écrit comme certain, il se conforma aux rites et aux paroles des rêveurs et dit que le jour se levait. Car à la fin du récit d'un songe, nous employons l'expression : « Il fut jour et je m'esveillay », et c'est en effet une allusion à ce proverbe que les hommes prononcent d'habitude après un rêve.

Ce qui a été dit ailleurs à propos des portes des songes, Virgile le dit à propos des portes des enfers. L'une est en corne, et c'est par elle que passent les songes véridiques, car ils sont couverts de voiles et quelque peu obscurs, mais de telle façon qu'ils peuvent être tout de même examinés et élucidés, telle la corne qui, mise à la lumière, devient une substance translucide. L'autre porte est en ivoire ; c'est par elle que passent les songes faux ; car l'ivoire est une substance solide, à travers laquelle personne ne saurait rien percevoir : la vue ne peut pas y pénétrer.

Chez Calypso, il y avait deux espèces de nourritures qui convinssent aux mortels et aux immortels : pain, viande, et vin rouge. Il faut les manger, puisque, sous l'orbite de la lune, elles sont périssables et sujettes à la destruction.

Les aliments destinés à nourrir les corps désignent la nourriture de l'âme, comme il est écrit à plusieurs reprises chez Platon et Cicéron. Circé, pourtant,

discipulo. nihil enim aliud sunt epulae quam praecepta et rationes quibus ad scientias nobiliores et mathematicas peruenitur.

Panis est rudis materia solidior magis concreta necessaria tamen proinde significabit inuestigatorem medicinae mineralium herbarum et eorum quae in
520 terra sunt. Vinum rubrum est quiddam poculentum quod per uenas meat id est in ingenium et spiritum influit nihilque aliud est quam occultior physice in cuius contemplatione ex rebus quae sub sensum cadunt ad ignotas et obscuras plerisque generales tamen et uniuersas rerum causas peruenimus, atque adeo deducimur. Carnes medium quid significant quale est corpus humanum quod
525 est nobilius metallis et plantis anima autem deterius.

De Sirenibus.

Sirenes fuerunt monstra facie uirginea uel potius passerina reliquum corpus in piscem uel pistricem desinens habentes **[11r]** quae cantus suauitate praeter-nauigantes submergerent. Potius tamen sunt scopuli marini et periculosi ad quos
530 naues adpellentes naufragia patiebantur et in quibus concursus fluctuum uentique inclusi harmoniam concentumque uocum reddere putantur. Neque uero per has ut plurimi existimant sunt intelligendae meretrices aut uoluptates quae unumquemque perdere consueuerunt. huic enim allegoriae penitus Cicero refragatur lib< ro > 3. de legib< us >. Neque enim inquit uocum suauitate
535 uidentur aut nouitate quadam et uarietate cantandi reuocare eos solitae qui praeteruehebantur sed quia multa se scire profitebantur ut homines ad earum saxa cupiditate discendi adhaerescerent. Ita enim inuitant Vlyssem

o decus Argolicum quin puppim flectis Vlysses

Auribus ut nostros possis cognoscere cantus
540 sic autem Homer< us > lib< ro > 12 odyss< eae >

s'empresse de les offrir à Ulysse, son amant et disciple. Ces aliments ne représentent pas autre chose que les préceptes et les doctrines à l'aide desquels on arrive à la connaissance des sciences les plus nobles, ainsi que des mathématiques.

Le pain est la matière informe, solide, dense, mais nécessaire ; pour cette raison il désignera celui qui étudie la médecine, les minéraux, les herbes, et tout ce que l'on trouve dans la terre. Le vin rouge est un liquide qui passe dans les veines, c'est-à-dire qui coule dans le génie et l'esprit ; ce n'est autre chose que la branche des sciences naturelles qui traite des choses les plus secrètes. En contemplant cette science, après une étude des choses perceptibles aux sens, nous arrivons, nous sommes même amenés aux origines inconnues et obscures, mais générales et universelles, des choses. La viande désigne une substance intermédiaire, comme le corps humain, qui est plus noble que les minéraux et les plantes, mais inférieur à l'âme.

Des Sirènes

Les Sirènes étaient des monstres au visage de jeune fille, ou plutôt de moineau, dont le reste du corps se terminait en poisson ou en baleine ; **[11r]** elles faisaient sombrer les navires qui passaient par la douceur de leurs chants. Ou plutôt, ce sont des écueils dangereux aux parages desquels les navires, en y abordant, faisaient naufrage, et où l'on croyait que le tumulte des vagues et du vent confiné émettait une harmonie et consonance de voix. A la vérité, il ne faudrait pas interpréter les Sirènes, suivant un avis général, comme des prosti-tuées ou comme les plaisirs qui habituellement causent la perte de chacun. Car Cicéron rejette totalement cette explication allégorique au livre 3 de son *Traité des lois* où il dit : « Car ce n'est pas, semblerait-il, par la douceur de leurs voix ni par la nouveauté et la variété de leurs chants qu'elles étaient accoutumées à retenir ceux qui naviguaient dans leurs parages, mais parce qu'elles déclaraient savoir beaucoup de choses, excitant si bien la curiosité des voyageurs, qu'ils restaient accrochés à leurs rochers. Voici, en effet, en quels termes elles in-vitent Ulysse : "O gloire des Grecs, Ulysse, pourquoi ne vires-tu pas de bord, afin de pouvoir prêter l'oreille à nos chants ?" » Homère pour sa part s'exprime

δεῦρ᾽ ἄγ ἰών πολύαιν ὀδυσσεῦ μεγὰ κυδὸς ἀχαιῶν

νηᾶ καταστήσον ἵνα νωιτέρην ὄπ᾽ ἀκούσης⁸⁵.

videbat etiam Homerus fabulam probari non posse si tantus uir cantiunculis irretitus teneretur nisi simul quaedam philosophia in illis haberetur cum Sirenes
545 promittant se scire omnia quae fiant et nascantur et quae futura sint. Idem supra de Tiresia dictum est. Quae cum ita sint iam manifestum est Sirenes non significare uoluptates aut meretrices sed scientias illecebrarum plenas atque suaui quodam eloquio rerumque iucunda nouitate et mirabilium narratione exornatas quibus ita parum cauti homines detinentur ut totam uitam in illis
550 consumere uelint. Quales ferme sunt poesis historia, oratoria facultas, naturae inuestigatio et rerum quae oblectationem animo adferunt contemplatio quales denique mathematicae quas omnes disciplinas non omnium est et impune et inoffenso pede transire.

Itaque sociorum Vlyssis obturandae ~~sunt~~ fuerunt aures cera ipseque malo
555 alligandus ut ostenderet Homerus nos transuersim debere uersari in oratoribus Poetis et alijs inferioribus scientijs quae non tam ueritatem et uirtutem praebent quam suauitatem. Neque est consenescendum in talibus scientijs sed modus etiam aliquis est adhibendus et certe Gellius uidetur hoc uoluisse indicare lib< ri > 16. cap< itulo > 9. de Dialectica : cui sane si modum non feceris
560 periculum ~~erit~~ non mediocre erit ne ut plerique alij tu quoque in dialecticae gyro atque maeandris tanquam apud Sirenios scopulos consenescas. Merito igitur Cicero lib< ro > 5 de fin< ibus > eos reprehendit qui philosophos **[11v]** nihil acturos esse putant nisi ut omne tempus in quaerendo et discendo in naturae agnitione consumant. Omnia siquidem scire cuiuscunque modi sunt capere
565 curiosorum est. Duce vero maiorum rerum contemplatione ad cupiditatem scientiae summorum uirorum est putandum.

85 δεῦρ᾽ ἄγ᾽ ἰών, πολύαιν᾽ Ὀδυσεῦ, μέγα κῦδος Ἀχαιῶν,
νῆα κατάστησον, ἵνα νωιτέρην ὄπ᾽ ἀκούσης.

ainsi au chant XII de l'*Odyssée* : « Viens ici, viens à nous ! Ulysse tant vanté !
l'honneur de l'Achaïe ! Arrête ton navire : viens écouter nos voix ! » Homère
également voyait qu'il ne pouvait pas faire accepter sa fable s'il n'y avait que
de petites chansons pour emprisonner dans les mailles du filet un homme tel
qu'Ulysse, à moins que ces chansons ne contiennent en même temps certaines
idées philosophiques, vu que les Sirènes prétendent savoir tout ce qui se fait,
qui naît, qui aura lieu. Nous avons dit plus haut la même chose de Tirésias.
Sachant cela, il est maintenant évident que les Sirènes ne désignent pas les
plaisirs ni les prostituées, mais les connaissances scientifiques, pleines d'attraits et embellies d'une certaine éloquence agréable, d'une plaisante nouveauté
des choses et du récit de faits merveilleux, qui retiennent les hommes trop im-
prévoyants de telle sorte qu'ils veulent consacrer toute leur vie à poursuivre ces
connaissances. Ainsi sont la poésie, l'histoire, la faculté oratoire, l'investigation de la nature et la considération des choses qui divertissent l'esprit de lui-
même, comme enfin les mathématiques. Il n'appartient pas à tout le monde de
passer impunément par toutes ces études, sans heurter d'obstacle.

    Ainsi donc a-t-il fallu que les compagnons d'Ulysse se bouchent les
oreilles avec de la cire, et que lui-même soit attaché au mât, pour qu'Homère
puisse nous montrer que nous ne devons pas étudier pour elles-mêmes les sciences de la rhétorique, de la poésie, ni les autres études inférieures qui n'offrent
pas la vérité et la vertu tant qu'elles offrent la douceur. On ne devrait pas non
plus vieillir dans de telles études. Il faut aussi observer une juste mesure et,
certes, Aulu-Gelle semble avoir voulu défendre cette idée au chapitre 9 du livre
16 de sa *Dialectique*. « Assurément, si tu n'y as pas fixé de limite, il y aura un
danger considérable que, à l'instar de beaucoup d'autres hommes, tu vieillisses
toi aussi dans les détours et les méandres de la dialectique comme parmi les
écueils des Sirènes. » C'est donc avec raison qu'au livre 5 du traité sur *Les
Termes extrêmes des biens et des maux* Cicéron critique ceux qui pensent que
les philosophes **[11v]** « ne doivent avoir d'autre occupation que de consumer la
totalité des jours en recherches et en études relatives à la connaissance de la
Nature.... Sans doute, être ambitieux de tout savoir, sans distinction et en tout
genre, est-il le propre de la curiosité ; mais être amené par la contemplation des
plus grands objets à l'ambition de la science, voilà ce qu'il faut considérer
comme l'apanage des hommes supérieurs. »

Qui praetergrediuntur scopulos Sirenum sunt sapientes qui tanquam Vlysses ad patriam id est beatitudinem ueram aspirantes. Haec enim scopus est et finis omnium n< ost >rarum actionum, in studiorum cursu non immorantur et insis-
570   tunt. Malus est certus animi scopus et propositum a quo non potest ullae rei cognoscendae nos deflectere cupiditas quo debemus omnes n< ost >ras actiones omneque studium conferre cuique debemus omnino adhaerescere. Qui uero per omnes istas artes canoras discurrunt nullo sibi fine proposito similes sunt Procis Penelopes qui cum ad ueram rerum cognitionem et beatitudinem non possent
575   peruenire ex ancillis id est illecebrosis et iucundis artibus oblectationem capiebant.

Verum ut filum Ariadneum in labyrintho isto Homeri retineam et cursum eiusdem ab origine huiusce libri ad finem usque persequar aduertendum autem est hoc libro Homerum agere de morali uirtute qua nisi quis munitus sit frustra
580   in omnibus scientijs uersatus est. Merito autem praemisit contemplationem rerum coelestium et earum quae sunt occultae indagationem sub Calypso idque secundum Ciceronem ibidem

[*en marge* : lib< ro > 3. de leg< ibus > et 5. de finib< us >]

uel quod mathematicae in prima aetate pueris tradebantur. Deinde statum
585   Reipub< licae > sub Poliphemo : atque naturae cognitionem per inferorum historiam. His enim omnibus exacte perspectis nos iam corroborati ad cognitionem usumque uirtutum et rerum honestarum recta deducimur.

Sirenes denominantur a uerbo εἴρω id est dico sublato σ. quod est tanquam aspiratio in eo uocabulo ut dicantur quasi consilia Dei arcana explanantes unde
590   ἵρυς [86] Deorum nuncia et etiam ἵρος [87] nuncius Procerum Penelopes uel a σύρειν mutato ει in υ. quod significat trahere nam cantu homines ad se alliciebant. uel Sirenes quasi σιῶν ἔρινες Deorum interpretes sicut Sybillae ap< p >ellatae sunt

86   ῏Ιρις
87   ῏Ιρος

Ceux qui dépassent les écueils des Sirènes sont les sages qui, à l'instar d'Ulysse, aspirent à gagner leur patrie, c'est-à-dire le bonheur véritable. Car ce dernier est le but et la fin de toutes nos actions. Ils poursuivent leurs études sans s'attarder ni s'arrêter. Le mât représente le but certain de notre esprit et le dessein duquel aucun désir de connaissances ne peut nous détourner, auquel nous devons consacrer toutes nos actions et tout notre zèle, et auquel nous devons nous attacher entièrement. De fait, ceux qui parcourent tous ces arts mélodieux sans s'être proposé quelque but ressemblent aux prétendants de Pénélope, qui, incapables d'atteindre à la véritable connaissance des choses et au véritable bonheur, obtenaient leur divertissement auprès des servantes, c'est-à-dire des arts séduisants et agréables.

Mais pour garder le fil d'Ariane à l'intérieur de ce labyrinthe homérique et poursuivre sa direction du début de ce chant jusqu'à la fin, il faut constater que, dans ce chant, Homère traite de la vertu morale ; car si on ne s'est pas fortifié en elle, c'est en vain que l'on s'occupe des connaissances scientifiques quelles qu'elles soient. Pourtant, c'est avec raison qu'il a annoncé, dans la section sur Calypso, la contemplation des choses célestes et l'étude des choses qui ont été tenues cachées. Selon Cicéron, dans le même ouvrage,

[*en marge* : au livre III du *Traité des lois* et au livre V du traité sur *Les Termes extrêmes des biens et des maux*]

c'est parce que l'on enseignait les mathématiques aux enfants dès leur première jeunesse. Par ailleurs, Homère a évoqué l'administration de l'État dans la section sur Polyphème ; et la connaissance de la Nature à travers l'histoire concernant les enfers. Car, une fois que nous avons soigneusement examiné toutes ces choses, étant enfin fortifiés, nous sommes amenés en ligne droite à la connaissance et à la pratique des vertus et des actes honnêtes.

Le nom des Sirènes dérive du verbe *éïrô*, « je dis », après que le sigma a été enlevé, lequel est comme une aspiration dans ce mot, signifiant plus ou moins qu'elles expliquent les conseils secrets de Dieu : d'où le nom d'Iris, la messagère des dieux, et d'Irus, le messager des prétendants de Pénélope ; ou bien leur nom dérive du verbe *syréïn*, après le changement de *ei* en *y*, qui signifie « traîner », car elles s'attiraient les hommes par leurs chants ; ou encore les Sirènes se sont peut-être appelées *siôn érines*, « les interprètes des dieux »,

quasi Deorum consultrices. σιὸς enim lingua Aeol< ica > significat Deum et σιοι Lacædemonijs sunt Dij.

595 [12r] Nonnulli uero 4 mathematicorum species constituunt sub Calipso unam contineri s< c >ilicet astrologiam reliquas uero tres Geometriam Musicam et Aritmethicam [*sic*] significari per tres Sirenas.

Aedes Circes est tanquam auditorium philosophorum unde transmittitur Vlysses ad Gratias id est ad artes suaues et canoras quae tendunt ad perfectionem ipsius

600 boni sicut est apud Ciceron< em > lib< ro > 5° de finibus qui a Chry< s >ippo illud sumpsit et a Xenophont< e > lib< ro > 2. de factis Socratis. Haec sunt uerba

Post uarijs auide satiatus pectore Musis

Doctior ad patrias lapsus peruenerit oras.

605 Per cumulos ossium et pelles tabescentes eos intelligit qui incubescunt et immoriuntur oratorijs et poeticis alijsque eius generis scientijs. Itaque illic est pratum amoenissimum. Nam Musae pratis gaudent ut ait Plutharcus [*sic*] in uita Homeri.

Lotophagi sunt ij qui plus aequo oblectantur. nam γλοτος[88] est canna siue

610 arundo ex qua fiebant fistulae et significat musicam aut harmoniam melodicam. Cicones significant praeceptores istos plagosos et flagelliferos qui primam pueritiam in grammatica erudire solebant ut Orbilius praecepta Horatij ultim< a > epistol< a > lib< ri > 1.

Cera est opus uatum sicut et apum. Poetae enim apes uocantur unde

615 Horat< ius > 2. od< arum > lib< ri > 4. carmin< e > Ego apis Matinae, more modoque grata carpentis etc. Quoniam uero olim in ceris scribebatur ceraeque materiam librorum significant ita uerba ipsa ~~nee~~ et merae uoces nihil aliud sunt quam cera quae facile tractatur sicuti facile est cuiuis uerba librorum

88   λωτὸς

comme les Sibylles, parce qu'elles auraient consulté les dieux. Car *sios* en éolien veut dire « dieu », et *sioï* signifie « dieux » parmi les Lacédémoniens.

[12r] Certains écrivains pourtant affirment qu'elles représentent les quatre espèces de mathématiques : l'une, l'astrologie, serait incarnée dans Calypso, tandis que les trois autres, la géométrie, la musique, et l'arithmétique, seraient désignées par les trois Sirènes.

La demeure de Circé est comme une assemblée de philosophes, d'où Ulysse se voit envoyer vers les Grâces, c'est-à-dire vers les arts doux et harmonieux qui visent à la perfection de l'homme de bien ; Cicéron exprime la même idée au livre V du traité sur *Les Termes extrêmes des biens et des maux*, qui a emprunté ce thème à Chrysippe et à Xénophon au livre II des *Mémorables*. En voici les paroles :

> Après s'être avidement rassasié dans son cœur de nos mélodies nuancées, avec plus de science, il regagnera aisément les rivages de sa patrie.

Par les amas d'os et les chairs qui se corrompent il entend ceux qui s'occupent continuellement et qui se tuent à l'étude de la rhétorique, de la poésie, et des autres sciences de ce genre. C'est pourquoi il s'y trouve un pré très agréable. Car les Muses se réjouissent des prés, comme l'indique Plutarque dans sa *Vie d'Homère*.

Les Lotophages représentent ceux qui se divertissent sans modération, car le *lôtos* est la canne ou le roseau dont on fabriquait les flûtes de Pan et désigne la musique ou l'harmonie mélodieuse. Les Cicones font allusion à ces précepteurs brutaux et armés de fouets qui avaient coutume d'enseigner la grammaire aux petits enfants comme Orbilius enseignait ses préceptes dans le dernier poème du premier livre des *Épîtres* d'Horace.

La cire est l'œuvre des prophètes ainsi que des abeilles. Les poètes sont en effet nommés abeilles chez Horace, *Odes* IV. 2 : « Mais moi, à la manière habituelle de l'abeille du Matinus qui recueille l'agréable [thym], ... » En effet, on écrivait jadis sur des tablettes de cire, et « cerae » désigne les matériaux des livres ; de sorte que les mots et les paroles ne sont autre chose que la cire facilement travaillée, de même qu'il est facile que quelqu'un

non sensum percipere. Multi enim poetarum libros addiscunt littera sensus
620 nullam allegoriam aut reconditiorem sensum interpretantes aut perscrutantes.
Talis igitur interpretatio pertinet ad eos qui iam longo tempore in disciplinis
uersati fuerunt ipsarumque arcana didicerunt qualis erat Vlysses qui iam per
omnes scientias discurrerat. Verum quoniam in illis scientijs plenis lenocinio et
illecebris non est consenescendum Vlysses praeter Sirenas celerrime nauigat.
625 Jubetur autem Vlysses malo alligari per socios id est socij Vlyssem seu
discipuli praeceptores suos precantur ambitiosisque precibus tantam
necessitatem imponunt ut cogantur disciplinae mysteria recludere. Sicut et
Aristeus philosophandi cupidus Proteum hominem in philosophia peritum.
allusio autem uidetur esse ex uerbo ambiguo
630 [en marge : δέσμα]
δεσμὸς id est uinculum et δῆσαι ligare quasi a δέομαι [12v] precor aut potius
δέω. quod significat uincio ligo. Hoc modo pueri et Nymphae ligarunt Silenum
2. Aegloga [sic] apud Virgil< ium >. Nam Chromis et Mnasilus [sic] Aggressi
(nam saepe senex spe carminis ambos luserat) inijciunt ex ipsis uincula sertis
635 Ille dolum ridens quo uincula nectitis inquit. Silenus est Epicurus qui suae
sectae principia a discipulis non aliter quam coactus tradit.
Per τὴν νῆα nauem intelligas scholam et conuentum discipulorum sicut apud
sacros scriptores Ecclesiam christianorum per nauem.
ἴστος[89] malus potest esse suggestus unde habetur oratio. per φθογγὸν[90] id est
640 sonum poetarum dulcedinem. per λειμὸν ἀντεμόεντα[91] pratum floridum
ubertatem et delectationem quas tribuit nobis Poetice. Ventus aspirabat dulcis et
innocuus nam tranquillitas a uentis necessaria est studiosis s< c >ilicet a bellis
tumultibus, clamore. Vide Plutharcum [sic] de officiis auditoris.

---

89   ἱστὸς
90   φθόγγον
91   λειμῶν᾽ ἀνθεμόεντα

perçoive les mots des livres mais non pas le sens. Car nombreux sont ceux qui apprennent les livres des poètes au sens littéral, sans y comprendre ou sans y remarquer aucune allégorie ou signification plus profonde.

Une telle interprétation concerne donc ceux qui, s'étant longtemps appliqués aux études, en avaient appris tous les secrets, à l'instar d'Ulysse, qui avait parcouru toutes les sciences. Mais comme il ne faut pas languir dans ces sciences séduisantes et charmantes, Ulysse passe très vite au-delà des Sirènes.

Mais Ulysse reçoit l'ordre de se faire attacher au mât par ses compagnons, c'est-à-dire que les compagnons supplient Ulysse, à la manière des élèves qui implorent leurs précepteurs et les obligent si impérieusement par leurs prières avides de science, comme le fit Aristée, désireux d'être philosophe, auprès de Protée, homme qui connaissait à fond la philosophie, que ceux-ci sont obligés de dévoiler les mystères de leurs connaissances. Il semble pourtant qu'il y ait un jeu de mots entre le mot ambigu de *desmos*

[*en marge* : desma]

qui veut dire « liens » et le terme *dêsaï*, « attacher », très proche de *déomaï*, **[12v]** « je supplie », ou plutôt de *déô*, qui veut dire « je lie, j'attache ». C'est de cette façon que les jeunes gens et les nymphes ont ligoté Silène à la deuxième [*sic*] *Églogue* de Virgile, dans laquelle Chromis et Mnasylus « assaillent le vieillard qui souvent, en leur faisant espérer un chant, s'était joué de l'un et de l'autre ; justement les guirlandes servent à le ligoter… Et lui riant de la ruse : "Pourquoi nouer ces entraves ?" dit-il. » Silène représente Épicure qui ne transmet les principes de son école que forcé par ses disciples.

Par *tên néa*, « le navire », il faut entendre « école et assemblée de disciples », de même que, chez les auteurs saints, l'Église chrétienne est figurée par un navire.

Il se peut que *histos*, « mât », représente la tribune d'où un discours est prononcé. Par *phthongos*, c'est-à-dire « bruit », il faut entendre la douceur des poètes. Par *léïmôn' anthemoënta*, « pré couvert de fleurs », il faut entendre la richesse et le plaisir que nous procure la poésie. Il soufflait un vent doux et inoffensif, car une tranquillité à l'abri des vents est nécessaire aux hommes studieux, c'est-à-dire à l'abri des guerres, des tumultes, du cri de guerre. Voir Plutarque *De officiis auditoris*.

Pene idem significat πολύαινος et πολύτροπος καὶ πολύμυθος nempe hominem
645 in morali scientia diu multumque uersatum. Nam antiqui rudius adhuc
hominum genus fabulis erudiebant. αἶνος uero aliquando gloriam aliquando
μῦθον. simpliciter significat quo pacto usurpatur ab Aphthon< io > in progym-
nas< matis >. Sub hoc igitur nomine αἶνος apologicum quiddam et morale
comprehenditur quales sunt ferme Aesopicarum fabularum allegoriae.
650 Tamen αἶνος ut ait Auratus uidetur significare quandam ~~scientiam~~ sententiam
implicitam aut aenigma unde αἰνίττομαι obscure loquor et aenigmate ostendo.
Tales se olim praestiterunt antiqui Poetae prophetae et Sybillae ambagibus
futura praedicentes.
Historia duplex est moralis ad hominum mores pertinens qualis est odyssea
655 quam Homerus ad moralem scientiam omnino refert altera naturalis quae
complectitur ea quae sunt in terris et coelo qualis est historia naturalis Plinij.
Per ὀπὰ⁹² κάλλιμον intelligit inuerso nomine Calliopem ornate et uenuste
loquentem et proinde Poesim. Illam enim praesertim implorant Poetae ut
ornatum sermoni et concinnitatem praebeant.
660 φθόγγος est proprie concentus et harmonia musica, uel numerus. ἀΐδος⁹³ uerba
unde ait Poeta de duobus

   numeros memini si uerba tenerem.

Magna rota cerae significat molem et uerborum aceruum rudiorem. Cera igitur
obturare aures est quibusdam Poeticis [13r] uerbis materiam crassiorem
665 exprimentibus secundum litteram delinire aures discipulorum eosdemque tali
studio delectare. hanc socijs Vlysses communicabat.
Per μελὶ μελινὴν⁹⁴ ὄπα intelligit suauem sermonem et sensum subtiliorem.
Quid enim est melius et lenius cera ? hoc sibi Vlysses reseruabat id est res
secretiores earumque arduam interpretationem.

92   ὄπα
93   ἀοιδῆς
94   μέλι μελίγηρυν

Polyaïnos, *polytropos*, et *polymythos* signifient plus ou moins la même chose, à savoir l'homme versé de longue date dans les sciences morales. Car les anciens instruisaient le genre humain, qui était toujours assez ignorant, au moyen de fables. De fait, *aïnos* a, tout seul, tantôt le sens de « gloire », tantôt le sens de *mythos* (« fable »), et c'est selon ce dernier sens qu'il est employé par Aphthonius dans ses *Progymnasmata*. Ainsi donc, par ce nom d'*aïnos* on entend une œuvre en quelque sorte apologétique et morale, comme c'est d'ordinaire le cas pour les allégories des fables d'Ésope.

Toutefois, *aïnos*, selon Dorat, semble désigner une maxime obscure ou énigme, d'où le verbe *aïnittomaï*, « je parle en termes obscurs », « je montre par des énigmes ». C'est ainsi que s'imposèrent jadis les Sibylles, les prophètes, et les poètes anciens, en prédisant l'avenir de façon énigmatique.

Le mot « histoire » a deux sens : l'un, moral, relève des mœurs des hommes, comme l'*Odyssée*, qu'Homère ramène entièrement aux principes des sciences morales ; l'autre concerne la Nature, embrassant tout ce qui se trouve sur terre et au ciel, comme l'*Histoire naturelle* de Pline.

Par *opa kallimon* le poète entend, par anagramme, Calliope au parler élégant et plein de grâce, et par suite la poésie. Car c'est elle surtout qu'invoquent les poètes pour doter leur style d'élégance et d'harmonie.

Phthongos veut dire en particulier accord de sons et harmonie musicale, ou cadence ; *aoïdês* signifie paroles. De ces deux mots le poète dit : « Je me souviens de la cadence si je tiens les paroles. »

La grande boulette de cire désigne la masse et le monceau bruts des paroles. Ainsi donc, se boucher les oreilles de cire veut dire frotter les oreilles des disciples de paroles poétiques, **[13r]** qui expriment littéralement un thème assez grossier, et charmer ces disciples par une telle activité. Ulysse partageait la cire avec ses compagnons.

Par *méli méligêryn opa* [« miel », « voix douce comme le miel »] Homère désigne un style agréable et des idées assez fines. Car qu'y a-t-il de meilleur ou de plus doux que la cire ? Ulysse se réservait les choses les plus cachées et leur difficile interprétation. Le gâteau de miel contient en effet les deux choses, les mots et les idées.

670 Fauus uero utrunque continet et uerba et sensum.

Perimedes dicitur admodum consultus περὶ enim auget. Eurylochus circum-
spectus a late insidians.

Cum pollicentur praeteritorum et eorum quae fiunt praenotitiam Sirenes possunt
significare Poetrias, Sybillas eiusdem enim temporis fuerunt. Sybillae multa de

675 Homero praedixerunt ut uideri licet in earum uersibus sic Homerus multa de
Sirenibus utque Planctis monte Aetna flammifero. sic Sirenes Sybillis fabulae
locum dedere.

30 cap< itulo > Iob harum meminit.

De Planctis

680 Planctae siue Cyanea saxa, siue symplegades siue saxa errantia ap< p >ellantur.
denominantur non tam a uerbo [*mot grec qui commence par* πλαν *raturé*]
πλανάεσθαι[95] id est errare et fluctibus huc illuc agitari quam a πλάζειν uel
πλαναεῖν[96] quod in errorem inducunt et seducant [*sic*]. Scopuli itaque isti qui
fallant homines erunt uitia quae a recta uia nos deducentes per suas illecebras

685 uagari faciunt.

Multa in Homero ex Thebana et Argonautica nauigatione habentur. Quemadmodum enim columba dux Iasoniae nauis ab orpheo (qui se in suo opere
collocat ut Phidias in clypeo Mineruae) ita hoc loco ait columbas non posse
impune illas Planctas praetergredi. nemo enim uitae cursum sine ~~grandiori~~

690 uitiorum inquinatione uix ac naeuis quidem perducere potest etiamsi purus sit et
simplex sicut columba.

Columbae ap< p >ellantur πέλειαι quod liuidum quendam colorem habeant.
τρήρονες uero quod sunt timidae aut quod inter uolandum alis trepidantibus

95   πλανᾶσθαι
96   πλανᾶν

Périmédès signifie « tout à fait avisé », car *péri* est un affixe augmentatif. Eurylochus veut dire « circonspect », littéralement « tendant une embuscade sur un large espace ».

Quand les Sirènes promettent des connaissances anticipées des choses à venir et du passé, elles représentent peut-être des poétesses, des Sibylles ; car les Sibylles dataient de cette même époque. Les Sibylles firent beaucoup de prédictions sur Homère, comme il est possible de le constater dans leurs vers. Ainsi Homère a écrit beaucoup à propos des Sirènes, comme il l'a fait sur les Planctes et le mont Etna enflammé. Ainsi les Sirènes donnèrent aux Sibylles le sujet d'un mythe.

Job se souvient d'elles au trentième chapitre.

Des Planctes

Les Planctes s'appellent également îles Cyanées ou Symplégades ou Pierres errantes. Leur nom dérive moins du verbe *planasthaï*, c'est-à-dire « errer, être ballotté par les vagues », que de *plazéïn* [« égarer »] ou *planân* [« égarer, séduire »] : en effet, elles induisent en erreur et séduisent. Ainsi donc, ces récifs qui trompent les hommes représenteront les vices qui, en nous détournant du droit chemin, nous font errer par leurs attraits.

On trouve dans Homère bon nombre de détails qui proviennent du voyage des Argonautes et de la *Thébaïde*. Car de même qu'Orphée (qui s'introduit dans son œuvre comme Phidias dans le bouclier de Minerve) dit de la colombe qui guide le navire de Jason qu'elle ne peut impunément passer les Planctes, de même Homère parle des colombes dans ce passage. Car personne ne saurait achever le cours de sa vie sans être souillé par les vices et encore sans déshonneur, serait-il pur et innocent comme la colombe.

Les colombes s'appellent *péléïaï* à cause de leur couleur bleuâtre ; mais elles s'appellent aussi *trêrones* parce qu'elles sont timides ou parce que, lorsqu'elles volent, elles semblent avoir les ailes qui tremblent. Pour le reste,

uideantur. Coeterum πέλειαι sunt septem Atlantiades seu Pleiades in cauda
695 Tauri sitae quarum ultima ita oblitescit ut uix intuenti appareat ut columba quae
in transuectione Iasoniae classis caudae iacturam passa est ad Planctas uide
Athen< aei > lib< rum > 11.

Dij interdum significant orbes celestes aliquando sapientes : homines uero
dicuntur Dij id est diuini et prudentes quales olim Poetae Theologi dicti sunt.
700 Sed cum hoc nomen non bene in uersum caderet θεοὶ   nominati sunt sicut
philosophi σοφοι[97]. Deinde prophetae antiqui caeci erant ut Phineus, Homerus
Tiresias.

[13v] Zeus a calore dictus est et pro sole sumitur ut testatur Plato in Phaedro cui
cibus est ambrosia id est exhalatio et subtilior euaporatio qua sol et altera astra
705 nutriuntur. Haec stoicorum et ueterum opinio fuit.

Pleiades annum orientem et finientem significant.

Argo uero nihil aliud est quam secta nobilis philosophorum Academicorum in
omnibus scientijs uersata ut Vlysses omnibus dolis et artibus instructus.

De Scylla.

710 Solebant ueteres Poetae tria capita monstris tribuere ut Cerbero inferorum cani
tricipiti ut Geryoni tergemino aut septem ut hydrae et Scyllae. Itaque effingitur
hic Scylla unum caput habere uirgineum et sex canum. illud blanditias et
suauitates uoluptatum quae clandestino et surdo flagello decipiunt homines
notat. haec autem sex uoracitatem malignitatem, et extremam Scyllae
715 nequitiam.

Paulo post de numero dicemus si de uocabuli notatione et allegoria dictum
fuerit. Scylla igitur est intemperantia, in libidine temperantibus inimica ad

---

97   σοφοί

les sept filles d'Atlas, qu'on appelle Pléiades, sont des colombes, placées dans la queue du Taureau, dont la dernière se cache de telle façon qu'elle échappe presque à la vue de qui la regarde, comme la colombe qui perd sa queue pendant la traversée de la flotte de Jason. A propos des Planctes, voir Athénée, livre XI.

Les dieux désignent parfois les orbes célestes, parfois les sages. A la vérité, on dit que les hommes sont appelés dieux, c'est-à-dire divins et avisés, comme jadis les poètes furent appelés théologiens, mais comme ce nom était incompatible avec les vers, ils ont été nommés *théoï* (« dieux ») comme les philosophes *sophoï* (« sages »). Ensuite, les prophètes anciens étaient aveugles comme Phinée, Homère, Tirésias.

[13v] Zeus tire son nom du mot *chaleur*, et il est pris pour le soleil, comme Platon en atteste dans le *Phèdre*. Sa nourriture consiste en ambroisie, substance composée par les exhalaisons et les vapeurs les plus légères dont le soleil et les autres astres se nourissent. C'est là l'opinion des Stoïciens et des anciens.

Les Pléiades désignent le début et la fin de l'année.

Mais Argo n'est rien d'autre que la noble école des philosophes de l'Académie, versée dans toutes les connaissances scientifiques de même qu'Ulysse était outillé en matière de ruses et de savoir-faire de toutes sortes.

De Scylla

Les poètes anciens avaient coutume d'assigner trois têtes aux monstres : ainsi en est-il de Cerbère, le chien à trois têtes, gardien des Enfers, et du triple Géryon ; ou bien, ils leur conféraient sept têtes, comme pour l'hydre et pour Scylla. Ainsi donc, dans ce passage, Scylla est représentée avec une tête de jeune fille et six têtes de chiens. La première désigne les attraits et les charmes des plaisirs qui, par leur fouet, attrappent les hommes en secret et à leur insu ; les autres, quant à elles, désignent la voracité, la méchanceté, et l'extrême infamie de Scylla.

Nous parlerons un peu plus tard des nombres, dès que nous aurons expliqué l'étymologie du nom et sa signification allégorique. Scylla représente donc la licence des passions, ennemie des hommes modérés ; c'est dans les

quem scopulum naufragium intemperantes patiuntur. huc accedit illud
Virgil< ii > in Cyri [*sic*] (etsi Auratus putet Cyrim a Cornelio Gallo composi-
720 tam fuisse<) > quo dicit uitium libidinis ostendere Scyllam ita

>   Ipse Cratinaei matrem sed siue Erythraei

>   Siue illam genuit monstro grauidata biformi

>   Siue est neutra parens atque hoc in carmine toto

>   Inguinis est uitium et Veneris descripta libido.

725 Cum igitur duos scopulos propter naufragium uitandos Scyllam et Charybdim
interque utramque transeundum Vlyssem Circe admonuerit num conuenit scire
duo extrema in moralium cognitione esse uitiosa quorum unum est excessus qui
per Scyllam alterum defectus qui per Charybdim intelligitur. in medio utriusque
est mediocritas id est uirtus quam ab alterutro extremo deflectentes sequi
730 debemus.

Quod si a medio deflectendum fuerit ad Scyllam potius quam Charybdim nam
cum illa scopulus sit saxum eminens nempe quia libido et eius comes
prodigalitas omnibus sint conspicuae facilius euitantur et cauetur ab eis.

Cum enim iuuenes se intemperantius offerunt saepe fit **[14r]** ut ipsi per se
735 deficiente pecunia utpote caussa uel parentum admonitione uel philosophicis
praeceptis cantum malum abdicantes ad frugem meliorem se referant. At
auaritia ingrauescente aetate fit periculosior et in dies crescit unde dictum

>   sic quibus intumuit suffusa uenter ab unda

>   Quo plus sunt potae plus sitiuntur aquae.

740 Humilis est scopulus siue quod abiecta res sit siue omnes latenter ad se attrahat
facile siquidem in pericula ignota praecipitari siue quod lateat auarus intra
priuatos parietes ut Euclio apud Plautum ut sub specie falsa uirtutis frugi
appareat.

parages de son écueil que les hommes immodérés font naufrage. A cela s'ajoute ce passage virgilien de la *Ciris* (quoique Dorat soit de l'avis que la *Ciris* fut composée par Cornelius Gallus) où le poète dit que Scylla représente le désir vicieux :

> Lui-même dit que Cratinaeis était sa mère ; mais que ce fût Erythraeis ou que ce fût cette première qui donna naissance à ce monstre à double forme, ou que ni l'une ni l'autre ne fût sa mère et que tout au long de ce poème elle représente le vice de lubricité et le désir amoureux…

Ainsi donc, comme Circé a rappelé à Ulysse que Charybde et Scylla sont les deux écueils à éviter pour ne pas faire naufrage, et qu'il faut passer entre les deux, n'est-il pas logique d'en déduire l'existence de deux extrêmes mauvais dans l'étude de la morale, dont l'un est l'excès, figuré par Scylla, l'autre la défaillance, figurée par Charybde ? Au milieu des deux se situe l'état moyen, c'est-à-dire la vertu, que nous devons suivre, nous détournant des deux extrêmes.

Mais s'il fallait nous détourner du juste milieu, nous devrions nous diriger vers Scylla plutôt que vers Charybde ; car si celle-là est un écueil, un rocher proéminent, n'est-ce pas parce que la luxure et sa compagne, la prodigalité, n'échappent à la vue de personne qu'elles sont plus faciles à éviter, et qu'on se méfie d'elles ?

Car quand les jeunes gens commettent des excès, il arrive souvent **[14r]** que, de leur propre gré, sous la contrainte toute naturelle du manque d'argent, ou à la suite des représentations de leurs parents ou des préceptes de la philosophie, repoussant le maléfice, ils reviennent à une vie plus rangée. Mais à mesure que la vieillesse s'avance, la cupidité devient plus dangereuse et augmente de jour en jour, d'où la sentence : « Pour ceux dont le ventre s'est gonflé d'hydropsie, plus ils boivent de l'eau et plus ils ont soif. »

Si ce rocher est peu élevé c'est parce qu'il désigne quelque chose d'humble, ou bien parce qu'il s'attire en cachette tout le monde, puisqu'il est facile d'être précipité dans des dangers inconnus, ou bien encore parce que l'avare se cache dans l'intimité de la maison, comme l'Euclio de Plaute, pour paraître brave sous une fausse apparence de vertu.

Scylla potest deriuari a uerbo σκύλλω id est uexo aut σκυλλέω [98] unguibus lace -
745   ro. libido enim in uenere tanta est ut uiui homines lacerentur et misere crucien-
tur. Itaque iactatur et illud de amatore Moritur semper nec mortuus unquam est.
Vel forsitan a σκύλειξι [99] seu potius σκυλωκώδὴς [100] id est caninus et inuerecundus amor. in libidionosis enim amoribus nullus est pudor quin potius canina
impudentia unde non immerito fingitur circa inguina latrantibus canibus cincta.
750   Crataeus [sic] uel Cratinaeus pater [sic] fuit Scyllae quod uocabulum am-
biguum est, et uaria inde sicut ex somnijs oraculis et prophetijs allegoria erui
potest. Vt αργος [101] quod significat uelocem aut ignauum. Crataeus igitur a
κράτος id est magna uiolentia ualida uis et necessitas quaedam in hominibus
incumbens ex parte corporis uel a κρατέω uinco uel a κέκραμμαι [102] κέκραται
755   unde formatur κρατός qui miscet et temperat κρατῆρα id est poculum.
Temperato uino Scylla uincitur ut libido. Nam ueluti Baccho Venus comes est
sic illo remoto aut moderato languescit et friget. Ideo est implorandus ab Vlysse
Crataeus nam Crataei beneficio nullam iacturam a Scylla iam edomita
recipiemus. Quod si placuerit dices Scyllam Cratei filiam id est crateris et uini
760   ex quo ut dictum est Venus oritur ut Tibullus ait. vel si uis a κέρασαι [103] id est
pocillare. Mater erit Lamia id est uoracitas.
Canes marini sunt libidinosi sicut Delphini Balenae seu phocae quae animalia
suapte natura facile in libidinem procliuia a Scylla capiuntur. Hos enim pisces
attrahit et piscatur id est Tyrannos reges opulentes in Venerem pronos.
765   Notandum censeo apud Ciceron< em > dici uoluptatem capere homines
tanquam homo pisces.
[en marge : addidi.]

---

[98]   σκυλάω ou σκυλεύω
[99]   σκύλαξι
[100]   σκυλακῶδες
[101]   ἀργός
[102]   κέκραμαι
[103]   κέρασθαι

Le nom « Scylla » est peut-être dérivé du verbe *skyllô*, « je tourmente », ou de *skylaô*, « je griffe ». Car le désir amoureux est si grand que les hommes en sont déchirés vivants et misérablement torturés. Ainsi donc on émet à propos de l'amoureux la remarque suivante : « Il se meurt toujours sans être jamais mort. » Ou peut-être le nom est-il dérivé de *skylax* [« chiot »], ou même plutôt de *skylakôdès*, c'est-à-dire « amour effronté digne d'un chien ». Car il n'y a pas de réserve dans les amours passionnés, mais plutôt une impudence digne d'un chien ; il est donc juste que celle-ci soit représentée, le bas-ventre ceint de chiens aboyants.

Crataeus ou Cratinaeus fut le père de Scylla. C'est là un nom ambigu, dont il est possible de découvrir une grande variété d'explications allégoriques, comme c'est le cas des songes, des oracles, et des prophéties. Comme *argos*, qui signifie « rapide » ou « paresseux ». Crataeus provient donc de *kratos*, « grande violence, force puissante, une sorte d'obligation impérieuse qui pèse sur les hommes par rapport au corps », ou de *kratéô*, « je vaincs », ou de *kekramaï*, *kekrataï* [« être mêlé »], d'où est formé le mot *kratos*, « qui mélange et prépare le *kratêr*, c'est-à-dire "la coupe" ». Scylla, tout comme le désir amoureux, est vaincue par le vin coupé. Car de même que Vénus accompagne Bacchus, dieu du vin, ainsi, quand celui-ci a été éloigné ou coupé d'eau, elle s'affaiblit et languit. Pour cette raison, Ulysse doit implorer Crataeus, car c'est grâce à lui que nous évitons les méfaits de Scylla, une fois celle-ci domptée. Si vous voulez, on peut dire que Scylla est la fille de Crataeus, c'est-à-dire de la coupe et du vin, d'où, comme on a dit, Vénus tire son origine ; voir par exemple Tibulle. Ou si vous voulez, il tire son nom de *kerasthaï*, c'est-à-dire « préparer le vin ». Sa mère sera Lamia, qui veut dire « voracité ».

Les chiens marins ont une nature luxurieuse, comme les dauphins, les baleines ou les phoques. Ces animaux, qui par leur tempérament sont facilement disposés à la sensualité, sont attrapés par Scylla. C'est elle en effet qui attire et pêche ces poissons, qui représentent les tyrans, les rois, et les riches enclins aux plaisirs de l'amour. Je crois qu'il faut noter chez Cicéron l'assertion selon laquelle la volupté attrape les hommes tout comme l'homme attrape les poissons.

[*en marge* : ajouté par moi]

Rapit etiam fortissimos **[14v]** sociorum Vlyssis nimirum iuuenes qui per aetatem illam feruentem libidinosi admodum sunt et dicuntur πτεράσθαι[104].

770 Proinde Scylla ἀπὸ τοῦ σκυζεῖν [105] quod significat proprie canire et hic deglubere unde ait Catul< lus >

Glubit magnanimos Remi nepotes.

Hiatus immensus speluncae est inexhausta libido in immensum crescens et patens ad occasum et tenebras nam caligantes fenestrae dicuntur profundae et

775 immensae et immensa profunditas est tenebrosa.

[*en marge* : Horat< ius > in carm< inibus >]

Cum status Tyrannidis sub Cyclope et libidinis sub Scylla describeretur Scyllam cum immani Cyclope comparat quia in utroque sit crudelitas Tyrannica. Tyrannus enim hominum Deumque amor a Poetis dicitur ut patet ex

780 contentione amoris et Phoebi 1. metamorphos< eon > Ouidij et Tibul< li > Eleg< orum > 3 lib< ri > 1.

Delos ubi nunc Phoebe tua est ubi Delphica Pytho

Nempe amor in parua te iubet esse casa

Foelices olim, Veneri cum fertur aperte

785   Seruire alternos [*sic*] non puduisse Deos.

Deinde habitat Cyclops in antro uastissimo sic Scylla in immenso scopuli hiatu : ille uorat hominum corpora sui modo sex s< c >ilicet sic iuuenes corripuit et peste affecit sex Scylla. Illum uino Maroneo effugit Vlysses sic hanc uirtute, consilio, et optima electione.

790 Tria enumerantur quibus Scyllae improbitatem Vlysses effugerit nimirum ἀρετὴ βουλὴ καὶ νοῦς uirtus consilium et mens. haec rursus in ordine uirtutis assequendae consideranda sunt. Sensus praecedit phantasiam uisaque illi imprimit quae iterum animi iudicio in quo sit deliberatio imprimuntur. βουλὴ

---

104   πτεροῦσθαι
105   σκυζᾶν

Elle enlève même les plus forts [14v] des compagnons d'Ulysse, les jeunes assurément qui sont, à cet âge fougueux, très enclins à la luxure ; et le poète dit qu'ils reçoivent des ailes.

Par conséquent, Scylla tire son nom de *skyzân*, qui au sens propre veut dire « être en chaleur », et dans ce cas « sucer », d'où le mot de Catulle : « Elle suce les magnanimes descendants de Rémus ». L'immense ouverture de la caverne qui augmente à l'infini et s'étend vers l'ouest et vers l'obscurité représente la sensualité inépuisable. On dit en effet que les ouvertures sombres sont profondes et immenses, et une immense profondeur est ténébreuse.

[*en marge* : voir Horace dans les *Odes*]

Comme le régime de tyrannie était dépeint sous la forme du Cyclope et l'état de sensualité sous la forme de Scylla, Ulysse compare Scylla avec le monstrueux Cyclope, puisqu'il existe chez l'un comme chez l'autre une cruauté tyrannique. Les poètes appellent Amour le tyran des hommes et des dieux, comme apparaît clairement dans la rivalité entre Phébus et Amour, qui nous est présentée au livre I des *Métamorphoses* d'Ovide et dans la première élégie du livre III de Tibulle :

Ta Délos, ô Phébus, où est-elle maintenant, où est ta delphienne Pytho ? Sans doute c'est l'amour qui te fait rester dans une humble chaumière. Temps heureux où servir ouvertement Vénus ne faisait pas rougir, dit-on, les dieux immortels.

Ensuite, le Cyclope habite dans une énorme caverne, de même que Scylla vit dans l'immense ouverture d'un écueil. A sa manière, il perd les corps de six hommes en les dévorant tandis que Scylla, elle aussi, saisit et cause la perte de six jeunes gens. Ulysse échappe au premier grâce au vin de Maron ; de même il échappe à la seconde grâce à la vertu, à la prudence, et à l'excellence de son jugement.

Trois facultés sont passées en revue qui permettent à Ulysse d'échapper à la méchanceté de Scylla, *arétê*, *boulê*, et *nous* : « la vertu », « la prudence », et « l'intelligence ». Il faut les considérer à rebours dans l'ordre par lequel on

igitur erit deliberatio rerum agendarum. νοῦς iudicium animi rectum quod

795   pronuntiat illud esse fugiendum hoc sequendum discernens bonum ab impio.

Ex dictamine recti iudicij et ἐννοίας[106] sequitur ἀρετὴ quasi ἀιρετη[107] id est

electio et aggressio operis qua uirtus perficitur.

ἀνίμβατες[108] mare dicitur quod in portu est altissimum.

ῥηγμὴν uel ῥηγμός[109] est littus praeruptum et sinuosum.

800   Per fumum qui circa Scyllam extabat flammam intelligit.

per κῦμα[110] tumorem. Nam flamma est in Scylla. propter [15r] ardorem

libidinis uruntur enim libidinosi unde Ouid< ius >

Sed scio quisquis amans uritur igne graui

Et Tibul< lus > 4. ad Cerinthum

805   Vror ego ante alios iuuat hoc Cerinthe quod uror

Si tibi de nobis mutuus ignis adest.

Est etiam tumor in libidinosis. tumescunt enim et inflantur prae libidine

membra.

Quatenus homo est μικροκοσμος[111] potest omnia intra se agere id est nihil est

810   quod non possit ad exitum deducere. Vlysses itaque magister nauis corporeae id

est uehiculi animae docet quo pacto pericula euitari possint excitatque

gubernatorem suum id est rationem suam rectarum actionum ducem et

moderatricem ut ab huiusmodi uitiorum illecebris et scopulis declinet. Remigij

uectores erunt sensus id est instrumenta et organa corporis sensibus seruientia.

815   Arma inclyta quibus indutus erat Vlysses sunt ea omnia quae pertinent ad

propellanda uitia. Duo hastilia sunt duae uirtutes quae ex diametro libidini

---

106   ἔννοιας
107   αἱρετή
108   ἀνέμβατον
109   ῥηγμὶν uel ῥηγμὸς
110   κῦμα
111   μικρόκοσμος

atteint à la vertu. La sensation précède l'imagination, et y imprime les perceptions extérieures. Celles-ci s'impriment sur le jugement intellectuel, où réside la faculté de délibération. Ainsi donc, *boulê* sera la délibération en vue d'accomplir des actions ; *nous* le bon jugement intellectuel qui proclame que telle action est à éviter, telle autre à suivre, distinguant entre le bien et l'impie. Des préceptes du bon jugement et de l'*ennoïa* [« la raison »] résulte l'*arétê* [« la vertu »], qui est encore l'*haïrétê*, c'est-à-dire « le choix et l'accomplissement » d'un acte qui mène à la vertu.

La mer est qualifiée d'*anembaton* [« inaccessible »] parce qu'elle est très profonde dans le port.

rhêgmin ou *rhêgmos* désigne un littoral escarpé et sinueux.

Par la fumée visible autour de Scylla Homère entend le feu ; par *kyma* [« vague »] il entend « enflure ». De fait, le feu se trouve auprès de Scylla à cause de **[15r]** l'ardeur de la luxure, car les luxurieux s'enflamment, d'où les propos d'Ovide : « Mais je sais que tout amant est brûlé par un feu violent » ; et de Tibulle, au livre IV dédié à Cerinthus : « Je brûle, moi, plus que tout autre : j'aime, Cerinthus, le mal dont je brûle, pourvu que tu partages ma flamme. » Les luxurieux sont également associés à l'enflure ; car leurs membres se gonflent et s'enflent en raison de leur sensualité.

Dans la mesure où l'homme représente le microcosme, il peut tout accomplir en dedans de soi : il n'existe rien qu'il ne puisse mener à terme. Ainsi donc, Ulysse, commandant du navire corporel, c'est-à-dire du véhicule de l'âme, enseigne comment les dangers peuvent être évités, et pousse son pilote, c'est-à-dire sa raison, guide et directrice des bonnes actions, à s'éloigner des charmes et des écueils des vices de la sensualité. Les rameurs représenteront les sens, c'est-à-dire les instruments et les organes du corps au service des sens. Les armes illustres dont Ulysse s'était muni représentent tout ce qui sert à chasser les vices. Les deux javelots représentent les deux vertus qui sont diamétralement opposées à la luxure et qui triomphent d'elle, à savoir la prudence et la modération. Celle-là prescrit et ordonne ce qu'il est juste de faire, celle-ci assiste et modère.

aduersantur eamque debellant scitis prudentia et temperantia. Illa dictat et imperat quae iuste sunt agenda. haec seruit et temperat.

Notandum est quod numerus par interitum significat.

820   Impar autem declinationem interitus. hic diuisus est et in bonorum numero et proinde diuidi non potest. at ille in malorum numero est et proinde est diuiduus et proinde corruptionis est argumentum. nam quae diuiduntur ceu [*sic*] partiuntur eadem corrumpuntur :

Sex canes sunt sex obiecta iucunda et uoluptatem offerentia quae hoc pacto nos
825   in fraudem inducunt.

Quatuor primum sensus particulares auditus uisus gustus et tactus. auditu res sonoras et amatorias cantiones uisu formosas et iucundas gustu suaues dulces et gratos palato sapores. Tactum ipsum Veneris actum pol percipimus. Quantum autem nox forma, uinum et contestationes inhonestae ad libidinem incitent in
830   suis Elegis Amatorij Poetae subinde declarant.

Quintum est obiectum sensus communis qui deceptus blanditijs et uoluptatibus recte esse inseruire indicat.

sextum phantasia quae est quoddam medium siue applicatio sensuum externorum ad sensum communem qui est communio quaedam sensuum
835   dictorum.

[15v] Hinc phantasiae sopitis aut euigilatis sensibus nempe in somno et uigilia Imago quaedam uoluptatum se offert ex quo accenditur amator magis ad libidinem. Sic in somnis uel potius per somnia amatores gaudent se percepisse uoluptatem quam interdiu non poterant : Per sex hos sensus Scylla libido
840   homines ad se trahit uorat perdit.

Scylla dicitur piscatrix Siculi magna profundi maris et comparatur piscatori. Nam libido praebet male consultis escam id est delitias et risus aut ipsam uoluptatem quae a philosophis merito dicitur esca malorum. sed hamus dolor est. nocet empta dolore uoluptas. prima fronte uoluptas iucunda est at in recessu

Il faut noter que les nombres pairs désignent la destruction. Les nombres impairs, quant à eux, désignent l'action de prévenir la destruction. Ceux-ci ont été divisés et se trouvent au nombre des biens, et par conséquent ils ne sauraient être divisés à nouveau ; ceux-là au contraire se trouvent au nombre des maux, et par conséquent ils sont divisibles, et constituent donc une preuve de la corruption, car tout ce qui peut être divisé ou réparti est susceptible de corruption.

Les six chiens représentent six sensations agréables, procurant le plaisir, et qui, de cette manière, nous induisent en erreur. En premier lieu, il y a les quatre sens particuliers : l'ouïe, la vue, le goût, et le toucher. C'est par l'ouïe que nous percevons les choses sonores et les chansons d'amour, par la vue que nous percevons les choses belles et plaisantes, par le goût que nous percevons les saveurs agréables, douces, et qui flattent le palais. Par le toucher nous percevons, par Pollux, l'acte vénérien lui-même. En outre, les poètes de l'amour montrent souvent dans leurs élégies à quel point la nuit, la beauté, le vin, et les sollicitations déshonnêtes excitent la luxure.

La cinquième sensation à laquelle nous sommes exposés est le sens commun, lequel, trompé par les flatteries et les plaisirs, déclare qu'il est juste d'être asservi à ceux-ci. La sixième est l'imagination, qui consiste en une sorte de médiation ou de lien entre les sens externes et le sens commun, lui-même une manière commune de comprendre ces sens.

[15v] De là viennent les imaginations qui surgissent, que les sens soient endormis ou éveillés, car assurément, quand nous dormons ou quand nous veillons, une sorte d'Image de plaisirs se présente, grâce à laquelle l'amant est encore plus excité à s'adonner au plaisir. Ainsi, lorsqu'ils dorment, ou plutôt lorsqu'ils rêvent, les amants se réjouissent à l'idée qu'ils éprouvent le plaisir qui était longtemps resté hors de leur portée. Au moyen de ces six sens, Scylla, ou la luxure, s'attire les hommes, les dévore, les détruit.

Scylla est appelée grande pêcheuse de la profonde mer de Sicile, et elle est comparée à un pêcheur. Assurément la luxure offre des appas aux esprits mal avisés : ce sont les délices, les rires, ou ce plaisir que les philosophes appellent avec justesse l'appât des maux. Mais l'hameçon représente la peine ; le plaisir qu'on a acheté avec douleur fait du mal. De prime abord, le Plaisir est agréable ; mais en s'éloignant, il apporte une grande tristesse. Ainsi donc,

845 ingentem adfert tristitiam itaque per aenigma quoddam hanc similitudinem
Scyllae et piscatoris confixit Homerus.

κερας[112] non solum poculum significat quoniam ex cornibus pocula con-
ficiebant antiqui unde etiam Bacchum cornutum fingebant ut pote ex quo Venus
excitetur. Deinde quod κεράαω seu κεράω sit uinum infundo misceo et pocillor.

850 Verum etiam significat membrum uirile quo homines uoluptas inescat et sic
captos more piscium palpitare facit. palpitare autem super aliquid est rem
Veneream excitare. Scylla deinde in mari piscatur nam Venus ex mari nata est
et hoc elementum ad libidinem multum facit et nautae apud Juuenalem
meretricum lupanaria adire dicuntur.

855 De Charybdi

Charybdis denominatur ab ἀναρρηβδεῖν[113] quasi αναρροφεῖν[114] exugere et
absorbere flumina quod maris est proprium unde ἀναρροιβδήσις[115] quasi
ἀναφορὰ τῶν ὑδάτων id est euersio aquarum. Nam Charybdis statis temporibus
obuia quaeque absorbet eademque iterum reuomit. Unde Vergil< ius > 3.

860 Aeneid< os >

        Dextrum Scylla latus laeuum implacata Charybdis

        Obsidet atque in barathri ter gurgite uastos

        Sorbet in abruptum fluctus rursusque sub auras

        Exigit alternos : et sydera uerberat unda.

865 Charybdis etiam dicitur quasi περιδον καὶ εὐρυχομένος[116]. Talis gurges ab
atticis dicitur γοργόνη.

---

112   κέρας
113   ἀναρροιβδεῖν
114   ἀναρροφεῖν
115   ἀναρροίβδησις
116   περιδινὴς καὶ εὐρυχωόμενος

Homère imagina cette comparaison entre Scylla et le pêcheur comme une espèce d'énigme.

Kéras signifie d'abord « coupe », car les anciens fabriquaient les coupes avec des cornes, de sorte qu'ils représentaient également Bacchus avec des cornes, vu que Vénus est excitée par lui, car *keraaô* ou *keraô* veut dire « je verse, je mélange, je sers le vin ». Mais le mot désigne aussi le membre viril, que le plaisir emploie pour leurrer les hommes et qui, une fois qu'ils ont été pris, les fait s'agiter comme des poissons. Or « s'agiter sur quelque chose » signifie « exciter l'acte vénérien ». Plus loin, Scylla pêche dans la mer : Vénus est en effet issue de la mer, et cet élément encourage beaucoup la luxure ; ainsi chez Juvénal, les matelots fréquentent les lupanars des prostituées.

De Charybde

Le nom de Charybde dérive du verbe *anarroïbdéïn*, qui signifie *anarrophéïn*, « absorber et engloutir les fleuves », un trait propre à la mer, d'où le nom *anarroïbdêsis*, ou *anaphora tôn hydatôn*, c'est-à-dire « jaillissement des eaux ». Car à intervalles réguliers, Charybde engloutit tout ce qui se présente à elle, avant de revomir ces mêmes choses ; d'où les vers de Virgile au chant III de l'*Énéide* :

> Scylla garde le côté droit ; l'implacable Charybde le côté gauche, et trois
> fois tour à tour elle abîme ses vastes flots au fond de son gouffre béant et
> les revomit dans les airs jusqu'à en fouetter les astres.

Charybde signifie également *péridinês* [« tournoyant »] et *eurychôomenos* [« s'irritant partout »]. Les habitants de l'Attique appellent « gorgonê » ce genre de tourbillon d'eau.

Haec autem opponitur contrario Scyllae sicut defectus excessui significatque auaritiam quae omnia uorat et rapit.

[16r] Diuina saepe ap< p >ellantur quae a natura insita sunt uel a Deo ut
870 θεοδακτὸς[117] qui est qui omnia quae scit a natura edoctus est id est a Deo. non Deus est melior natura ut ait Ouid< ius > 1° metamorph< oseon >. Deinde ignota obscura admirabilia diuina esse et a dijs adiuncta credimus. Quapropter Scylla et Charybdis ap< p >ellantur Deae immortales. Nam sunt duo mala praesertim nobis insita naturalia et necessaria quibus uetamur animo resistere.
875 quis enim naturae repugnabit ? iuxta illud Horat< ius >

Naturam expellas furca tamen usque recurret.

Deinde humanitas alio se habere modo non potest quin illis uitijs obnoxia sit. nemo sine crimine nascitur inquit Horat< ius >

at optimus ille qui minimis urgetur.

880 Proinde non sunt radicitus euellenda aut armis et robore corporis tentanda sed fugiendo ijs cedendum est. Per fortissimum intelligit temperatissimum qui nisi exuat omnem humanitatem sibique necem afferat (ut Stoici et tetrici alij censores) certe non poterit eradere. Itaque monet Circe[s] Vlyssem Illam esse potius declinandam quam armis debellandam.

885 Caprificus quae iuxta Charybdim sita est significat quoddam remedium quo lasciuia uinci potest uel potius auaritiae quoddam obstaculum cui inhaerendum est ne ad extremam illam auaritiam relabamur. Intelligendum tamen est quod caprificus collo Taurorum temperet lasciuiam. deinde est herba quae saxa frangit quapropter tumulo uetulae cuiusdam imponit caprificum poeta quidam
890 ut significaret illam allicere pueros ad libidinem.

Quemadmodum uentus a Deo quem Poetae finxerunt Aeolo immittitur ita etiam seditio quodam fato et necessitate occultaque de causa oritur et dicitur θύελλα id est turbo seu procella παρὰ τὸ θίω[118] τὸ ὁρμῶ. sic seditio est morbus pestis et

---

117   θεοδίδακτος
118   θύω

Cependant, elle est diamétralement opposée à Scylla, comme la défaillance l'est à l'excès, et elle désigne l'avarice qui dévore et se saisit de tout.

[16r] Souvent les choses qui ont été inculquées par la Nature ou par Dieu sont appelées divines, ainsi en est-il du *théodidactos* (« instruit par Dieu »), qui est celui auquel la Nature, c'est-à-dire Dieu, a enseigné tout ce qu'elle sait. Selon Ovide, au premier livre des *Métamorphoses*, il n'y a pas de meilleur Dieu que la Nature. Nous croyons que tout ce qui est inconnu, obscur, et étonnant est divin et lié aux dieux. Pour cette raison Charybde et Scylla sont appelées déesses immortelles. Car elles représentent surtout deux maux naturels et nécessaires implantés dans nos esprits, qui ne nous permettent pas de résister à nos émotions. Car qui luttera contre la nature ? Horace, conformément à cette idée, écrit : « On aura beau chasser la nature à coups de fourche, sans cesse elle reviendra en courant. » Ensuite, la nature humaine ne saurait manquer d'être exposée à ces vices. Personne ne naît sans faute, dit Horace, « mais le meilleur est celui sur qui pèsent les moins graves ». Par conséquent, il ne faudrait pas arracher ces vices jusqu'à la racine, ni les assaillir à coup d'armes et par la force corporelle, mais il faut se dérober à eux en se sauvant. Par « le plus fort » il entend « le plus modéré », qui, à moins qu'il ne se dépouille de tout sentiment d'humanité et qu'il ne s'expose à la mort (comme les Stoïciens et les autres censeurs sévères), ne pourra sûrement pas supprimer les vices. Ainsi donc, Circé apprend à Ulysse qu'il devrait éviter Charybde plutôt que de la soumettre par les armes.

Le figuier sauvage qui sĕ trouve tout près de Charybde désigne une espèce de remède à l'aide duquel la débauche peut être vaincue, ou plutôt une espèce d'obstacle à l'avarice, auquel il faut se cramponner pour ne pas retomber dans cette extrême avarice. Toutefois, il faut savoir que le figuier sauvage posé au cou des taureaux tempère leurs pulsions sexuelles. Ensuite, c'est une plante qui brise les rochers, et pour cette raison un poète place un figuier sauvage sur le tombeau d'une vieille femme, pour indiquer qu'elle attire les jeunes gens à la débauche.

De même que le vent est déclenché par un dieu, Éole, inventé par les poètes, de même, la révolte tire son origine d'une certaine fatalité et nécessité, pour une raison cachée, et reçoit le nom *thyella*, c'est-à-dire « tourbillon » ou « orage », du verbe *thyô* [« être en fureur »] qui signifie *hormô* [« exciter »].

clades ciuitatis. quemadmodum etiam se habet tota nauis ad totam ciuitatem sic

895 partes ciuitatis referuntur ad partes nauis. Status itaque firmissimus in ciuitate et

republ< ica > est quem optimates regunt. est similis malo qui neque in unam

neque in alteram partem protendere debet nempe non fauore exultare et attolli

plebis neque opprimi minis debet. Malus autem ubi semel retro auersus est et a

plebe longe semotus uergit in Tyrannidem. tunc arma in sentinam cadunt id est

900 plebs quae fex ciuitatis est arma sumit mirasque edit strages. In extrema parte

~~puppis~~ nauis in puppi gubernator sedet qui et [16v] nauem et Rempublicam

administrat. Caput autem gubernatoris malus confregit confiditque ut signi-

ficetur consilij et rationis expers fuisse. nam cum malum aliquid in caput

incumbat significat consilij penuriam et iacturam sed maxime in principibus. ut

905 si quando animal biceps nascatur Imperij diuisionem portendere aiunt. Tabulata

sunt scita plebiscita suggestus et tabulae quibus inscriptae leges erant quae inter

timentes tanquam mortua. iacens ex his decidit, foro cedit, et amittit omnem

constantiam tanta calamitate qua antea in Reipub< licae > administratione

utebatur.

910 Fulminatio nauis est extremus Reipub< licae > interitus labes excidium.

Circumuolutio in orbem pertinet ad uersationem bacchantium et significat

insaniam cerebri quae a poculo orta est.

κερὰς [119] significat ~~apud~~ quid diuinum sicut sulphur θείων [120] dicitur ut clades a

Deo immitti et uenire credamus.

915 Cornices sunt aues diuinae inauspicatae ut Plinius ait et Vergil< ius > in 1.

Eglog< a > [sic] tradit

        Saepe sinistra caua praedixit ab ilice cornix.

Noctuae uero sunt prudentes et prudentiam significant ex quo Athenienses

noctuae signum sibi uendicabant quae contra cornices pugnabant id est stultos.

---

[119]   κεραυνὸς
[120]   θεῖον

Ainsi la révolte est une maladie, une peste, un fléau de l'État. De même que l'on compare le navire pris dans son ensemble à l'État tout entier, de même les parties de l'État se rapportent aux parties du navire. Ainsi donc, le régime le plus solide dans un État et dans les affaires publiques est celui qui est gouverné par les aristocrates. Il ressemble au mât, qui ne doit pas pencher dans une direction ou une autre, qui ne doit pas être exalté et porté aux nues par la faveur du peuple, ni non plus accablé par ses menaces. Mais dès que le mât s'est incliné en arrière et qu'il s'est éloigné du peuple, il tend vers la tyrannie. Alors les armes tombent dans la sentine, c'est-à-dire que le peuple, qui est le rebut de l'État, prend les armes et provoque un terrible carnage. A l'extrémité du navire, sur la poupe, se tient le pilote qui **[16v]** dirige tant le navire que l'État. Pourtant le mât [*malus*] heurta et fendit en deux la tête du pilote, ce qui indique que ce dernier manquait de prudence et de raison. Car un mal [*malum*] qui pèse sur la tête indique un manque et une perte de prudence, particulièrement chez les princes ; de même, toutes les fois que naît un animal à deux têtes, on dit que cela présage la division de l'empire. Les planches représentent les ordonnances, les décrets du peuple, les suggestions, et les tables où les lois avaient été inscrites ; celles-ci, aux yeux des gens effrayés, sont pour ainsi dire mortes. Appesanti, il tombe de ces planches, il se retire de la place publique et, dans un tel désastre, il perd toute la fermeté de caractère dont il usait auparavant dans l'administration des affaires publiques.

Le foudroiement du navire représente l'ultime destruction de l'État, sa ruine, sa chute.

Le tournoiement représente la danse des Bacchantes et désigne la folie provoquée par le vin.

La foudre [*kéraunos*] représente quelque chose de divin, de même, le soufre est appelé *théïon*, afin que nous croyions que les désastres procèdent et viennent de Dieu.

Les corneilles sont des oiseaux divins de mauvais augure, selon Pline et la première *Bucolique* de Virgile : « Souvent du creux d'un chêne la corneille de mauvais présage m'a averti. »

Les chouettes, à l'inverse, sont sagaces et désignent la sagesse, de sorte que les Athéniens revendiquaient la chouette comme leur symbole ; elles combattaient contre les corneilles, c'est-à-dire contre les gens stupides. Ainsi donc,

920 Itaque socij Vlyssis erant similes cornicibus. stulti erant et temerarij in suam

perniciem praecipitabantur et in mare cadentes perierunt. Propertius sic

        Sic illis redeunt qui periere locis.

Zephirus id est uentus nimium secundus est malus.

Auster autem contrarius nam respubl< ica > in rebus nimium prosperis et

925 aduersis agitatur.

Vespertiliones inter se cohaerere ~~solent~~ ut firmius stent neque sedent sed in aere

pendent. Coeterum aduertas magnam habere uim formica ἀντιπατίαν[121] nam si

uespertilionis caput ponatur ante [h]ostium et antrum formicarum illae non

exeunt. Vespertil[l]iones significant homines qui simul atque nati sunt ad res

930 sublimes se conferunt. formicae uero rusticos et eos qui in augenda re familiari

laborant.

Intelligit per similitudinem forensem auaritiam et forense barathrum reteque

causidicorum quod semper praedam capit et in tempestate id est in bellis et

tumultibus et in tranquillitate i< d est > in pace. Piscatoribus uero non nisi

935 secundo uento marique pacato prodest. Quoniam uero causidici sero de iure et

foro redeunt non sunt magis diligentes. sed coguntur inhiare alienis bonis et

praedae diu immorari et proinde potius auari.

[17r] In figura crucis quam transuersa oblique carina et clauus efficiebant

cuique insidens enatauit Vlysses mysterium inest quoddam. Nam cum littera X

940 decem significet qui numerus omnium est perfectissimus putandum est

hominem perfectum e quouis naufragio euasurum. Deinde si Sybillas et pro-

phetas altius perscruteris X. initium nominis [deux mots raturés] Χριστοῦ

inueniemus in quo omnes salui facti sumus.

Semel licet impune insanire. Itaque Vlysses semel in Scyllam incidit at e Scylla

945 in Charybdim rarus est aut nullus potius descensus. a libidine enim in auaritiam

raro quis delabitur.

---

[121]   ἀντιπαθίαν

les compagnons d'Ulysse ressemblaient à des corneilles ; ils étaient sots et irré-fléchis ; ils se précipitèrent vers leur destruction et, tombant dans la mer, ils pé-rirent. Ainsi Properce écrit : « C'est ainsi que reviennent ceux qui ont péri là-bas. »

Le Zéphyr, vent trop favorable, est mauvais. L'Auster [le vent du midi], quant à lui, est contraire ; car les situations trop favorables et trop contraires troublent l'État.

Les chauves-souris forment une masse compacte pour se tenir plus fermement. Elles ne se perchent pas ; elles restent suspendues en l'air. Pour le reste, il faut remarquer qu'elles possèdent une force considérable de prévention contre les fourmis. Car si la tête d'une chauve-souris est posée devant l'entrée d'une fourmilière, les fourmis ne sortent pas. Les chauves-souris représentent les hommes qui, à peine nés, se consacrent aux choses sublimes. Les fourmis, elles, représentent les paysans et ceux qui travaillent pour augmenter leur patrimoine.

Par la comparaison judiciaire le poète entend l'avarice, l'abîme des frais de justice, le filet tendu par les avocats, qui attrappe toujours sa proie, non seulement au cours des orages, c'est-à-dire en temps de guerre et de désordres, mais encore lorsque la mer est calme, c'est-à-dire en temps de paix. Les pêcheurs ne profitent cependant que lorsque le vent est favorable et que la mer est calme. Les avocats ne sont pas plus diligents du fait qu'ils rentrent tard de la place publique et de l'exercice de la justice, mais ils sont obligés d'avoir une attention avide pour les biens d'autrui et de s'appesantir longtemps sur leur proie, de sorte qu'ils sont plutôt avares.

[17r] Il existe une sorte de mystère dans la figure de la croix formée par la coque posée de biais par rapport au gouvernail, à l'aide de laquelle Ulysse, à califourchon, échappa du naufrage. Car comme la lettre X représente le nombre dix, le plus parfait de tous les nombres, il faut en déduire que c'est l'homme parfait qui échappera de n'importe quel naufrage. Ensuite, si l'on étudie plus profondément les paroles des Sibylles et des prophètes, nous trouvons que X est le début du nom du Christ [$X\rho\iota\sigma\tau\acute{o}\varsigma$] en qui nous avons tous reçu le salut.

Il est permis de perdre une fois la raison impunément. Ainsi, Ulysse tombe une fois dans Scylla ; mais la descente de Scylla dans Charybde est rare ou inexistante, car il est rare que quelqu'un tombe de la luxure dans l'avarice.

Ogygia est antiqua insula uel coelum quo nihil est antiquius. hoc enim in
mundo cum diu agitati fuerimus tandem ad illam sedem coelestem migramus.
In ea habitabat Calypso. haec enim ut diximus est metaphysica quae coelestia
950 contemplatur.

De armentis Solis

Eustath< ius > citans Aristotelem hunc in locum talem adfert allegoriam. Per
boues et oues nihil aliud intelligit quam numerum dierum et noctium quo annus
perficitur. Cum enim septem sint armenta boum et totidem ouium quorum
955 singula continent pecudes quinquaginta certe si fiat multiplicatio 50' numeri per
7.um nascentur 350 quo numero dies lunares in anni circulo absoluuntur. Quod
si non exacta sit numeratio excusandus est Homerus cuius aetate nondum anni
spatium ut nunc tam accurate praescriptum erat.
Boues masculi significant dies uel quod sint cornuti ad similitudinem solis qui
960 cornibus s< c >ilicet radijs undique cinctus promicat unde etiam Mosem aiunt
cornua quaedam in uultu habuisse ceu [*sic*] fronte propter fulgorem et
splendorem faciei. vel quod boues sint animalia labori maxime apta ut
Ouid< ius > docet 15° metamorph< oseon > sicut dies quos in certum opus
laboremque impendere oportet. Interdiu enim laborandum est at noctu
965 cessandum ab opere unde nox dicitur requies rerum.
Oues significant noctes quae in anno tot sunt quot dies uel quod oues sint
maxime humidae quales sunt noctes unde nox ap< p >ellatur humida ut apud
Ouid< ium > 11° metamorphos< eon >
          Innumeraeque herbae quarum de lacte saporem
970   Nox legit et spargit per opacas humida terras
et alibi madidis nox aduolat alis. Vel fortasse quod sint **[17v]** placidae, humiles
taciturnae requiem non laborem habentes et amantes quae omnia in noctes

Ogygia est une île très ancienne, ou encore le ciel, qui est plus ancien que toute autre chose. Car après les longs tourments que nous avons endurés dans ce monde-ci, nous partons finalement pour cette demeure céleste. Calypso y habite ; car elle représente, comme nous l'avons dit, la métaphysique qui contemple les choses célestes.

Des troupeaux du Soleil

Eustathe, citant Aristote, apporte à ce passage une explication allégorique du genre que voici : par les bœufs et les brebis, le poète n'entend rien d'autre que le nombre de jours et de nuits dont l'année est composée. Car comme il y a sept troupeaux de bœufs et autant de troupeaux de brebis, desquels chaque troupeau contient cinquante bêtes, il est certain que si 50 est multiplié par 7 le résultat en est 350, soit le nombre de jours lunaires nécessaires pour que le soleil accomplisse sa révolution. Mais si la supputation n'est pas exacte, il faut le pardonner à Homère, qui vivait à une époque où la durée de l'année n'était pas encore indiquée avec autant de précision que maintenant.

Les bœufs, étant des êtres mâles, représentent les jours, parce qu'ils ont des cornes à l'instar du soleil, qui paraît couronné de tous côtés de cornes, c'est-à-dire de rayons, d'où la légende selon laquelle Moïse lui aussi avait des cornes au visage ou au front du fait de l'éclat et de la splendeur de sa face ; ou encore parce que les bœufs sont des bêtes spécialement faites pour le travail, ainsi qu'Ovide nous le montre au livre XV des *Métamorphoses*, comme le sont les jours qu'on doit consacrer à un travail et une activité. Car pendant le jour il faut travailler, mais la nuit il faut suspendre son activité, d'où le dicton selon lequel la nuit est le repos des choses.

Les brebis représentent les nuits qui, au cours de l'année, sont d'un nombre égal aux jours, sans doute parce que les brebis sont, comme les nuits, particulièrement humides, ainsi la nuit est-elle qualifiée d'humide, au livre XI des *Métamorphoses* par exemple : « ... et des plantes innombrables, dont les sucs servent à la Nuit pour composer le charme soporifique qu'elle répand avec son humidité sur la terre obscure » ; et dans un autre endroit, la nuit vole, les ailes mouillées ; ou bien, peut-être [17v] les associe-t-il à la nuit parce qu'elles

cadere nemo inficias ibit. Vaccae et filiae noctis quoque sunt et significant sicut filij dies aduenientes. Vide initio huius operis allegoriam filiorum et filiarum 6.

975 Aeoli.

Phaetusa et Lampetia solis fuerunt filiae ex ~~Lampetia~~ Neaera. Vnde Propertius.

       Pauerat hos solis filia Lampetia.

tamen fuerunt sorores Phaetontis ut metamorph< oseon > 2. Ouidius docet.

980 Interim per Phaetusam intelligere oportet ardorem et splendorem simul ἀπὸ τοῦ φαεθεῖν[122] quod significat una cum luce ardorem emittere. Per Lampetiam uero fulgorem et lucem a λάμπειν uel λαμπετάειν id est splendere. Per Neaeram solis conuersionem et motum orbicularem ἀπὸ τοῦ νέεσθαι uel νεῖσθαι id est ire et redire. Namque Sol per conuersionem nobis lucem et calorem transmittit.

985 Diuinatoriam [sic] et astrologiam non abrogat Homerus neque tamen illic nos perpetuo desidere uoluit. ita Vlyssem a Calypso discedentem monitu Deorum facit id est a contemplatione coelestium abstrahit neque uetat ad Circem ire sed addit ducem Mercurium et moly et uinum cum ad Cyclopem profisceretur ut singula remedia singulis malis opponeret. sed damnat eos qui in rebus quidem

990 praeclaris uersantur tamen ad bene beateque uiuendum se conferunt quales sunt ij qui in supputationibus astronomicis Poesi, historia, Physica omnem aetatem consumunt.

Epulae sunt supputationes et morosae dierum rationes quibus astrologi in desperationem et superstitionem falsam perueniunt credentes hominem a natali

995 die miserum esse uel foelicem neque posse praedestinationem et influentiam astrorum euitare. ἀπὸ τοῦ δαίνεισθαι[123] id est partiri et diuidere unde δασμος[124] partitio.

---

122   φαέθειν
123   δαίνυσθαι
124   δασμὸς

sont calmes, humbles, silencieuses, possédant et désirant le repos plutôt que le travail. Personne ne saurait nier que toutes ces choses se produisent au cours des nuits. Les vaches sont également les filles de la nuit et, comme les fils [d'Éole], elles désignent les jours qui arrivent. Voir au début de cet ouvrage l'allégorie des six fils et des six filles d'Éole.

Phaétuse et Lampétie furent les filles du Soleil et de Néère ; d'où les mots de Properce : « Lampétie, fille du Soleil, les avait entretenus. » Elles furent également les sœurs de Phaéton, comme l'indique Ovide au livre II des *Métamorphoses*. Parfois, il faut entendre par Phaétuse à la fois « feu » et « éclat », du verbe *phaéthéïn* qui signifie « émettre du feu avec une seule lumière ». Par Lampétie il faut entendre « éclair » et « lumière », du verbe *lampéïn* ou *lampétaéïn*, c'est-à-dire « briller ». Par Néère il faut entendre la révolution et le mouvement circulaire du Soleil, du verbe *néësthaï* ou bien *néïsthaï*, « aller et venir ». Car durant sa révolution, le Soleil nous envoie sa lumière et sa chaleur.

Homère ne rejette pas tout à fait la divination et l'astrologie, mais il n'a pas voulu non plus que nous y consacrions continuellement nos loisirs. Ainsi il représente Ulysse quittant Calypso conformément au conseil des dieux, c'est-à-dire qu'il l'éloigne de la contemplation des choses célestes. Il ne l'empêche pas de se rendre chez Circé, mais il ajoute la présence de Mercure comme guide, qui lui procure du moly, et du vin lorsqu'il se met en route vers le Cyclope, pour montrer qu'un remède individuel peut être appliqué contre chaque mal. Il condamne ceux qui s'occupent de choses supérieures mais qui néanmoins se consacrent à vivre bien et heureusement, tout comme il condamne ceux qui passent tout leur temps à faire des supputations astronomiques, à écrire de la poésie, et à étudier l'histoire et la physique.

Le repas représente les supputations et les difficiles calculs astronomiques, à cause desquels les astrologues en viennent au désespoir et à la superstition, car ils croient que le jour de sa naissance détermine pour l'homme son malheur ou son bonheur, et que celui-ci ne peut éviter la prédestination et l'influence des astres ; du verbe *daïnysthaï*, « se partager, diviser en parties », d'où le nom *dasmos*, « partage ».

Deuorare boues et oues solis dicuntur qui et noctu dieque inter uoluptates ignaui uersantur qui bibendo et edendo dies consumunt totos. Nam deuorare est
1000 ut ait diminuere et ut ait Horat< ius > partem solido demere de die. Itaque omnes Achillis [*sic*] socij misere perierunt et ad extremam reducti sunt ignorantiam.

Apud Platonem Sol et Iuppiter pro eodem sumuntur. nam Deus pro diuerso officio diuersa quoque sortitur nomina. est enim idem prouidens et puniens.
1005 Quatenus tamen animos accendit et illuminat est Sol quatenus fulminans dicitur Iuppiter. Itaque Sol conqueritur apud Iouem id est diuinam **[18r]** ultionem. sic Aegiptij [*sic*] multas potestates in ipso patre et in animo collocant.

Sol minatur tenebras mundo id est eorum turbae qui plus aequo futura praeseruare volunt. Nam cum ita intenti altius animum erigunt ad extremam
1010 caliginem rerumque ignorationem deducit Deus. Lumine enim Solis id est Dei uera cognitione priuantur nullosque esse credunt dies.

Sicut Auerrois et alij multi qui astrorum influentijs regi mundum et homines omnino arbitrantur. Sicut etiam Eurylochus id est late speculans astrologus qui in errorem induxit socios Vlyssis.
1015 Aduertendum est rapinis et sacrilegijs Deos non placari ut constat ex hoc sacrificio sociorum Vlyssis. Coeterum adhibebant ueteres in sacrificijs et uinum et fruges. per uinum feruor contemplantis animi ac prudentia per fruges pabulum animi intelligitur. Itaque uinum mutare in aquam nihil aliud est quam prudentiam in stultitiam conuertere pariterque fruges humanas epulas in
1020 quernea folia est relicto hominum ritu in desuetis et brutis non hominibus conuenientes actiones delabi .

Per pisces intelligit elementum humidum id est mare per aues aerem. itaque socij Vlyssis poterant impune pisces et aues uenari hoc est partem aliquam sibi uendicare s< c >ilicet praesentire tam in coelo quam in aere futuras tempestates
1025 aut ut nautae in mari uel etiam surtes [= syrtes] in aqua solitas iaci

On dit des hommes qui vivent jour et nuit dans l'oisiveté au milieu des plaisirs et qui passent toutes leurs journées à boire et à manger qu'ils dévorent les bœufs et les brebis du Soleil. Car dévorer, c'est mettre en morceaux et, comme le dit Horace, « prélever une part sur le total du jour ». Et ainsi, tous les compagnons d'Ulysse [Achille *dans l'orginal*] ont péri misérablement, et ont été réduits à une ignorance extrême.

Chez Platon, le Soleil et Jupiter sont considérés en principe comme identiques ; car Dieu reçoit des noms différents pour chacune de ses fonctions différentes. Il est le même quand il pourvoit et quand il punit. Pourtant, en tant qu'il excite et éclaire les esprits, c'est le Soleil ; en tant qu'il lance la foudre, on l'appelle Jupiter. Ainsi, le Soleil se plaint auprès de Jupiter, c'est-à-dire de la vengeance **[18r]** divine. De cette façon, les Égyptiens attribuent de nombreux pouvoirs à ce même père et à son âme.

Le Soleil menace de couvrir le monde de ténèbres, c'est-à-dire qu'il menace la foule de ceux qui tiennent plus qu'il ne le faut à prévoir l'avenir. Car quand, avec tant d'intensité, ils élèvent plus haut leur esprit, Dieu les fait descendre dans une extrême obscurité et ignorance des choses. Car ils se voient priver de la lumière du Soleil, c'est-à-dire de la véritable connaissance de Dieu, et ils croient qu'il n'y a pas de lumière du jour. Comme Averroès et maints autres, qui sont d'avis que le monde et les hommes sont entièrement dirigés par l'influence des astres. Comme aussi Euryloque, l'astrologue « dont la vue s'étend au loin », qui induisit en erreur les compagnons d'Ulysse.

Il faut remarquer que les rapines et les sacrilèges n'attirent pas la faveur des dieux, comme il apparaît avec évidence à la suite de ce sacrifice accompli par les compagnons d'Ulysse. Pour le reste, les anciens faisaient offrande, dans leurs sacrifices, à la fois de vin et de grains. Par vin, nous entendons la prudence et l'ardeur de l'âme en contemplation ; par grains, la nourriture de l'âme. Ainsi donc, changer le vin en eau ne signifie rien d'autre que transformer la prudence en folie ; et semblablement, changer les grains, la nourriture des hommes, en feuilles de chêne signifie abandonner les coutumes des hommes et tomber dans des actions qui conviennent aux dégénérés et aux bêtes brutes plutôt qu'aux hommes.

Par poissons, le poète entend l'élément humide, c'est-à-dire la mer ; par oiseaux, il entend l'air. Ainsi donc, il était permis aux compagnons d'Ulysse de faire impunément la chasse aux poissons et aux oiseaux, c'est-à-dire de réclamer leur partage, à savoir, prévoir tant au ciel qu'en l'air les orages à venir, de même qu'il était permis aux matelots de les prévoir dans la mer, ou

consulere. ut agricolae per phaenomena. Stellae igitur datae sunt ad cognitionem rerum euenturarum non ad actionem.

Iuppiter est author scientiae. Mercurius est eloquentia aut ratio aut ipsa
numerandi ratio unde Graeci ap< p >ellant αὐτολογὸν[125]. Calypso est diuina-
1030 toria et prophetica ex aspectu coelestium et rerum occultarum cognitione.
Itaque hae tales occultae scientiae uidentur per manus traditae. Per tergora et
pelles libros in quibus sententiae et diuinationes continentur sicut in pellibus
carnes latent. Per uerua [ceu assula : *écrit au-dessus de « uerua »*] astronomica
significat instrumenta quibus utimur in contemplando situ rerum coelestium
1035 sicut διόπτρα baculus Iacob. Non aliter quam Hercules qui sagitta percussit
Iunonem hoc est per sagittam id est dioptram et astrolabium in rerum coelestium cognitionem deuenit.

Per sex dies socij Vlyssis epulati sunt id est errori lasciuiae gulae sacrilegio sex
dies contulerunt et septimus est in quo finis remedium, et praemium dignum
1040 bonis et malis oritur ceu [*sic*] tribuitur sicut apud Theologos .6. dies laboris
~~quietis~~ et 7. quietis.

[18v] Illi igitur cum secundo uento fruerentur post malefactum se euasisse
ultionem diuinam existimabant. at non ita erat nam lento gradu procedit ira
diuina et temporis tarditatem grauitate supplicij compensat. Idem de Dyonisio
1045 [*sic*] uulgatum est qui cum nauigaret dextro et secundo Neptuno post
templorum depopulationem dicere solebat. videte quam Dij faueant sacrilegis
sed cum iam ad portum accederet orta tempestate rursus uiam per quam uenerat
emersus est.

[4 FEUILLES BLANCHES]

[125]   αὐτολόγον

bien de prévoir les bancs de sable qui se trouvent ordinairement dans l'eau. Comme le font les agriculteurs au moyen des phénomènes astronomiques. Ainsi donc, les étoiles ont été créées pour la connaissance des choses à venir, non pour déterminer celles-ci.

Jupiter est la source des connaissances, Mercure est l'éloquence, ou la raison, ou l'art de calculer, c'est pourquoi les Grecs l'appellent « le verbe même ». Calypso est l'art de deviner et de prophétiser par l'inspection des choses célestes et par la connaissance des choses cachées. Ainsi, il semble que de telles sciences occultes soient remises de mains en mains. Par les dépouilles et les peaux, le poète entend les livres qui contiennent des maximes et des prédictions, de même que la chair est cachée sous la peau. Par les broches (ou *assula* [« morceaux de bois »]), il entend les instruments astronomiques dont nous nous servons pour observer la position des corps célestes, comme la *dioptra*, ou bâton de Jacob. De même qu'Hercule, qui perça Junon d'une flèche, c'est-à-dire qui en vint à la connaissance des choses célestes au moyen d'une flèche, c'est-à-dire d'un bâton de Jacob et d'un astrolabe.

Pendant six jours, les compagnons d'Ulysse ont fait bonne chère, c'est-à-dire qu'ils ont consacré six jours à la folie, à la débauche, à la gourmandise, au sacrilège, et c'est le septième jour qui voit commencer, ou appliquer, pour les bons et pour les méchants, la fin, le remède, et la récompense qu'ils méritent, de même que chez les théologiens il y a six jours de travail et le septième est un jour de repos.

[18v] Ainsi donc, lorsque les compagnons d'Ulysse jouissaient d'un vent favorable après leurs mauvaises actions, il leur semblait qu'ils avaient échappé à la vengeance divine, mais il n'en était rien. Car la colère de Dieu s'avance pas à pas, et compense sa lenteur par la sévérité du châtiment. La même histoire a été répandue concernant Denys le Tyran qui, naviguant par une mer propice et favorable après la dévastation des temples, répétait : « Voyez comme les dieux sont favorables aux impies. » Mais comme il était sur le point d'entrer dans le port, un orage éclata, et il fut renvoyé dans la direction qu'il avait prise.

[4 FEUILLES BLANCHES]

[19r] Iohann< is > Aurati Mythologia in hymnum Veneris

1050 Qui reliquos imitantur ueterumque uestigijs insistunt ne uideantur antiquum
aliquid adferre mutatis nobis nominibus tanquam callidi larrones antiquum illud
aut nouum faciunt aut nouo modo uariantes exornant. Ita omnes philosophi
ueteres theologi et poetae cum Ideam perfectae sapientiae ante oculos ponere et
ad uiuum depingere uellent uarias personas assumpsere alij Iasonem alij
1055 Herculem alij Vlyssem. non tamen ijs contenti alios atque alios induxerunt. Ex
eorum numero Xenophon qui imaginem perfecti regis in Cyro exornando
proposuit. Est etiam Virgilius qui suum Aenean celebrauit ex quo descendere
Caesarem facit sumpto tamen ab Homero argumento. Hoc etiam hymno Aeneae
natalia potius quam Veneris laudes persequitur. In quo sane Astrologos et
1060 Genethliacos qui ab ipso articulo temporis naturalem cuiusque praesensionem
praedicunt. Imitatur Aeneae primam originem inuestigans. Et quemadmodum
Plutharcus [*sic*] in suis parallelis Romanos cum graecis confert ita Homerus
Aeneam. Hi uero hymni non sunt epitomici quales apud Orpheum neque
possunt in multa uolumina produci quamuis satis longi. Inscribuntur autem
1065 Homero. nonnulli tamen adhuc dubitant sitne germanum et legitimum opus
illius : siquidem in isto opere quaedam uocabula singularia id est semel
usurpata reperiuntur quae in alijs operibus minime usurpantur.
Sed haec obiectio leuis est. sic Poetarum propria sunt quaedam uocabula ut
apud Ouid< ium > camella in fastis et apud Virgil< ium > in culice et moreto et
1070 epigrammatis quae nusquam alijs in operibus inueniuntur. tunc enim se
exercebat et calamum ad maiora parabat. Ita Homerus istos hymnos tanquam
praeludia maiorum operum edidit. Patet autem id testimonio ipsius ad
Apollinem fol. 441. vel alicuius homeridarum sunt opera qui syluas
r< h >apsodiarum fecerant ut Pindarus docet. quisquis tamen sit antiquissimus
1075 fuisse ex Callimacho constat qui multa ex his est mutuatus.

[19r] Interprétation mythologique de l'*Hymne de Vénus*, de Jean Dorat

Ceux qui imitent autrui et qui suivent l'exemple des anciens, pour ne pas donner l'air, tels des voleurs rusés, de nous apporter quelque chose d'antique après n'en avoir changé que les noms, donnent une forme nouvelle à ce texte antique, ou bien l'embellissent en en variant le style d'une façon nouvelle. Ainsi, tous les philosophes, théologiens et poètes anciens, quand ils voulaient placer devant les yeux et peindre sur le vif l'idée de la sagesse parfaite, choisissaient des personnages différents, certains Jason, d'autres Hercule, et d'autres enfin Ulysse. Mais non contents de ceux-ci, ils en ont introduit d'autres et encore d'autres. Parmi eux, citons Xénophon, qui présenta l'image du roi parfait en embellissant le personnage de Cyrus. Citons également Virgile, qui a glorifié son Énée, duquel il fait descendre César, mais dont la matière est tirée d'Homère. Dans son hymne, Homère traite également de la naissance d'Énée plutôt que des louanges de Vénus. A cet égard, en scrutant les origines de la naissance d'Énée, il imite tout à fait les astrologues et les faiseurs d'horoscopes, qui prédisent le destin inné de chacun à partir de ce moment précis ; et comme Plutarque compare dans ses *Vies parallèles* les Romains avec les Grecs, Homère fait de même à l'égard d'Énée. A la vérité, ces hymnes ne sont pas des résumés, comme c'est le cas chez Orphée, et ils ne sauraient s'étendre sur plusieurs volumes, quoiqu'ils soient assez longs. Ils sont attribués à Homère ; néanmoins, certains doutent encore qu'il s'agisse d'une de ses œuvres authentiques et légitimes, puisqu'il se trouve dans cette œuvre certains mots uniques, ou *hapax*, qui ne sont nullement employés dans ses autres œuvres.

Mais cette objection est de peu d'importance. Ainsi, certains mots appartiennent en propre aux poètes comme chez Ovide *camella* [« écuelle »] dans les *Fastes*, et chez Virgile certains mots dans le *Culex*, le *Moretum*, et les *Épigrammes*, qui ne se trouvent dans aucun autre de ses ouvrages ; car à ce moment-là, il s'exerçait et se préparait à des ouvrages plus importants. Ainsi, Homère publia ces hymnes comme prélude à ses œuvres plus importantes, comme il en témoigne lui-même avec évidence dans l'*Hymne à Apollon*, f. 441, à moins que ces hymnes ne soient l'œuvre de l'un des homérides, lesquels produisirent une grande quantité de rhapsodies, comme nous l'indique Pindare. Mais quelle que soit l'identité de leur auteur, c'est un fait établi qu'il était très ancien, d'après le témoignage de Callimaque, qui leur a beaucoup emprunté.

[19v] Quemadmodum uero inter tragicos tres palmam obtinere dicuntur Aeschylus augustus et magniloquus atque archaeus id est antiquus tum Euripides popularis forensis familiarior 3.ᵘˢ Sophocles intermedius unde duobus reliquis perfectior est habitus. Nam ut ait Gallus

1080   In medijs rebus gratia maior inest.

Ita Homerus medium stylum tenuit inter Callimachum et Pindarum et proinde utrique praeponitur. Praeterea aduertendum est quomodo quis se accingere debeat lectioni poetarum. Nam si fabulas meras legit nullam interpretationem uel moralem uel physicam ex his excerpens neque abstrusum sensum enucleet
1085 non minus profecto ineptus quam ille qui apud Aesopum murem cum leone fabulantem solum legit interpretationem moralem negligit.

Poetae enim uarijs inuolucris personarum et rerum scientiam omnem complexi sunt. de Ioue Apolline Iunone, Mercurio, et alijs loquuti sunt ut usum uerborum populo tribuerent occultam uero scientiam sibi reseruarent. Neque dubito quin
1090 cognitionem summi et singularis Dei sub regali Iouis potentia habuerint. Insuper Mercurio ratiocinatricem facultatem Apollini diuinationem et harmoniam Iunoni astrologiam ex aerijs et phaenomenis apparuerint.

Sed quantum Callimachus Homerum in hymnis aemulatus sit hinc fas est uidere quod eadem opera de ijsdem Dijs tractanda sumpserit neque plures hymnos.
1095 Iouem Apollinem et Dianam celebrat sicut Homerus Apollinem Mercurium et Venerem quae personae nihil ferme differunt.

Quod Iuppiter sit Apollo ex epithetis dicitur enim pater Diespiter, Lucius et Lucinus quasi lucis pater : Deinde Mercurius est inuentor lyrae sicut Apollo. Ille habet auream uirgam hic radios aureos. Postremo Lucina et Diana apud
1100 Macrob< ium > idem lumen significant. ad imitationem Callimachi Poetae debent esse Mercuriales id est furaces et callidi ut apte sua furta obscurent et dissimulent alijs in alia mutatis.

[20r] Cur hos tres Deos celebrauit ratio haec est propterea quod in ordine Planetarum hi tres inter se coniuncti sunt. Sol siue Apollo praeeminet et

[19v] Mais de même que parmi les poètes tragiques on dit que trois reçoivent la palme : Eschyle, majestueux, sublime, et « archaeus » ou antique, Euripide, populaire, persuasif, plus familier, et enfin Sophocle qui, situé entre ces deux premiers, a été considéré plus parfait qu'eux, car pour citer Gallus : « Il y a plus d'agrément dans les choses moyennes » ; de même, Homère maintint un style moyen entre Callimaque et Pindare, et par conséquent il les surpasse tous les deux. En outre, il faut noter la manière dont on devrait se préparer pour la lecture des poètes. Car si on lit uniquement des fables, sans en tirer aucune interprétation allégorique, morale ou physique, et que l'on n'en épluche la pensée cachée, on n'est assurément pas moins sot que celui qui chez Ésope lirait l'histoire de la souris qui parle au lion sans en tirer une interprétation morale.

Les poètes en effet ont embrassé toute la connaissance scientifique en se servant des différents voiles que sont tant les personnages que les actions [des mythes]. Ils ont parlé de Jupiter, d'Apollon, de Junon, de Mercure et des autres dieux afin d'accoutumer le peuple à ces noms, tout en se réservant les connaissances secrètes. Et je ne fais pas de doute qu'ils ont acquis une connaissance du Dieu suprême et unique dans la puissance royale de Jupiter, et, qu'en outre, ils ont vu la faculté de raisonner dans Mercure, la divination et l'harmonie dans Apollon, l'astrologie dans Junon grâce à ses rapports avec les cieux et les phénomènes astronomiques.

Mais il est légitime de voir jusqu'à quel point Callimaque a rivalisé avec Homère dans ses hymnes, de ce fait qu'il a choisi de traiter les mêmes œuvres au sujet des mêmes dieux, et qu'il n'y a pas beaucoup d'hymnes. Il célèbre Jupiter, Apollon, et Diane de même qu'Homère célèbre Apollon, Mercure, et Vénus, personnages qui ne sont guère différents.

Que Jupiter soit Apollon est rendu évident par leurs épithètes, car le père Diespiter, Lucius, et Lucinus signifient « père de la lumière ». Ensuite, Mercure est l'inventeur de la lyre de même qu'Apollon. Celui-là a une baguette d'or, celui-ci des rayons d'or. Enfin, Lucina et Diana chez Macrobe désignent la même lumière. A l'imitation de Callimaque, les poètes doivent être des favoris de Mercure, c'est-à-dire voleurs et rusés, pour voiler et dissimuler habilement leurs larcins, en échangeant les différents éléments.

[20r] La raison pour laquelle Homère a célébré ces trois dieux est qu'ils sont tous les trois liés ensemble dans l'ordre des planètes. Le Soleil, ou Apollon, est

1105 antecedit. Mercurius et Venus quasi satellites illum sequuntur. quamuis
Mercurius fingitur inuentor lyrae tamen Apollo est possessor. Venus autem
praeest amoribus media sede inter solem et Mercurium. Nam inter musicum et
rationale ingenium uel interpretatiuum atque elocutorium est amatorium quod
est Veneris. Nec temere Plotinus Platonicique omnes admonent consideranda
1110 esse accedentium ad eruditionem ingenia an sint apta musicae ratiocinationi et
eloquentiae aut amoribus. quod si inquit sit Apollinare deducendum est ad
harmoniam coelestem id est astrologiam docendam in quam qualis sit
pulchritudo rerum diuinarum et concentus ut ex temperantia orbium coelestium
et chordarum temperet affectus et mores. Mercuriale argumentis popularibus
1115 aritmethica [sic] ratione supputatoria instrui debet et a rudimentarijs
supputationibus ad mathematicas artes a materia omnino semotas rapiendum
est. Venereum uero utrunque perficit. nam Apollo adfert mores compositos
tranquillitatem ingenio a concentu : e contrario is in musica dissonantia est
quaedam perturbatio. Mercurius iam bene moratos docet quid sit summum
1120 bonum. Venus autem ea quae percepit amat.

De Venere

Venus ap< p >ellatur ἀφροδίτη ab ἀφρός id est spuma unde per diminutionem
ἀφρὼ et apud Nicandrum ἀφρογενεία[125] quia e spuma maris nata feratur uel ab
ἀυροδιαίτη[126] quasi delicate uiuens mutato φ in υ. ex molliore enim et
1125 delicatiore uictu Venus facile commouetur. Vel tanquam ἀφολοδέτη[127] quod sit
res intolerabilis neque sapiens est sui compos neque tantam uim ferre potest
cum sit tanquam in extasi.

125   ἀφρογένεια
126   ἀβροδιαίτη
127   ἀφόρητη

proéminent et devance les autres. Mercure et Vénus le suivent comme des compagnons. Quoique Mercure soit représenté comme inventeur de la lyre, Apollon en est le possesseur. Quant à Vénus, elle préside aux amours dans une position intermédiaire entre le soleil et Mercure. Car c'est entre le génie de la musique et de la raison, ou bien entre le génie de l'interprétation et de l'élocution que se trouve le génie de l'amour, qui appartient à Vénus. Et ce n'est pas sans de sérieuses raisons que Plotin et tous les autres platoniciens rappellent qu'il faut considérer si les génies de ceux qui abordent l'enseignement sont appropriés à la musique, au raisonnement, à l'éloquence, ou aux amours. Or si le génie est apollinien, dit Plotin, il faut l'amener à l'harmonie céleste, c'est-à-dire le conduire à enseigner l'astronomie, pour qu'il allie ses passions et son caractère en elle, comme la beauté des choses divines et de l'harmonie, grâce au juste équilibre des globes et des cordes célestes. Un génie qui dépend de Mercure doit être instruit dans des matières vulgaires, l'arithmétique, l'art de calculer, et il faut l'emporter des supputations élémentaires vers les arts mathématiques qui sont entièrement éloignés de la matière. Mais le génie qui dépend de Vénus accomplit les deux arts. Car Apollon apporte au génie un caractère bien réglé, la tranquillité de l'âme, grâce à son harmonie. A l'inverse, dans la dissonance musicale il y a une certaine perturbation. Mercure enseigne à ceux qui possèdent un bon fondement de mœurs la nature du souverain bien. Mais Vénus aime ce qu'elle a perçu.

De Vénus

Vénus est appelée Aphrodite du mot *aphros*, « écume », d'où elle tire son nom, en forme diminutive, Aphrô, et chez Nicandre Aphrogénéïa, parce que la légende veut qu'elle soit née de l'écume de la mer ; ou bien son nom provient du mot *abrodiaïtê*, « qui vit délicatement », après que le phi fut changé en upsilon [*sic*], car Vénus est facilement excitée par un genre de vie quelque peu doux et délicat. Enfin, son nom pourrait bien dériver du mot *aphorêtê*, parce qu'elle représente quelque chose d'intolérable, et que le sage ne se possède pas et est incapable de supporter une telle force, dès le moment où il est, pour ainsi dire, en extase.

Vt ait Cornel< ius > Gal< lus > in suis Elegijs

Ipsa etiam totum moderans sapientia mundum

1130   Porrigit inuitas ad tua iura manus.

Coeterum a spuma denominationem sumpsisse sic Venus ipsa testatur apud
Ouid< ium > 4. metam< orphoseon >

Si tamen in medio quondam concreta profundo

Spuma fui graiumque manet mihi nomen ab illa

1135 quod est ἀφρογενεία[129] uel ἀφροδίτη.

[20v] Non est corporea haec Venus at coelestis quae homines impellit in
amorem honesti, uirtutis, rationis, intellectus Dei : Itaque dicitur mater amoris
hoc est pulchritudo et flos pulchritudinis in ipso Deo. Et quemadmodum
geminus est amor sic Venus alia est rationis et morum alia Ideae et animae : Illa
1140 prior informatur a pulchritudine Ideae quam etiam omnia quae sunt hoc in
inferiore mundo appetunt ut materia informis formam.

At Venus secundum naturalia referenda est ad ipsam animam ad Anchisen id
est ad corpus descendentem quae pulchritudo diuinitus hominibus contigit
namque postea dicit Anchisem

1145   θεῶν ἀπὸ κάλλος ἔχοντα

id est a Dijs formam habentem aut ad ipsum Anchisen uenit tanquam ad
hominem egentem. eamque ob rem Plato transtulisse haec uidetur ad Peniam
Porum et amorem quae hic ab Homero de Venere Anchisa et Aenea dicuntur.
πόρος praeter alia significata est uia et ratio excogitata ad aliquid efficiendum
1150 neque est diues per se sed dat et ostendit rationem qua quis ad diuitias optatas
peruenit. πενιὰ [130] paupertas siue priuatio foelicitatis et proinde necessitas quae
cogit ea comparare quibus quisque indiget : quae accedit ad Porum dormientem
congressa igitur ex ipso peperit amorem id est desiderium peruenendi ad ueram
foelicitatem ad uirtutem et immortalitatem. Egestas autem quantum sit calcar ad

---

129   ἀφρογένεια
130   πενία

Comme le dit Cornélius Gallus dans ses *Élégies* :

Cette sagesse même qui règle le monde entier étend à contre-cœur les mains pour recevoir tes lois.

Pour le reste, au livre IV des *Métamorphoses* d'Ovide, Vénus elle-même atteste qu'elle tire son nom de l'écume :

… s'il est vrai que je fus jadis une écume qui a pris corps au milieu de l'abîme et que de là est venu le nom grec que je porte

qui est Aphrogénéïa ou Aphroditê.

[20v] Cette Vénus n'est pas corporelle mais céleste ; elle pousse les hommes à l'amour de l'honnête, de la vertu, de la raison, de la compréhension de Dieu. Ainsi donc on l'appelle « mère de l'amour », c'est-à-dire la beauté et la fleur de la beauté en Dieu lui-même. Et de même qu'il y a deux Amours, ainsi il y a une Vénus qui préside à la raison et aux mœurs, une autre qui préside à l'Idée et à l'âme ; cette première est formée par la beauté de l'Idée, que cherchent à atteindre toutes les choses qui se trouvent dans ce bas monde, comme la matière brute cherche à atteindre la forme.

Mais, conformément aux choses naturelles, il faut justement rapporter Vénus au « souffle même », à Anchise, c'est-à-dire au corps qui descend. Cette beauté venant des dieux est tombée en partage aux hommes : le poète dit ensuite qu'Anchise θεῶν ἀπὸ κάλλος ἔχοντα, c'est-à-dire « avait reçu la beauté de la part des dieux », ou bien c'est elle-même qui vint à ce même Anchise comme à un homme indigent. Et c'est pour cette raison que Platon semble avoir appliqué à Penia (Indigence), Poros (Expédient), et Amour ce que, ici, Homère dit concernant Vénus, Anchise, et Énée. Poros, entre autres significations, est la voie et le moyen inventés pour arriver à un but ; il n'est pas riche en lui-même, mais il offre et montre le moyen pour parvenir aux richesses que l'on désire. Penia est la pauvreté ou la privation du bonheur, et par conséquent la nécessité qui vous oblige à vous procurer ce qui vous manque. Elle s'approche de Poros pendant qu'il dort. A la suite de son union avec celui-ci, elle accoucha de l'Amour, c'est-à-dire du désir de parvenir au véritable bonheur, à

1155 praeclaras artes amplectendas uel actiones agendas docet Vergil< ius > in
      Aeneid< e >

              labor ~~improbus~~ omnia uincit

              Improbus et duris urgens in rebus egestas.

      Itaque Philoporia dicitur.

1160 Sicut uero humana prudentia in pastoribus id est regibus grata est Deo sic
      immisit Iuppiter pulchritudinem coelestem per Mercurium id est rationis
      cursum in Anchisem iam inchoatae sapientiae ut omnibus suis numeris
      absolueretur. Mercurius ut saepe alias dictum est λόγος ratio per quam in
      mundo pulchrum immutabile cognoscitur. itaque Venus captu humano uenit

1165 ornata ut uirgo nam diuina pulchritudo incomprehensibilis est nisi per quasdam
      rudes et corporeas formas quam uidere nulli nisi fauore diuino et gratia
      contingit. Qua de causa [21r] Homerus lib< ro > ι. [sic] odyss< eae > sic ait

              τὶς ἄν θεὸν οὐκ ἐθέλοντα

              ὀφθαλμοῖσιν ἴδοιτ᾽ ἢ ἔνθ᾽ ἢ ἔνθα κίοντα[130].

1170 id est Quis enim Deum nolentem oculis uidere possit huc atque illuc euntem.
      Venus ap< p >ellatur κύπρις quasi κύειν παρεχοῦσα uel κιόπαροις τὶς οὖσα[131]
      foecunda praegnans genitalis unde Cyprus illi dedicata. at contra Athenae
      conseruatae innuptae Mineruae sunt quod matre et genitrice careat a priuante
      particula α καὶ θησὴ id est genitrix seu potius θιλὴ[132] id est nutrix quod non

1175 fuerit lactata ideoque dicitur ἀθηναῖα uel ἀθηνάα καὶ ἄθηνα uide Caelium
      lib< ri > 8 cap< itulo > 18.

              ἵερος uel ἐρως[133] est rei quam nondum habemus et formae qua nondum potiti
      sumus. ἵμερος[134] est desiderium et amor rei qua iam potiti sumus. sic desidera-
      mus amantes.

---

130   τίς ἄν θεὸν οὐκ ἐθέλοντα / ὀφθαλμοῖσιν ἴδοιτ᾽ ἢ ἔνθ᾽ ἢ ἔνθα κίοντα;
131   κυόπορίς τις οὖσα
132   θηλή
133   ἱερὸς uel ἔρως
134   ἵμερος

la vertu, et à l'immortalité. Or, Virgile nous apprend dans l'*Énéide* à quel point l'éperon de l'indigence nous pousse à nous attacher aux arts supérieurs ou à accomplir des actions supérieures : « Un travail acharné vient à bout de tout. L'indigence est sans répit et se fait pressante dans les situations difficiles. » Ainsi donc, on l'appelle Philoporia (« qui aime le labeur »).

Mais de même que la sagesse humaine chez les bergers, c'est-à-dire les rois, est agréable à Dieu, de même Jupiter laissa pénétrer dans Anchise, par l'intermédiaire de Mercure, c'est-à-dire par la voie de la raison, la beauté céleste, dès que celui-ci eut entamé la philosophie, pour qu'il devînt parfait de tous ces points de vue. Mercure, comme il a souvent été dit ailleurs, représente le *logos*, la raison qui permet dans ce monde une connaissance de la beauté inaltérable. Ainsi donc, Vénus, afin que les hommes puissent la percevoir, vient parée comme une jeune fille, car la beauté divine est incompréhensible si ce n'est à travers des formes grossières et matérielles. Il n'est donné à personne de la voir sans la faveur et la grâce divines. Pour cette raison, **[21r]** Homère s'exprime ainsi au chant IX de l'*Odyssée* :

τίς ἂν θεὸν οὐκ ἐθέλοντα
ὀφθαλμοῖσιν ἴδοιτ᾽ ἢ ἔνθ᾽ ἢ ἔνθα κιόντα;

c'est-à-dire : « Quand un dieu veut cacher ses allées et venues, quels yeux pourraient le suivre ? »

Vénus s'appelle Cypris, ou *kyéïn paréchousa* ou *kyoporïs tis ousa*, « qui fertilise », « enceinte », « qui engendre », d'où le culte qui lui est consacrée à Chypre. Athènes, quant à elle, a été conservée pour la chaste Minerve, parce que celle-ci n'eut pas de mère, de la particule privative *a* et *thésê*, « mère », ou plutôt *thélê*, « nourrice », parce qu'elle n'aurait pas été allaitée ; et pour cette raison elle s'appelle *Athênaïa* ou *Athênaa* et *Athêna* ; voir Caelius Rhodiginus, livre VIII, chapitre 18.

iéros ou *érôs* concerne quelque chose que nous ne possédons pas encore, et une beauté dont nous ne sommes pas encore maître. *Himéros* est un désir et un amour de quelque chose que nous possédons déjà ; c'est ainsi que nous désirons quand nous sommes amoureux.

1180 Ammonius de differentijs et similit< udinibus > actionum sic ait : ἔρως est

aggressio et conatus rerum operosarum. πότος [136] est absentium desiderium.

ἵμερος [137] amor in usu necessariorum.

Aues nuncupantur διειπετεῖς ἀπὸ τοῦ διὸς πετεῖν id est ab Ioue cadere ab aere

uel ex imbre profluere im< m >o potius a πέτομαι uel πέταμαι uolo quasi per

1185 aerem uolantes et uno uocabulo aeriae. Nam Iuppiter est aer unde Poeta Iuppiter

me malus urget. Lucretius quodammodo uidetur principium huius in quo

describitur Veneris suaue tormentum his uersibus imitari.

Aeneadum genitrix hominumque Deumque uoluptas.

In superis est forma et symmetria optima in mortalibus est foecunditatis et

1190 prolis causa.

De Minerua Vesta et Diana

Tres sunt Deae quas sub iugum suum mittere Venus non potest. Prima est

Minerua quae uirgo est et innupta artibusque perfecta : quoniam artes sunt

inuiolabiles. cum enim scientiae magis a natura et ingenio naturali quam ab

1195 institutione proficiscantur profecto in eas quisque debet incumbere ad quas sua

natura impellitur neque alias discere et peruestigare.

[21v] Vnde canit Gallus

        Quod natura negat reddere nemo potest

Et Propert< ius >

1200   Naturae sequitur semina quisque suae.

Quod si artes pueri docentur ad solam reminiscentiam non ad memoriam id fit

secundum Platonicos.

---

136   πόθος
137   ἵμερος

Au sujet des différences et des ressemblances entre ces actions, Ammonius parle ainsi : « *Erôs* est un assaut et une tentative d'obtenir des choses qui coûtent beaucoup de peine ; *pothos* est un désir d'obtenir des choses qui sont absentes ; *himéros* est l'amour dans l'usage du nécessaire. »

Les oiseaux s'appellent *diëïpétéïs* de l'expression *Dios pétéïn*, c'est-à-dire « tomber de Jupiter », « descendre du haut des airs, ou de la pluie » ; ou plutôt du verbe *pétomaï* ou *pétamaï*, « je vole », « animaux volant dans l'air », pour ainsi dire, et en un mot « aériens ». Car Jupiter désigne l'air, d'où le vers du poète : « un Jupiter malveillant m'accable. » Lucrèce semble imiter en quelque sorte le début [de l'hymne] quand le doux tourment de Vénus est décrit dans ces vers : « Mère des Énéades, plaisir des hommes et des dieux. » Parmi les dieux d'en haut, elle est la beauté et la symétrie la plus parfaite ; parmi les mortels, elle est la cause de la fécondité et des enfants.

De Minerve, de Vesta, et de Diane

Il existe trois déesses que Vénus est incapable de subjuguer : la première d'entre elles est Minerve, qui est vierge et chaste et parfaite dans les arts, car les arts sont inviolables. Car comme les sciences viennent de la nature et du génie naturel plutôt que de l'instruction, assurément, chacun se doit de s'appliquer à celles auxquelles il est poussé par sa nature, sans en apprendre ni en explorer les autres.

[21v] D'où les paroles de Gallus :

Ce que la nature refuse, personne ne peut le restituer

et celles de Properce :

Chacun suit les semences de sa nature.

Et si les enfants sont instruits dans les arts, cela n'est dû, d'après les platoniciens, qu'au ressouvenir, non à la mémoire.

Diana uero Venationi et syluis praeest quoniam ea quae honestis laboribus
exercentur nullos Veneris igniculos patiuntur sicut Hippolitus [*sic*] Atalanta
1205 Daphne laboribus et exercitijs se dedentes.

Huc accedit quod Ouid< ius > scribit 1. de remed< iis > amoris loquens de
amore

      Desidiam puer ille sequi solet odit agentes

        Cedit amor rebus res age tutus eris.

1210 Paulo post uero uenandi studium amorem maxime ex animis depellere sic ait

      Vel tu uenandi studium cole saepe recessit

        Turpiter a Phoebi uicta sorore Venus.

Intelligens ibi Dianam quae quod uenationi incumberet castitatem semper
seruauit.

1215 Vesta denique significat relligionem quae in uatibus et sacerdotibus praesertim
spectatur qui quidem casti esse debent quod sacra casta et pura a castis et puris
tractanda sint. Itaque antiqui rem diuinam auspicabantur et conuiuium tanquam
rem sacram a manuum lotione nam $\dot{\alpha}\nu\acute{\iota}\pi\tau\sigma\iota\varsigma$ $\chi\epsilon\rho\sigma\grave{\iota}\nu$ id est illotis manibus sacris
rebus se ingerere non licebat. Vide Hesiod< um > in lib< ro > opera et dies et
1220 Erasm< um > Chiliad< um > 1. cent< uriae > 9. Vestales igitur uirgines per
quas omne sacerdotum et uatum genus intelligere oportet erant perpetuae
uirginitati consecratae....

Quant à Diane, elle préside à la chasse et aux bois, puisque rien de ce qui est pratiqué avec un travail honnête ne souffre les feux de Vénus ; comme Hippolyte, Atalante, Daphné qui se consacraient au travail et aux exercices.

A cela s'ajoute ce qu'Ovide écrit au premier livre des *Remèdes à l'amour*, parlant d'Amour :

Cet enfant est le compagnon ordinaire de la paresse ; il hait les actifs. L'amour fuit l'activité ; mène une vie active et tu seras tranquille.

Un peu plus loin, il dit que la pratique de la chasse écarte particulièrement l'amour des esprits :

Tu peux encore te livrer au goût de la chasse : souvent Vénus a battu en retraite, honteusement vaincue par la sœur de Phébus

reconnaissant par là que Diane a toujours gardé sa chasteté parce qu'elle s'appliquait à la chasse.

Vesta, enfin, désigne la religion qui se manifeste en particulier dans les prophètes et les prêtres, qui, pour leur compte, doivent être chastes, parce qu'il faut que des personnes chastes et pures s'occupent des objets de culte chastes et purs. Ainsi donc, les anciens commençaient une cérémonie religieuse et un repas, comme quelque chose de sacré, en se lavant les mains ; car il n'était pas permis de se présenter à des activités sacrées ἀνίπτοις χερσὶν, sans s'être lavé les mains. Voir Hésiode, *Travaux et jours*, et Érasme, *Adages*, I. 9. Les Vestales, donc, qu'il faudrait interpréter comme représentant tous les différents genres de prêtres et de prophètes, étaient vouées à la virginité perpétuelle....

NOTES

Éole

Sur la section du commentaire sur Éole, voir Geneviève Demerson, « Dorat, commentateur d'Homère », *art. cit.* Dorat commente ici *Odyssée* X. 1–55. Malgré son interprétation fondamentale d'Éole comme symbole de l'année et du cycle des saisons, Dorat n'exclut pas ici d'autres explications historiques plutôt que physiques, qui étaient assez répandues parmi les géographes anciens comme Strabon. Dès le début du commentaire, nous voyons le Limousin s'occuper d'une question à laquelle il reviendra souvent : l'influence des astres sur les affaires humaines.

7   *Aeolus* : (voir *Od.* X. 2). « Bigarré » ou « varié » est la traduction littérale de l'adjectif αἰόλος. Dorat aurait trouvé la notion qu'Éole symbolise l'année dans les *Allégories homériques* d'Héraclite le Rhéteur, ch. 71 : « Éole, selon moi, représente par excellence l'année… Ne s'appelle-t-il pas Éole, c'est-à-dire "le bigarré" » ; voir également [Jamblique], *Theologoumena arithmeticae* 28 : ἔστι γὰρ Αἴολος ὁ ἐνιαυτὸς διὰ τὴν τῶν κατ᾽ αὐτὸν φυομένων ποικιλίαν (« Car Éole signifie l'année, à cause de la variété des choses qui poussent chaque année »). Nos citations d'Héraclite (en français tant qu'en grec) se rapportent à l'édition de Félix Buffière, 2ᵉ tirage mis à jour (Paris : Les Belles Lettres, 1989).

8   *Nomen enim est serpentis* : les mots αἰόλον ὄφιν se trouvent au chant XII de l'*Iliade*, v. 208.

9   *caudam tenens et in gyrum deflexus* : l'image du serpent qui se mord la queue est un symbole très répandu parmi les anciens. Dorat aurait découvert cette interprétation « égyptienne » dans les commentaires de Servius sur Virgile (*Énéide* V. 85) : « L'année d'après les Égyptiens s'indiquait, avant l'invention des lettres, par un serpent qui se mord la queue, parce qu'il revient sur lui-même. » La jeunesse éternelle du serpent, représentée par sa capacité de changer de peau tous les ans, est également connue à la Renaissance ; elle figure, par exemple, dans la fresque « La Jeunesse perdue » de la Galerie François Iᵉʳ au château de Fontainebleau.

14–15   *pro contemplatore Zodiaci* : l'explication selon laquelle Éole représenterait un astronome provient de Palaephatus, *De incredibilibus* XVII : εἰκὸς δὲ ἀστρολόγον γενόμενον Αἴολον φράσαι Ὀδυσσεῖ τοὺς χρόνους καὶ καθ᾽ ἃς ἐπιτολὰς ἄνεμοί τινες πνευσοῦνται (« Il est vraisemblable qu'Éole était un astronome qui expliqua à Ulysse les saisons et sous quelles constellations soufflaient les divers vents »).

17   *Hippoti* : (voir *Od.* X. 2). La rapidité du soleil et des autres astres, indiquée par l'étymologie d'Hippotès, père d'Éole, est évoquée dans les *Theologoumena arith-meticae* 28 de [Jamblique] : τὸν Αἴολον δὲ φησὶν ἡ ποίησις φορικοὺς ἐκπορίζειν ἀνέμους, ὅς καὶ Ἱπποτάδης προσηγορεύθη ἀπὸ τῆς ταχυτῆτος τῶν ἐπιτελούντων αὐτὸν ἄστρων καὶ διὰ τοῦ ἀδιαλείπτου δρόμου (« La poésie affirme qu'Éole fournit les vents propres à porter ; celui-ci est également appelé Hippotadès à cause de la rapidité des astres qui le mènent à bonne fin et de sa course ininterrompue »). Cf. également Héraclite, *loc. cit.* : « Homère l'appelle l'enfant d'Hippotès : y a-t-il en effet rien qui dépasse la vivacité du temps ? Y a-t-il rien d'aussi agile ? Sans cesse en mouvement, coulant sans cesse, sa vitesse sert de mesure à la totalité des siècles. »

19   *Sicul< um > lib< ro > 6.* : Geneviève Demerson, *art. cit.*, p. 230, n. 34, corrige cette référence : il ne s'agit pas de Diodore de Sicile, VI, mais de V. 7. 5–7.

21–5   *sex filios et totidem filias...* : (voir *Od.* X. 5–6). Héraclite, éd. cit., ch. 71, développe l'idée des douze enfants d'Éole comme symbole des douze mois : « Les mois qui composent l'été, pour leur caractère fertile et productif, il les a assimilés à des enfants de sexe féminin, tandis que les mois d'hiver, rudes et glacés, il les a fait de sexe masculin. L'histoire de leur mariage n'est pas non plus immorale : s'il a fait s'unir frères et sœurs, c'est justement parce que les saisons sont supportées les unes par les autres. »

23   *Manilius* : Dorat fait allusion ici à Manilius, II. 150 sq., passage qui évoque l'alternance de signes masculins et féminins au cours de l'année.

27–31   *Filij et filiae...* : (voir *Od.* X. 8–9, 11–12). Selon Porphyre, *L'Antre des Nymphes*, 11, « les Stoïciens croyaient que le soleil se nourrit des vapeurs qui montent de la mer ; la lune, de celles qui montent des sources ou des rivières ; les astres, des exhalations qui sortent de la terre ». Dorat fait allusion à ce passage plus loin (f. 13ᵛ) lorsqu'il explique en quoi consiste l'ambroisie de Zeus ; voir la note sur l. 704. (Pour les citations de *L'Antre des Nymphes*, nous employons la traduction de Félix Buffière, *Les Mythes d'Homère et la pensée grecque*, *op. cit.*, p. 597–616.)

36–41   *astronomia perito...* : (voir *Od.* X. 8). Après avoir considéré les explications allégoriques des détails individuels de cet incident, Dorat offre une interprétation historique qui tient compte du contexte du récit homérique et qui est, pour la plupart, inspirée par Strabon (I. 2. 15) ainsi que par Pline (*Histoire naturelle* III. 94). Strabon, s'inspirant de Polybe, affirme qu' « Éole, l'homme qui révéla les passages possibles au voisinage du détroit, dans ces lieux pleins de tourbillons, et de traversée difficile à cause des courants inverses, reçut de ce fait le nom de régisseur des vents... », et Pline écrit : « La troisième île est Stromboli, située à six milles à l'est de Lipari ; c'est ici que régna Éole... on dit que les habitants peuvent prédire par sa fumée trois jours à l'avance quels vents vont souffler, d'où la croyance que les vents obéissent à Éole » (*Histoire naturelle* III. 94).

41   *In utre includebat uentos* : voir *Od.* X. 19–20.

45   *vellus aureum arietis* : l'idée que la toison d'or était un livre précieux, selon certains auteurs un livre d'alchimie, était répandue à la Renaissance. Voir, par exemple, le commentaire de Claude Mignault sur les *Emblemata* d'Alciat, à propos de l'emblème « Diues indoctus » : « Etenim inueniuntur auctores non pauci, qui aurei

velleris pellem interpretentur fuisse librum quemdam veterum more in pelle conscriptum, in quo auri conficiendi scientia traderetur » (citation d'après l'édition de Johannes Thuilius (Padoue : P. Tozzi, 1621), p. 809).

47   *Ouid< ii > 14. metam< orphoseon >* : Ovide se borne à raconter cet incident sans commentaires (*Métamorphoses*, XIV. 223–32), tout en indiquant, pourtant, que les compagnons d'Ulysse étaient « inuidia... praedaeque cupidine captos ».

48   *illo dormitante* : voir *Od.* X. 31.

49   *utre dissoluto* : voir *Od.* X. 47.

51   *totam Rempub< licam >* : Dorat reviendra ci-après sur cette comparaison entre le navire et l'État ; voir f. 16^{r-v}. Il est évident dans tout son commentaire que le Limousin se méfiait de la démocratie comme forme de gouvernement.

52   *Aeolia* : voir *Od.* X. 1 et 55.

54   *Plautus* : voir Plaute, *Pseudolus* I. 2. 14 (v. 148) : « neque Alexandrina beluata tonsilia tappetia. » Demerson suggère que cette référence « a dû jaillir dans l'instant chez l'insatiable amateur de jeu de mots qu'est Dorat : πλωτή a fait naître *Plautus*... » (*art. cit.*, p. 229).

57   πλωτὴ : (voir *Od.* X. 3). Demerson montre que, pour commenter l'adjectif πλωτή, Dorat transpose en latin une scolie grecque qui offre les deux explications du mot, « navigable » et « capable de flotter ». Voir son article, p. 227, n. 17, où elle cite les scolies d'après l'édition Dindorf.

60   *uapora* : l'adjectif κνισήεις (*Od.* X. 10 κνισῆεν) du substantif κνῖσα signifie « plein de l'odeur des sacrifices », tandis que la signification de l'adjectif latin *uaporus* est beaucoup plus générale. En commentant sa traduction du début du vers 10, « Domus autem uapora », Dorat fait ressortir les implications de l'adjectif grec, duquel il n'existe pas d'équivalent en latin.

62   *At Aeolus significat Zodiacum* : Demerson, qui croit que l'étudiant a perdu le fil de l'argument dans ces trois lignes (*art. cit.*, p. 230), suggère qu'Éole est ici assimilé à Atlas, qui portait le ciel non pas sur ses épaules mais dans son esprit. Voir également Buffière, *op. cit.*, p. 238 : « Tout comme Éole, Atlas est astronome. Il porte le ciel... dans son esprit. Ce fut un des premiers à étudier les astres, à suivre au firmament, pour les noter, les changements de position des étoiles. »

65   *Coitus et coniunctio* : (voir *Od.* X. 11–12). Voir la note sur l. 21–5 pour l'explication offerte par Héraclite concernant les enfants d'Éole.

67   *tapetia* : voir *Od.* X. 12.

69   *sic enim loquitur Dauid et Sybilla* : cette note marginale, comme l'indique Demerson (*art. cit.*, p. 225, n. 7), rapproche les couvre-lit d'*Od.* X. 12 au Psaume 104. 2 : « Amictus lumine sicut vestimento ; extendens cœlum sicut pellem » (« L'Éternel s'enveloppe de lumière comme d'un manteau ; il déploie les cieux comme une peau »).

72   *sorte* : (voir *Od.* X. 16). Dorat traduit κατὰ μοῖραν par « sorte » (« selon leur sort »), c'est-à-dire, en ordre, tout comme les astrologues qui établissent les horoscopes. En fait, Ulysse ne s'adresse pas ici à son équipe, mais à Éole : καὶ μὲν ἐγὼ τῷ

πάντα κατὰ μοῖραν κατέλεξα (« Et moi, de bout en bout, point par point, je lui racontai »). Demerson nous rappelle, d'ailleurs, que μοῖρα peut signifier « une partie du Zodiaque » (*art. cit.*, p. 230, n. 33). Les limites de l'influence des astres sur les hommes constituaient une question assez controversée à la Renaissance. Ronsard affirme en 1555 que « Les Estoilles adonc seulles se firent dames / Sur tous les corps humains, & non dessus les ames, / Prenant l'Occasion à leur service, à fin / D'executer çà-bas l'arrest de leur destin » (« Hymne des Astres », v. 97–100, éd. cit., t. VIII, p. 154).

77–8   *apud Cardan< um >… et apud Haly* : il s'agit de Jérôme Cardan, dont les œuvres *De iudiciis geniturarum* et *De exemplis centum geniturarum* furent publiées à Nuremberg par Johannes Petreius en 1547 (dans les *Libelli quinque*, où le *De iudiciis* figure en troisième place et le *De exemplis* en cinquième place) ; et d'Aboul Hasan Ali, *Liber de iudiciis astrorum* (Venise, 1485). Cardan, comme bien d'autres savants de la Renaissance, établit des horoscopes fondés sur le moment précis de la naissance. Dans le traité *De iudiciis geniturarum*, il explique les principes astrologiques des horoscopes, tandis que le *De exemplis centum* en présente une centaine d'exemples, dont le premier est l'horoscope de Pétrarque. Dans son autobiographie, il rapproche les événements de sa vie à son propre horoscope (voir *Ma vie*, traduction de Jean Dayre (Paris : Champion, 1936)). A propos de Cardan, voir J. Céard, *La Nature et les prodiges*, p. 229–51.

79–82   φίλειν… : (voir *Od.* X. 14). Dorat explique le sens littéral des mots, lorsqu'il s'agit d'une signification que les étudiants seraient susceptibles d'ignorer. C'est également le cas du verbe πέμπω (l. 81, voir *Od.* X. 18). Demerson indique que l'expression « prolixe… aliquem accipere » se trouve chez Térence (*Eunuchus* 1082).

83–5   *Per pellem bouis…* : (voir *Od.* X. 19). Pour l'explication de la peau de bœuf en termes de deuxième voile, voir Diodore de Sicile (que Dorat avait déjà cité, l. 19), V. 7. 7 : πρὸς δὲ τούτοις τὴν τῶν ἱστίων χρείαν τοῖς ναυτικοῖς ἐπεισηγήσασθαι (« de plus Éole introduisit aux marins l'usage des voiles »).

87–90   *Vnde Claud< ianus >…* : voir Claudien, *Epigrammata*, « De sene Veronensi qui suburbium nunquam egressus est », v. 1–2. Nous verrons ci-après que, pour Dorat, la patrie signifie également les cieux, d'où l'âme humaine descend pour passer une période d'exil sur la terre (voir f. 6^r et n. sur l. 274–6).

91   *in officio continere* : (voir *Od.* X. 47–9). Dorat ébauche ici une explication morale de cette fable qui partage plusieurs détails avec celle que l'on trouve dans la *Moralis interpretatio* (voir l'édition de Conrad Gesner, Zurich, Froschauer, 1542, et notre article « Conrad Gesner et le fabuleux manteau », *BHR*, XLVII (1985), 305–20).

93   *Clauum* : (voir *Od.* X. 32). Le mot πούς, que Dorat traduit ici par *clauus*, désigne dans un contexte naval la corde tendant la voile. Chez Pindare, *Néméennes* 6. 95, il signifie « coque ». Dorat, quant à lui, considère d'après le contexte qu'il s'agit du gouvernail du navire.

96–7   *Qui manus simul iunctas… ut ex Theocrit< o >* : (voir *Od.* X. 42). En fait, il s'agit de l'*Idylle* 16. 16. Dans le texte homérique, les compagnons d'Ulysse se plaignent de ce qu'ils n'ont pas de butin, tandis qu'Ulysse reçoit partout des présents.

100   *Obuoluto capite* : voir *Od.* X. 53–4.

105   *Vnde Cicero* : allusion, commentée par Demerson, *art. cit.*, p. 225, n. 7, à
Cicéron, *Pro Rabirio perduellionis reo*, 13 : « I lictor, colliga manus » et « caput
obnubito ». Demerson fait remarquer que ces paroles sont citées de mémoire, car les
deux expressions sont séparées dans l'original.

Antiphatès

Sur cet épisode de *L'Odyssée* (X. 80–132) voir l'article de Geneviève Demerson, « Qui
peuvent être les Lestrygons ? », *Vita Latina*, LXX (1978), 36–42. Prenant comme point
de départ l'étymologie du nom Antiphatès (« celui qui contredit »), Dorat interprète ce
roi et ses sujets comme juristes avares qui exploitent le peuple pour leur propre
avantage (l. 107–9). Cette explication historique ne se trouve pas dans les scolies et les
autres textes que Dorat aurait consultés.

112   *forte* τρογειν : après ἀπὸ τοῦ λαος (l. 111), il y a un blanc de 3 cm, ce qui
suggère que l'étudiant de Dorat n'avait pas eu assez de temps pour tout noter pendant
le cours. Il a entendu la première partie de l'explication étymologique de *Laestrigones*
(du mot *laos*, « le peuple »), mais il doit spéculer sur la seconde partie du nom dans la
note marginale.

114   *Angustus est portus* : voir *Od.* X. 90.

117   *instar cacuminis* : (voir *Od.* X. 113, où le poète dit que la femme
d'Antiphatès était « aussi haute qu'un mont »). Après l'explication globale, Dorat
commente les détails individuels de cet épisode.

119   *tranquillitas a fluctibus* : voir *Od.* X. 93–4.

122   *neque homines neque boues arant* : (voir *Od.* X. 98). Dorat offre une
interprétation restreinte du mot ἔργα (labourage) pour renforcer son explication des
Lestrygons. V. Bérard donne un sens plus général à ce vers dans sa traduction, éd. cit.,
p. 58–9 : « de troupeaux ou d'humains, on ne voyait pas trace. »

126   *fumiuenduli* : voir *Od.* X. 99, « il ne montait du sol, au loin, qu'une fumée ».
Dorat emploie ici un mot italien — *fumivendulo* — pour gloser son explication de la
fumée que voit Ulysse. L'expression « fumos vendere », d'ailleurs, se trouve chez
Martial (IV. 5. 7) dans le sens de « faire des promesses en l'air », et Érasme lui
consacre un de ses adages (I. 3. 41).

127   *Via... est plena* : (voir *Od.* X. 103). « Plena » est sans doute un lapsus pour
« plana » (« sans aspérités »), traduction de l'adjectif grec λείην au vers 103.

127–8   *le grand chemin des uaches* : c'est-à-dire, le chemin habituel que suit la
foule ; voir E. Huguet, *Dictionnaire de la langue française au seizième siècle* (Paris,
1925–67), II. 235, qui cite Calvin : « Il ne faut point que nous soyons estonnez, quand
ces povres ignorans courent ainsi comme grues… et qu'ils vont le grand chemin des
vaches (comme on dit). »

131   *Deuehunt plaustris ligna* : voir *Od.* X. 103–4.

135   *Clades sociorum Ulyssis si ad Politicem spectemus* : voir *Od.* X. 116–24 :
« Puis, ayant harponné mes gens comme des thons, la troupe les emporte à l'horrible
festin. » Ici, Dorat change d'optique pour considérer une interprétation politique plus
générale.

136–9   *vt Demosthenes...* : Démosthène (384–322 av. J.-C.) s'empoisonna après
l'échec de l'insurrection contre Antipatros, Thémistocle (vers 525–vers 460 av. J.-C.)
fit de même pour ne pas trahir sa patrie aux Perses, Cicéron (106–43 av. J.-C.) fut
assassiné par des meurtriers employés par Marc Antoine, et Scipion Émilien (185–129
av. J.-C.) mourut en des circonstances mystérieuses. Dorat aurait sans doute tiré les
trois premiers exemples des *Vies* de Plutarque.

140   *Filia Antiphatis* : (voir *Od.* X. 106). Homère ne nomme pas la fille
d'Antiphatès. S'agit-il ici d'une correction proposée par Dorat pour remplacer ἰφθίμη
(« forte, courageuse »), leçon que l'on trouve dans toutes les éditions du XVIᵉ siècle,
par Ζημία ?

142   ποιμένες *interpretamur reges* : (voir *Od.* X. 82–5). Les v. 27–41 de
l'ouvrage d'Hésiode, *Les Travaux et les Jours* , ont peut-être inspiré non seulement ces
lignes, avec leur allusion à l'adjectif δωρόφαγος (« qui dévore les présents », voir *Les
Travaux et les Jours*, v. 39 et aussi, comme le signale Demerson, v. 221 et 264), mais
encore la notion que les disputes juridiques minent les ressources des honnêtes gens :
« Tu as déjà, le jour où nous avons partagé notre patrimoine, assez pris et pillé dans le
bien d'autrui, en prodiguant force hommages aux rois mangeurs de présents, toujours
prêts à juger suivant telle justice » (*Les Travaux et les Jours* 37–9).

143–4   *Illi uero pastores* : Dorat reviendra à cette interprétation dans son
commentaire sur *Odyssée* XII. 440 (voir ci-après l. 935–7).

148   *Aretalogus* : en commentant le mot « aretalogus », Dorat pense sans doute à
Juvénal 15. 13–16, où c'est précisément Ulysse qui est accusé d'être un « mendax
aretalogus » à l'égard du récit de ses errances qu'il débite au roi Alcinoos et aux
Phéaciens : « Quand Ulysse racontait à table des horreurs de ce genre à Alcinoos
ébaubi, peut-être, tel un arétalogue menteur, provoquait-il chez certains de ses
auditeurs l'impatience ou le rire. »

Circé

Dans les pages qui suivent, Dorat commente *Od.* X. 135–491. Pour Dorat, Circé
représente l'étude de la Physique et des sciences naturelles en général, par contraste
avec Calypso, figure de la Métaphysique (voir l. 181–6).

151   *Cum in omni fabularum expositione* : il est intéressant de noter au début de
ce commentaire que, malgré sa tendance à expliquer tous les détails individuels d'une
fable, Dorat considère avant tout la signification globale du mythe, et que la cohérence
d'une interprétation est pour lui primordiale. Guillaume Canter, élève du Limousin au
Collège royal, reprend cette idée au chapitre 14 de ses *Novarum lectionum libri septem*

(Bâle : Jean Oporin, 1566, 2ᵉ édition) pour défendre Homère contre les accusations d'Aristote, en affirmant qu'il y a une chose qui distingue l'auteur de l'*Odyssée* de tous les autres poètes : « ... quod μυθοποιΐαν suam non temere, nec confuse, sed accurate, & prudenter, tantoque cum ordine persecutus est, ut eius singulae partes aptissime inter se cohaereant, ac sub dulcissimo fabularum inuolucro perpetuam quandam a principio ad finem usque allegoriam contineant. Id autem in Odyssea uel maxime apparet... » (« ... c'est que Homère a suivi de bout en bout l'invention de ses mythes non au hasard, ni sans ordre, mais avec soin et prudence, et si régulièrement que toutes les parties se lient avec la plus grande harmonie et qu'elles maintiennent ininterrompue dès le début jusqu'à la fin une certaine allégorie sous le très agréable voile des fables. Cela est particulièrement clair dans le cas de l'*Odyssée*... »).

152–3   *Circem non significare uoluptatem* : (voir *Od.* X. 136). Nous trouvons chez Héraclite le Rhéteur l'explication selon laquelle le breuvage de Circé (le *kykéon*) représenterait la volupté (« Le kykéon de Circé représente la coupe de la volupté », 72. 2). La *Moralis interpretatio* (éd. cit., f. 7) offre également cette interprétation : « Denique Circen, pravam & rationis expertem voluptatem. »

153   *ut Horat< ius > putauit* : le passage horatien auquel Dorat fait allusion est sans doute *Épîtres* I. 2. 23–6 : « Tu connais le chant des Sirènes, les breuvages de Circé ; s'il avait bu la coupe avec l'avidité déraisonnable de ses compagnons, alors, sous la domination d'une courtisane, il fût devenu hideux et privé d'intelligence, il eût vécu transformé en chien immonde ou en porc ami de la boue. » Ici, pourtant, nous trouvons l'idée que Circé aurait été une prostituée, explication qui dérive de l'ouvrage du ps.-Héraclite, *De incredibilibus* XVI. Voir Buffière, *op. cit.*, p. 237.

154   *sub Circe naturalis philosophia* : Dorat choisit, comme nous l'avons indiqué, une interprétation insolite pour Circé : elle représenterait, selon lui, les sciences naturelles qui traitent du monde sublunaire (« res humanas et in uisceribus terrae abstrusas nobisque occultas herbarum uires »). C'est sans doute l'explication néo-platonicienne de cette fable, où Circé, symbole de la Nature, préside à la réincarnation des âmes, qui a inspiré Dorat, ainsi que son interprétation de Calypso, que nous verrons ci-après. Voir Buffière, *op. cit.*, p. 509–10.

160   *illa nobilis de anima tractatio* : il s'agit de l'ouvrage d'Aristote, *De l'âme* ; voir 412a sq.

161   *Insula Aea* : (voir *Od.* X. 135). Pour les exégètes néo-platoniciens, comme Porphyre, le nom de cette île est onomatopéique, représentant les sanglots des âmes descendues dans la génération (voir Buffière, *op. cit.*, p. 511). Eustathe (1651. 29–30) affirme que le nom de l'île est dérivé d'Aea, ville de Colchide. En revanche, l'explication étymologique de Dorat est plutôt en conformité avec les exemples que l'on trouve dans le *Cratyle*.

166   *Solis uero filia* : (voir *Od.* X. 138). Dorat aurait trouvé cette interprétation de Circé, symbole, avec ses quatre nymphes, des saisons de l'année, chez Eustathe, 1661. 1 sq. (ἄλλως μέντοι ἔστιν εἰπεῖν ὡς ἡ Κίρκη διακόνοις τέσσαρσι χρᾶται πρὸς ἀνάλογον ἔμφασιν τῆς τῶν ὡρῶν τετρακτύος, αἵ τὰ εἰς τρυφὴν πορίζουσι τοῖς ἐθέλουσιν — « autrement, on peut dire que Circé se sert de ses quatre servantes pour figurer l'ensemble des quatre Heures, qui fournissent les choses nécessaires à une vie douce à ceux qui la désirent »), ou bien chez [Plutarque] (*Vie et poésie d'Homère*), où Circé

représente τὴν τοῦ παντὸς ἐγκύκλιον περιφοράν — « le mouvement circulaire de l'univers ».

170   *Perse* : (voir *Od.* X. 139). Eustathe lui aussi offre des explications étymologiques de ce nom (1651. 52 sq.), mais fondées plutôt sur le verbe περάω (« pénétrer, traverser ») que sur le verbe πείρω (« percer »). Le principe est pourtant le même.

174   *fumum* : (voir *Od.* X. 149). Cette explication physique de la fumée qui apparaît à Ulysse est peut-être suggérée par le passage dans *L'Antre des nymphes* auquel nous avons déjà fait allusion (voir la note sur l. 27–31).

176   *Deus aliquis* : voir *Od.* X. 157, τίς... θεῶν, et 277. Homère ne précise pas l'identité du dieu qui fait apparaître le cerf à Ulysse (« … un dieu met sur ma route un énorme dix-cors »), mais plus tard, près de la maison de Circé, le héros grec reconnaît tout de suite Hermès : « j'ai devant moi Hermès à la baguette d'or. Il avait pris les traits d'un de ces jeunes gens dont la grâce fleurit en la première barbe », v. 277–9. L'étudiant a sans doute confondu ces deux incidents. Hermès représente pour Héraclite le discours raisonnable (ὁ ἔμφρων λόγος, ch. 72). Dorat préfère souligner les origines divines de l'investigation scientifique, cf. l. 157–8, « scientia est diuina et a Dijs infusa mentibus hominum ».

178   *status omnes Reipub< licae >...* : les explications politiques sont fréquentes chez Dorat, cf. f. 14ᵛ, où Polyphème est cité comme exemple du tyran ; f. 16ʳ⁻ᵛ, où les parties du navire sont interprétées en termes des classes sociales ; et f. 9ʳ, où les animaux ornant le baudrier d'Hercule représentent les différentes sortes de gouvernement. Sur ces trois sortes de gouvernement, voir Aristote, *Politique* III. 7 et IV. 2. Du Bellay y fait allusion dans son poème *Discours au roy sur le faict de ses quatre estats* (éd. Chamard, t. VI, p. 193 sq.). Dorat emploie le mot *status* pour désigner à la fois une forme de gouvernement et, plus généralement, l'état ou l'ordre de la Nature.

181–6   *Status autem...* : l'idée que Circé et Calypso symbolisent respectivement la connaissance des choses terrestres et des choses célestes se trouve en partie chez Eustathe, pour qui Calypso, « celle qui cache » (du verbe *kalyptô*, « cacher »), figure le ciel. Ainsi, le séjour d'Ulysse sur l'île de Calypso représente le temps que passe le héros grec à contempler le ciel, c'est-à-dire à se consacrer à l'astronomie et à l'astrologie (voir Eustathe, 1389. 65 sq., et Buffière, *op. cit.*, p. 388–91). Dorat aurait donc élaboré son explication de Circé en extrapolant à partir de cette interprétation de Calypso. Sur Calypso, voir *infra*, l. 580 sq.

187   *Ceruum* : (voir *Od.* X. 158–66). Dorat choisit ici l'une des significations possibles du cerf (la timidité) pour correspondre à son interprétation d'Ulysse comme chercheur scientifique qui n'a pas peur de poursuivre ses recherches jusqu'au bout. Le cerf est également symbole, d'une part, de la volupté, d'autre part, dans l'iconologie chrétienne, de la piété.

191–6   *carnes cerui...* : (voir *Od.* X. 183–4). Dorat rejette l'idée que nous finissons par ressembler les choses que nous mangeons en citant l'exemple des scorpions et des serpents, dont le venin peut agir comme remède contre d'autres venins, ainsi que l'exemple d'Achille, nourri, d'après lui, de lait de chèvre. La source de ce détail est peut-être Philostrate, *Images* II. 2. 342 (« Chiron nourrit encore Achille de lait, de moelle, et de miel »), quoique l'auteur ne précise pas ici qu'il s'agit de lait de chèvre.

Au contraire, Apollodore (III. 13. 6) prétend que Chiron « nourrissait Achille des entrailles des lions et des sangliers et de la moelle des ours », et Stace, quant à lui, affirme que son régime consistait dans « les chairs compactes des lions et les entrailles encore palpitantes d'une louve » (*Achilleis* II. 99–100), pour indiquer un lien entre nourriture et caractère.

197–8   *Manus abluerunt... manibus* : (voir *Od.* X. 182). Dorat commente l'expression « illotis manibus » à la fin de ce manuscrit (f. 21ᵛ), où il se réfère à Érasme (*Adages* I. 9) qui cite à son tour les deux vers d'Hésiode (*Les Travaux et les Jours* 740–1) auxquels Dorat fait allusion (voir la note sur l. 1219–20).

199   *Domus Circes in uallibus* : (voir *Od.* X. 210). Dorat continue, comme il l'avait indiqué au début de cette section, à faire coïncider tous les détails du récit homérique avec son explication foncière de Circé, symbole des connaissances terrestres. C'est la raison pour laquelle son palais se trouve dans un lieu bas, près du sol.

202–6   *Tres beluarum species* : (voir *Od.* X. 212). Dorat semble rejeter l'explication néo-platonicienne de cet aspect de la fable, selon laquelle Homère aurait fait allusion ici à la métempsychose : les âmes réincarnées entrent dans les corps de bêtes dont le comportement correspond à la vie menée par ces âmes au cours de leur dernière existence (voir Buffière, *op. cit.*, p. 506 sq.). Dorat, en revanche, préfère voir dans les lions, les loups, et les pourceaux de Circé les trois principaux vices des hommes, à savoir la tyrannie, l'avarice, la volupté. Il omet de commenter les v. 222–3, où le poète présente Circé qui « tisse au métier une toile divine ». Or, pour Porphyre dans *L'Antre des nymphes*, ch. 14, l'action de tisser symbolise la réincarnation (voir Buffière, *op. cit.*, p. 432).

207–13   *Potio...* : (voir *Od.* X. 234–6). Tout en rejetant la doctrine de métempsychose, Dorat emprunte aux platoniciens la notion que les trois éléments du breuvage de Circé peuvent agir sur les hommes pour provoquer les trois vices prédominants qu'il avait déjà signalés (voir Buffière, *op. cit.*, p. 512–15). Ainsi, l'étymologie de *tyros* et d'*alphiton* suggère la tyrannie et l'avarice, grâce à des *allusiones* ou jeux de mots. En revanche, ce n'est pas l'étymologie qui explique *méli* (« le miel »), mais plutôt Porphyre, qui voit dans le miel, entre autres choses, « le plaisir de la descente dans la génération » (*L'Antre des nymphes*, ch. 17).

214   ἀμουσοῦς : voir ci-après la note sur l. 243–5.

215   *in uoluptatum laqueos* : nous avons déjà constaté que, selon Héraclite, le *kykéon* représente la volupté : « les intempérants s'y abreuvent et pour le fugitif plaisir de se gorger, ils se condamnent à une vie plus misérable que celles des porcs » (ch. 72).

218–19   *Quatuor erant famulae...* : (voir *Od.* X. 348–9). Les quatre éléments sont, bien sûr, la terre, l'eau, l'air, et le feu.

220   κιρκος : c'est Porphyre qui relie le nom de Circé à *kirkos*, « anneau », pour évoquer le cycle de la Nature (voir Buffière, *op. cit.*, p. 509–10). Pour lui, cependant, il s'agit du cycle des réincarnations ; pour Dorat, il est question du cycle de la naissance et de la mort dans un contexte plus terre à terre, illustré par les vers d'Ovide qu'il cite, l. 223–8 (= *Métamorphoses* XV. 252–7).

229-35   *Medicamentum duplex* : (voir *Od.* X. 392). La double nature de Circé est, selon Dorat, illustrée par ses deux breuvages : l'un, qui change les hommes en bêtes, représente la mauvaise philosophie des épicuriens, fondée sur le plaisir ; l'autre, qui rend aux hommes leur forme humaine, représente la bonne philosophie. L'humaniste offre également une autre explication, historique : les deux breuvages de Circé représentent deux sortes d'herbes, les unes vénéneuses, les autres salutaires.

232   *Epicurei* : Épicure et ses disciples avaient mauvaise réputation non seulement parmi les exégètes homériques (voir à ce sujet Buffière, *op. cit.*, p. 317-22), mais encore parmi les humanistes du seizième siècle en général, à cause de leur athéisme et de leur refus d'admettre une influence divine sur les choses terrestres ; cf. Ronsard, « Prosopopée de Louis de Ronsard son pere » (éd. cit., t. VI. 40-1) : « Vous qui sans foi errés à l'aventure, / Vous qui tenés la secte d'Epicure, / Amandés vous, pour Dieu ne croyés pas / Que l'ame meure avecques le trespas » ; et le *Second Livre des Meslanges*, 6 (éd. cit., t. X. 70) : « Le monde ne va pas, comme dit Epicure, / Par un cas fortuit, mais il va par raison. » Dorat aurait trouvé cette condamnation d'Épicure au ch. 79 des *Allégories d'Homère*, où Héraclite écrit : « Je passe à Épicure, le philosophe "phéacien", l'homme qui cultive le plaisir dans ses jardins particuliers, qui juge de toute poésie — et non spécialement d'Homère — en se fiant aux étoiles. Le peu qu'il a laissé au monde, il faut encore qu'il l'ait impudemment volé à Homère, sans le savoir.... Mais cet ignorant d'Épicure prend pour fondement de sa morale ce que la nécessité a dicté occasionnellement au héros ; et ce qu'Ulysse, chez les Phéaciens, a déclaré le plus beau, il le plante dans ses vénérables jardins ! »

236-7   *interdum parens interdum nouerca* : cf. le début de *La Deffence et illustration de la langue françoyse*, éd. critique par Henri Chamard (Paris : Albert Fontemoing, 1904) : « Si la Nature (dont quelque personnaige de grand' renommée non sans rayson a douté si on le devoit appeler mere ou maratre).... » Du Bellay pense, comme l'indique Chamard dans son édition de la *Deffence*, à Pline, *Histoire naturelle* VII. 1. 1 : « ut non sit satis aestimare, parens melior homini an tristior nouerca fuerit » (« ... il n'est guère possible de juger si [la Nature] a été plutôt une bonne mère ou une sévère marâtre à l'égard de l'homme »).

238-42   *Setae decidebant...* : (voir *Od.* X. 393). C'est Hérodote qui nous indique que « dans les autres pays, les prêtres des dieux portent les cheveux longs ; en Égypte, ils se rasent.... Leurs prêtres se rasent le corps entier tous les deux jours, afin que ni pou ni aucune autre vermine ne s'attache à leur personne pendant qu'ils servent les dieux » (II. 36 et 37).

243-5   *Iuniores Vlyssis socij...* : (voir *Od.* X. 395-6). Dorat offre ici une explication historique (on est souvent plus sain après s'être guéri d'une maladie) ainsi qu'une explication morale (on est plus beau une fois que l'on a chassé l'ignorance) de ce détail du récit. L'allusion à Hiéron I$^\mathrm{er}$ de Syracuse dérive sans doute d'Élien, *Varia historia* IV. 15, dont l'édition *princeps* date de 1545 : « On dit que Hiéron, tyran de Sicile, était au début un individu ignorant et le plus inculte des hommes [ἀνθρώπων ἀμουσότατον], et qu'il n'était guère différent de son frère Gélon dans sa rusticité ; mais quand il lui était arrivé d'être malade, il devint le plus cultivé des hommes, employant les loisirs provoqués par sa faiblesse à s'instruire »). Dorat venait d'employer le mot ἄμουσος utilisé ici par Élien pour évoquer les effets néfastes de Circé sur les hommes (l. 214).

248   *Vlyssem socij non cognoscebant* : voir *Od*. X. 397, « Quand ils m'ont reconnu, chacun me prend la main ».

249   *mali et Epicurei* : Dorat ne laisse passer aucune occasion dans son commentaire pour critiquer les épicuriens, voir l. 232 et n.

251–6   *Patria est coelum...* : (voir *Od*. X. 420, 462). Cette explication a l'air d'être un mélange de l'interprétation morale offerte par la *Moralis interpretatio*, et de l'exégèse néo-platonicienne présentée par Porphyre dans *L'Antre des nymphes*, selon laquelle Ithaque, et plus précisément l'antre où se réveille Ulysse après son voyage à bord du navire phéacien, serait le lieu où les âmes montent au ciel. Guillaume Canter attribue cette interprétation à Dorat dans ses *Novarum lectionum libri septem*, ch. 14, éd. cit., p. 261 : « Vlysses igitur, ne longum faciam, proponitur ab Homero uir non tam sapiens aut felix, nisi quantum humanae res ferunt, quam uerae sapientiae ac felicitatis (haec enim Penelope est, haec Ithaca) studiosus : ob quam consequendam multos labores ac errores in mari, mundo uidelicet, subit.... Phaeacum ministerio, morte obita, optatam felicitatem consequitur.... Haec autem ex cuius ingenio prodierint, si quis requirat, I. Auratum, maximum sane virum, unicum & optimum Homeri interpretem, auctorem laudabo » (« Ainsi donc, pour abréger, Homère présente Ulysse moins comme modèle de l'homme sage ou heureux, si ce n'est dans la mesure de ce qui est naturel dans les affaires humaines, que désireux de la véritable sagesse et félicité (car l'une est Pénélope, l'autre est Ithaque). Pour les atteindre, il subit bien des peines et des incertitudes sur la mer, c'est-à-dire dans le monde.... Avec le service des Phéaciens, après la mort, il atteint la félicité qu'il avait souhaitée.... Or, si l'on demande de quel génie ces idées sont issues, je louerai Jean Dorat, certes le plus grand des hommes, l'unique et meilleur interprète d'Homère »). Ronsard s'est servi à plusieurs reprises de cette interprétation, cf. par exemple « L'Hymne de la Mort », v. 129 sq. : « Ne nous faisons donc pas de Circe les pourceaux, / De peur que les plaisirs & les delices faux / Ne nous gardent de voir d'Ithaque la fumée, / Du Ciel nostre demeure... » (éd. cit., VIII. 169).

255   *Errorem molestum* : voir *Od*. X. 464, ἄλης χαλεπῆς (« périple difficile »), et la note précédente.

257   ἐπαινὴ περσεφόνεια : voir *Od*. X. 491.

259–61   *ut apud Virgil< ium >* : la mémoire semble faire défaut à Dorat ici. La citation virgilienne se trouve au chant II, v. 413–14 des *Géorgiques* : « laudato ingentia rura / exiguum colito. » Les mots « aut quid simile » indiquent son hésitation (ou celle de son étudiant). Quant à la citation « horatienne », elle ne se trouve nulle part dans l'œuvre d'Horace.

Tirésias

Cette section sur Tirésias concerne les v. 492–560 du chant X, qui traitent non seulement de Tirésias, espèce de démon, selon Dorat, qui découvrit aux hommes le concept de l'immortalité de l'âme, mais encore des fleuves de l'Enfer et de la signification de la mort d'Elpénor.

263-5   *Tiresias* : (voir *Od.* X. 492 sq.). Dorat dérive le nom de Tirésias du substantif τέρας (« prodige, présage ») dont le pluriel est τέρατα ou τέραα chez Homère. τερατεία signifie « récit de prodiges, conte merveilleux ». Cette explication étymologique est peut-être tirée d'Eustathe, qui écrit à propos de Tirésias (1665. 44 sq.) : παρὰ τὸ εἴρειν ἐτυμολογεῖται, ἢ παρὰ τὰ τείρεα ὅ ἐστιν ἄστρα (« il dérive son nom du verbe *éïréïn* [« dire »], ou de *téïréa* [autre forme du pluriel de *téras*, « prodige, présage »], c'est-à-dire "astres". »

269   κλυτὰ ἔθνεα νεκρῶν : voir *Od.* X. 526.

271-2   *anima enim extra corpus...* : lieu commun pythagoricien et platonicien. L'âme libérée du corps peut avoir accès à des connaissances refusées aux mortels.

273   εἰς ἄιδος... : voir *Od.* X. 502.

274-5   *Per nauem nigram... in corporis ergastulo* : (voir *Od*. X. 502). Dorat développe ici la doctrine selon laquelle le corps (qu'Homère aurait représenté par un navire noir) est la prison de l'âme.

277   ἴστος : (voir *Od.* X. 506). Pour la signification allégorique du mât, voir également l. 894 sq. et n.

277-9   *uela alba...* : (voir *Od.* X. 506). L'idée que les voiles blanches du navire symbolisent les livres qui expliquent l'immortalité de l'âme est semblable à l'une des interprétations de l'outre d'Éole, voir l. 41-6 et la note sur l. 45.

279   *flatus Boreae* : voir *Od.* X. 507.

285-6   *Oceanus...* : voir *Od.* X. 508, « Ton vaisseau va d'abord traverser l'Océan. » C'est Porphyre qui suggère dans *L'Antre des nymphes*, 34, que « le monde de la matière, chez Platon aussi, s'appelle mer, grand large, flots agités ». Voir *infra* la note sur l. 485-8.

287   *luci et syluae sunt illic infrugiferae* : (voir *Od.* X. 510). Dorat suit ici Eustathe, qui affirme dans son commentaire sur ce passage que l'asphodèle est improductif. Commentant l'expression ἀσφοδελὸν λειμῶνα au vers 221 de l'« Hymne homérique à Hermès », à laquelle Dorat lui aussi fait allusion (l. 288, « Prata elysia consita esse ἀσφοδέλου »), il écrit : « on représentait un lieu contenant des asphodèles aux enfers à cause de l'infertilité des asphodèles » (1667. 8-9). Ailleurs, il explique l'association de l'asphodèle avec les enfers soit par l'étymologie (le mot *spodon* peut désigner la cendre des morts), soit parce que l'on plantait les asphodèles autour des tombeaux (voir Eustathe, 1698. 22 sq.). Sur les asphodèles en général, voir Pline, *Histoire naturelle* XXI. 68, où Dorat aurait trouvé les synonymes latins *hastula regia* et *albucus*, ainsi que la source de Pline, Théophraste, Περὶ φυτῶν ἱστορίας, VII. 13. 2-3, qui fait constater que l'asphodèle, loin d'être stérile, est πολύκαρπος — « produisant une récolte abondante ».

289-91   *cum a corpore dissoluta est...* : Dorat continue à développer la notion platonicienne de la libération de l'âme après la mort.

291-3   *Propert< ius > lib< ro > 3 Eleg< orum > 4* : voir plutôt Properce III. 5. 13-14.

295-8   κώχυτος... : (voir *Od.* X. 513-14). Dorat pense, sans doute, dans cette explication étymologique, à la partie du *Phédon* où Socrate parle des fleuves des enfers, 141-4. Il pense également à Héraclite, ch. 74, qui offre une explication historique des fleuves infernaux, qui pour lui symbolisent la tristesse des parents d'un défunt : « Le premier fleuve des enfers porte le nom significatif de Cocyte (lamentation), nom qui désigne une souffrance humaine ; la plainte des vivants pleurant les morts. Homère appelle le suivant Pyriphlégéton : après les larmes viennent les funérailles et la *flamme* du bûcher.... Homère sait que ces fleuves se jettent tous deux dans l'Achéron : il arrive en effet qu'après les lamentations de la première heure et une fois rendus les derniers devoirs, une *affliction* (ἄχη) et un chagrin durables ravivent les sentiments de douleur au moindre rappel. C'est du Styx que tombent les eaux de ces fleuves, en raison du caractère *morne* (στυγνότητα) et sombre de la mort. » Enfin, Dorat aurait pu bénéficier de Macrobe, *In somnium Scipionis*, I. 10. 11, selon lequel les fleuves infernaux représentent nos émotions ; voir Buffière, *op. cit.*, p. 486 : « Le Léthé, c'est l'oubli de l'âme qui a perdu toute conscience de sa vie antérieure ; le Phlégéton, le feu de nos colères, la flamme de nos passions ; l'Achéron, c'est la douleur de nos remords ; le Cocyte, nos afflictions et nos larmes ; le Styx, tout ce qui pousse les hommes à se haïr (on reconnaît, à travers la traduction latine, les jeux de mots du texte grec que traduit Macrobe). »

299   *Per* ἀρνειὸν : voir *Od.* X. 527. Cette explication, comme celle du mot οἶν (l. 300), est fondée sur une *allusio*.

300   *per* οἶν... : (voir *Od.* X. 524, 527). Dorat souligne l'importance de la foi plutôt que l'évidence des sens dans les croyances religieuses.

302-3   *Coeterum qui immolabant superis* : il semble que Dorat ait trouvé chez Eustathe ce détail concernant les différents sacrifices aux dieux. Celui-ci écrit (1668. 44 sq.) : ὥσπερ δὲ ὑπὲρ γῆς ἀνερύονται μὲν ζῷα, ὅτε τοῖς ἄνω θύονται, κάτω δὲ κλίνονται τὴν κεφαλὴν ὅτε ῥέζονται τοῖς κάτω (« par exemple, les animaux sont élevés au-dessus de la terre quand ils sont sacrifiés aux dieux d'en haut, mais on leur fait incliner la tête vers le bas quand ils sont offerts aux dieux d'en bas »).

307-16 Ἐλπένωρ : Dorat rejette l'interprétation morale concernant Elpénor, qui aurait été puni pour son ivresse, pour pencher pour une explication étymologique plus mystique : Elpénor met toutes ses espérances dans l'au-delà. Comme parallèle, Dorat cite l'exemple de Theombrotus qui, après la lecture du *Phédon* de Platon, s'était tué pour bénéficier tout de suite des joies de la vie éternelle. Dorat suit de près le récit de Saint Augustin (*Cité de Dieu*, I. 22) : « Quam ob rem si magno animo fieri putandum est, cum sibi homo ingerit mortem, ille potius Theombrotus in hac animi magnitudine reperitur, quem ferunt lecto Platonis libro, ubi de immortalite animae disputavit, se praecipitem dedisse de muro atque ita ex hac vita emigrasse ad eam quam credidit esse meliorem » (« Voilà pourquoi, à supposer que le suicide soit l'indice d'une grande âme, c'est plutôt chez le fameux Théombrote qu'on la découvre. Après avoir lu, dit-on, un livre de Platon sur l'immortalité de l'âme, il se précipita du haut d'un mur, pour passer ainsi de cette vie à une vie qu'il croyait meilleure »).

313-16 *Ouid< ius >*: voir *Métamorphoses* XIV. 252 : « nimioque Elpenora vino » ; et *Ibis* 485. Ibis est le pseudonyme employé par Ovide pour désigner la cible de cette diatribe.

La Descente aux enfers

Cette section poursuit l'interprétation de Circé comme symbole des connaissances scientifiques en expliquant la descente aux enfers en termes d'une initiation aux mystères de l'immortalité. C'est Circé qui prépare Ulysse pour ses expériences en compagnie de Tirésias. L'auditeur de Dorat semble ne pas avoir assisté à tous les cours consacrés à ce sujet : il laisse la feuille 7^r blanche, et il note lui-même une lacune à la feuille 8^r. En particulier, il ne fait mention ni des prophéties de Tirésias, ni des paroles échangées entre Ulysse et sa mère, Anticlée.

319–20   *Descensus Vlyssis* : Dorat souligne ici l'importance pour la philosophie de la doctrine de l'immortalité de l'âme, thème qu'il va développer au cours de cette section de son commentaire. Selon Héraclite (ch. 70), « la sagesse descend jusque chez Hadès, pour ne pas laisser de secteur inexploré, même dans les enfers ».

321   *beatitudinem ueram quae per patriam intelligitur* : voir la note sur l. 251–6.

326   *Morte carent animae* : il s'agit de *Métamorphoses* XV. 158 : « morte carent animae semperque priore relicta / sede novis domibus vivunt habitantque receptae. »

327–30   *Cum uero a nobis Circe supra sit dicata...* : voir *supra*, l. 154–6. En se référant à Aristote, Dorat pense sans doute aux propos du Stagirite au début du traité *De l'âme* : « En outre, il est vraisemblable que cette investigation [à propos de l'âme] fasse une contribution importante à la vérité tout entière, et surtout à l'étude de la nature (μάλιστα δὲ πρὸς τὴν φύσιν). »

331–6   *Descensus uero...* : selon Dorat, c'est la certitude que notre âme survit à la mort qui permet à Ulysse d'affronter ses futures difficultés.

337–39   *Nec temere Plato...* : Dorat fait allusion au livre IV des *Lois* de Platon : « Or ce discours prétend... que dans les cités où règne non un dieu mais un mortel, les citoyens ne peuvent se soustraire aux maux et aux peines ; nous devons au contraire... obéir à tout ce qu'il y a en nous de principes immortels pour y conformer notre vie publique et privée, administrer d'après eux nos maisons et nos cités [τάς τ' οἰκήσεις καὶ τὰς πόλεις διοικεῖν], donnant à cette dispensation de la raison le nom de loi » (713e–714a).

340   *Sybillinis oraculis* : l'édition *princeps* des *Oracles sibyllins*, édités à Bâle par Xystus Betuleius (Sixtus Birch), date de 1545. Il existe une édition de 1555, publiée également à Bâle, avec une traduction latine, et Dorat lui-même collabora à une édition illustrée des *Sibyllarum duodecim oracula, ex antiquo libro Latine per Ioan. Auratum, poetam & interpretem Regium, & Gallice per Claud. Binetum edita* (Paris : Jean Rabel, 1586). Cette édition ne présente que les prophéties des douze Sibylles qui concernent le Christ. Il est évident que Dorat était convaincu de l'authenticité de ces oracles. Au chapitre 17 des *Novarum lectionum libri septem*, son élève, Guillaume Canter, déclare : « Cum enim Homerus multis in locis, ut aperte constat, Sibyllam sit imitatus, eiusque hemistichia multa poesi suae inseruerit... » (« Car, comme il est bien évident qu'Homère a imité en plusieurs lieux la Sibylle, et que ce premier a introduit bien des hémistiches de cette dernière dans sa poésie... »). Dorat met en relief ici les parallèles

entre, d'une part, le Christ et, d'autre part, les trois héros mythiques qui auraient pénétré dans les enfers : Ulysse, Hercule, et Orphée. Pour sa part, Ronsard fait allusion à ces parallèles dans son hymne l' « Hercule chrestien » (éd. cit., t. VIII. 207–23, v. 257–65 et 271–84).

345–8   *Nonnulli Poetae posuerunt inferos duplices...* : pour le mythe concernant les deux parties des enfers, voir Platon, *Gorgias* 523b : « c'est une loi... que... celui qui meurt après une vie tout entière juste et saine aille après sa mort dans les îles des Bienheureux, où il séjourne à l'abri de tous maux, dans une félicité parfaite, tandis que l'âme injuste et impie s'en va au lieu de l'expiation et de la peine, qu'on appelle le Tartare. » Les enfers de Virgile sont également divisés de cette façon.

351   *Herculis anima* : (voir *Od.* XI. 601–2). Sur la double âme d'Hercule, voir Buffière, *op. cit.*, p. 404–9. Selon Plutarque (*De facie lunae*, 944), l'homme consiste en trois éléments : corps, âme, esprit. Ulysse ne rencontre que l'*idolon* d'Hercule, sa ψυχήν ; la partie la plus noble de son âme, le νοῦς, se trouve avec les dieux célestes, où Hercule a épousé Hébé. Proclus commente ce passage de l'*Odyssée* dans son *Commentaire sur la République* (172).

354   *Hebem in uxorem duxit* : (voir *Od.* XI. 603). Cf. Ronsard, « Hercule chrestien », v. 271–4 (éd. cit., VIII. 222) : « Hercule au Ciel espousa la Jeunesse, / *Et JESUSCHRIST l'Eternité, maistresse / De tous les ans, deifiant son corps / Qui fut humain le premice des mortz.* »

356   *in inferis purgari* : Platon parle dans le *Phédon* du période de purgation nécessaire aux âmes qui ont vécu une vie méchante (143–4).

        centum annis in terris errare : selon Virgile (*Énéide* VI. 329), ce sont les âmes des mortels qui n'ont pas reçu de sépulture qui sont condamnées à errer pendant cent ans avant de traverser le Styx (« centum errant annos volitantque haec litora circum ; / tum demum admissi stagna exoptata revisunt »).

359–61   *Paulus...* : voir la Seconde Épître aux Thessaloniciens, 2. 2 : « nous vous en prions... ne vous laissez pas si promptement troubler l'esprit (νοῦς), ni alarmer par une prétendue inspiration (πνεῦμα). » La Vulgate traduit νοῦς par *sensus* et πνεῦμα par *spiritus*.

363–4   ἄιδος : (voir *Od.* XI. 47). Dans le *Cratyle*, Platon rejette cette explication étymologique d'Hadès, selon laquelle ce nom proviendrait d' ἀειδές, « l'invisible » (403a), pour affirmer qu'il est dérivé d' εἰδέναι, « la connaissance de toutes les belles choses » (404b). Comparer, en revanche, Héraclite, ch. 74 : « Hadès (l'Invisible) est le nom de l'obscur séjour. »

364   εὐρώεις δόμος ἀΐδεω : voir *Od.* X. 512.

367   *Vnde apud Claud< ianum >* : la citation se trouve dans le poème *De raptu Proserpinae* II. 221–2.

371   *Desunt multa* : après des remarques générales sur la signification du chant XI, Dorat avait dû commenter la prophétie de Tirésias et les paroles échangées entre Ulysse et sa mère, Anticlée. Le commentaire recommence au vers 262 de ce chant.

372   *Amphion* : (voir *Od.* XI. 262–5). Il semblerait que cette interprétation historique du mythe concernant la construction de Thèbes, selon laquelle Amphion aurait été expert dans les mathématiques, fût une invention de Dorat. Tzetzès, en revanche, explique que la lyre d'Amphion a inspiré les maçons à travailler avec enthousiasme (*Chil.* I. 323 sq.).

376   *Rhodij* : allusion, sans doute, au Colosse et aux autres statues gigantesques construites à Rhodes, au sujet desquelles Pline écrit (*Histoire naturelle*, XXXIV. 41– 2) : « Mais le plus admiré de tous était le colosse du Soleil à Rhodes, œuvre de Charès de Lindos…. Peu d'hommes peuvent en embrasser le pouce ; les doigts sont plus grands que la plupart des autres statues…. Il y a dans la même ville cent autres colosses, plus petits. »

377–9   *Archimedes…* : ce n'est pas à Athènes mais à Syracuse qu'Archimède aurait accompli cet exploit. Selon Plutarque, *Marcellus* 13 : « Alors il fit tirer à terre, au prix de grands efforts d'une nombreuse main-d'œuvre, un navire de transport à trois mâts de la maison royale ; il y fit monter un grand nombre d'hommes, en plus de la cargaison habituelle, et, assis à distance, sans peine, d'un geste tranquille de la main, il actionna une machine à plusieurs poulies, de façon à ramener vers lui le navire en le faisant glisser sans à-coups, comme s'il courait sur la mer. » Athénée offre une version légèrement différente de cette histoire (V. 207b).

380   *septem portas Thebis* : (voir *Od.* XI. 263). Selon Pausanias (IX. 8. 3), la septième porte de Thèbes aurait reçu son nom du mot *néatê*, la septième corde de la lyre, inventée par Amphion. Eustathe explique que Thèbes avait sept portes pour correspondre aux sept cordes de la lyre (1683. 8 sq.) : ἥν ἑπτάπυλόν φασιν ἤνοιξαν ἐκεῖνοι διὰ τὸ ἑπτάχορδον εἶναι τὴν λύραν αὐτοῖς, ὡς εἶναι τὰς ἐκεῖ πύλας ἰσαρίθμους ταῖς ῥηθείσαις χορδαῖς (« on dit qu'ils ont ouvert la ville aux sept portes parce que leur lyre avait sept cordes, de sorte que les portes soient de même nombre que ces cordes »).

380–1   *harmoniam septem Planetarum* : Plutarque parle de l'écho de l'harmonie céleste, *Quaestiones conviviales* IX. 14. 6 : « Et ici-bas une sorte d'écho obscur de cette musique nous parvient, attirant nos âmes par le pouvoir de la parole et leur rappelant les réalités d'alors. »

382–3   *Mercurius…* : voir « L'Hymne homérique à Hermès », v. 41–51, pour l'histoire de l'invention de la lyre, où le dieu « tendit sept cordes harmonieuses en boyau de brebis » (v. 51).

386   *Burgi* : le mot *burgus* signifie aussi « bourg » ; voir Isidore de Séville, *Étymologies* IX. 2. 99 : « crebra per limites habitacula constituta *Burgos* vulgo vocant. »

388–91   *Pollux et Castor…* : (voir *Od.* XI. 300–4). Après l'explication traditionnelle des Dioscures, qui met en relief la notion d'harmonie et d'amour fraternel, Dorat présente également une interprétation inspirée plutôt par l'évhémérisme : leur immortalité provient de la renommée qu'ils avaient gagnée au cours de leur vie. Eustathe explique (1686. 20 sq.) que Pollux a partagé son immortalité avec son frère mortel, mais il offre une autre interprétation, physique, selon laquelle les Dioscures représentent les deux hémisphères de l'univers. Voir à ce sujet Buffière, *op. cit.*, p. 570–4.

389   *spitulabantur* : l'étudiant de Dorat semble hésiter sur la forme du verbe *stipulor*, terme juridique qui désigne « la promesse faite solennellement par le débiteur en réponse à l'interrogation posée par le créancier » (Gaffiot, p. 1479).

392   *Alcinous* : (voir *Od.* XI. 347). C'est bien sûr au roi Alcinoos et aux autres Phéaciens qu'Ulysse raconte ses aventures aux chants IX–XII de l'*Odyssée*.

393   *Arete* : (voir *Od.* XI. 335). Dorat explique le nom de la reine des Phéaciens par une *allusio* ou jeu de mots. Il semble également suggérer qu'elle représente une des qualités du roi (sa vertu).

397   Κητεῖοι : (voir *Od.* XI. 521). Eustathe explique l'étymologie de ce nom de la même façon : Κητεῖοι δὲ κατὰ μὲν Ἀρίσταρχον οἱ μεγάλοι παρὰ τὸ κῆτος, κατὰ ἀναλογίαν τοῦ (« Les Cétéiens, selon Aristarque, grands de taille, dérivent leur nom par analogie de *kêtos* ["monstre marin"] » (1697. 19 sq.).

400   *Telephus* : voir *Od.* XI. 519.

401   *Astiochê* : voir *Od.* XI. 521, γυναίων εἵνεκα δώρων (« pour des cadeaux de femmes »). Ce n'est pas Homère mais Eustathe qui nomme cette femme, épouse de Télèphe, mère d'Eurypylus, et sœur de Priam. Selon Eustathe (1697. 32 sq.), Priam fit cadeau d'une vigne d'or à Astyoché pour qu'elle persuade son fils de s'allier avec les Troyens (Πρίαμος δὲ ἐκ διαδοχῆς ἐλθοῦσαν εἰς αὐτὸν ὑπέσχετο Ἀστυόχῃ τῇ ἑαυτοῦ μὲν ἀδελφῇ, Εὐρυπύλου δὲ μητρί, εἰ πέμψει ἐπὶ συμμαχίᾳ τὸν υἱόν...).

402–4   *Euripilus...* : (voir *Od.* XI. 520). Eustathe rapproche ce nom de l'épithète de l'Hadès, εὐρυπυλής, « aux larges portes ».

405–7   *Epeus...* : (voir *Od.* XI. 523). Dorat ne croit évidemment pas à la présence réelle d'un cheval de bois à Troie. Selon lui, Ulysse aurait trouvé le mot de passe (ou « mot de guet », voir sa glose, l. 410), qui lui permit d'entrer dans la cité. Commentant *Énéide* II. 264, « Doli fabricator Epeus », Donat avait écrit : « Doli fabricatorem non fabrum intelligere debemus, quoniam tanta moles ab vno fieri non potuit, sed inuentorem fraudis ipsius » ; mais il ne va pas jusqu'à nier l'existence d'un cheval de bois.

411–13   *Orioni* : (voir *Od.* XI. 572–5). L'idée qu'Orion avait essayé de violer Diane est sans doute suggérée par Horace, *Odes* III. 4. 70–2 : « notus et integrae / temptator Orion Dianae, / virginea domitus sagitta. » Dans cette ode, Horace évoque l'histoire du géant, Orion, dans le même contexte que la Gigantomachie, symbole traditionnel de l'orgueil ; voir, par ex., Érasme, *Adages* III. 10. 93, « Gigantum arrogantia », qui cite l'ode horatienne (v. 65–8). Dorat rejette, pourtant, la réalité du viol : c'est plutôt par son outrecuidance qu'Orion aurait violenté Diane.

Tityos, Tantale, et Sisyphe

Dans cette section de son commentaire, inspirée par *Od.* XI. 576–600, Dorat développe au moyen de l'étymologie les explications qu'il venait de présenter à la fin de la section précédente (l. 413–14). Il semble accepter la conclusion de Macrobe (*Commentaria in Somnium Scipionis* I. 10. 9) qu'il ne s'agit pas dans ces mythes des peines des enfers, mais plutôt des supplices que chaque individu s'impose dans ce monde à cause de ses propres vices : « les enfers ne sont rien d'autre que les corps mêmes où les âmes sont enfermées, condamnées à cette prison affreusement obscure, souillée d'ordures et de sang. »

418   τυνεῖν : Dorat ne semble pas distinguer entre le tau et le thêta dans ses explications étymologiques, de sorte que son étudiant écrit τυνεῖν au lieu de θύνειν, τεῖω au lieu de θεῖω.

Lucrèce lui aussi s'exprime au sujet de Tityos : après l'affirmation que « ea nimirum quaecumque Acherunte profundo / prodita sunt esse, in vita sunt omnia nobis », il explique que Tityos symbolise l'homme déchiré par l'amour et par la jalousie ; voir III. 978–9 et 992–4 : « sed Tityos nobis hic est, in amore iacentem / quem volucres lacerant atque exest anxius angor / aut alia quavis scindunt cuppedine curae. »

420–1   *Dianam…* : chez Homère (*Od.* XI. 580), c'est Létô plutôt que Diane que Tityos essaya de violer. L'étudiant a pu confondre les mythes d'Orion et de Tityos.

422   *per quoddam anagrammatismum* : les poètes de la Pléiade, grâce, sans doute, à l'influence de Dorat, appréciaient beaucoup ce procédé, dont ils auraient trouvé des exemples dans l'œuvre de Lycophron ; voir, par ex., Du Bellay, *La Deffence et illustration de la langue françoyse*, éd. cit., p. 276–7 : « Quand à l'inversion de lettres que les Grecz appellent ἀναγραμματισμὸς, l'interprete de Lycophron dit en sa vie : En ce tens la florissoit Lycophron, non tant pour la poësie, que pour ce qu'il faisoit des anagrammatismes. » Sur la prédilection de Dorat pour l'anagramme et pour les jeux de mots en général, voir également G. Demerson, *Dorat en son temps*, p. 214–24, et notre article « Jean Dorat and the Reception of Homer in Renaissance France », p. 267 et 273.

423–5   *significat pecunias…* : Horace offre cette interprétation du mythe de Tantale, *Satires* I. 1. 68 sq. : « Tantalus a labris sitiens fugientia captat / flumina. quid rides ? mutato nomine de te / fabula narratur : congestis undique saccis / indormis inhians et tanquam parcere sacris / cogeris aut pictis tanquam gaudere tabellis. » Pour Eustathe, Tantale est « l'imaginatif, qui se nourrit de vains espoirs, ou l'homme qui attend un gain mérité et se voit frustré au dernier moment » (Buffière, *op. cit.*, p. 486, n. 20). Platon, *Cratyle* 395d–e, présente une explication étymologique différente de celle de Dorat : « On a tout à fait l'impression que, voulant l'appeler *le plus éprouvé* (*talantatos*) des hommes, on a, sous une forme voilée, substitué à cette appellation celle de *Tantale*. » Dans l'introduction de ses *Xenia*, « Ioach. Bellaius candido lectori » (éd. Demerson, t. VIII. 58–9), Du Bellay commente le nom Tantale de la même façon : « in [Cratylo] Socrates Tantalo nomen non casu, sed a natura quodam modo ipsa impositum esse conuincit, perinde ac si quis Tantalum ταλάντατον, id est miserrimum appellare uoluisset » (« Dans le *Cratyle*, Socrate démontre que le nom de Tantale ne lui a pas été donné par hasard, mais, d'une certaine manière, par la nature elle-même, comme si l'on avait voulu appeler Tantale *talantatos*, c'est-à-dire "très malheureux" »).

426–9   σισυφος… : Eustathe (1702. 1 sq.) affirme que Sisyphos signifie *théosophos* (« possédant la connaissance de Dieu »), car *sios* aurait le même sens que *théos* dans les dialectes dorien et éolien, et *syphos* signifierait *sophos* (« sage ») chez les Éoliens :

δῆλον δὲ καὶ ὅτι Δωρικὸν ἅμα καὶ Αἰολικὸν ὄνομα τὸ Σίσυφος. σιοὺς μὲν γὰρ οἱ
Δωριεῖς φασὶ τοὺς θεούς, ὡς καὶ ὁ κωμικὸς δηλοῖ ἐν τῷ, ναὶ τὼ σιώ, ἀντὶ τοῦ νὴ τοὺς
θεοὺς ἢ τὰς θεάς. σύφος δὲ ὁ σοφὸς παρὰ Αἰολεῦσιν. ὅθεν Σίσυφος ὁ θεόσοφος. Natalis
Comes parle de Sisyphe dans les mêmes termes que Dorat dans ses *Mythologiae*, livre
VI, ch. 17 : « Hunc astutissimum omnium mortalium fuisse memorant. » Dans sa
« Nominum explicatio », il est clair que le Vénitien a lui aussi puisé dans l'œuvre
d'Eustathe : « rerum diuinarum peritus, σιὸς Deus vocatur, σοφὸς sapiens. »

430   *Hercules* : (voir *Od.* XI. 601–3). Voir la note sur l. 351. Ce n'est pas le
véritable Hercule que voit Ulysse aux enfers, mais une image fantomatique (l'*eidolon*)
de son corps.

432–40   *Herculis in baltheo...* : (voir *Od.* XI. 609–14). Pour les explications
politiques de ce genre chez Dorat, voir la note sur l. 178. Du Bellay, dans son
« Discours au roy sur le faict de ses quatre estats » (éd. Chamard, t. VI. 193–4),
explique que chacune des trois formes de gouvernement a une forme corrompue : « Ilz
[les Anciens] nous ont de chacun l'exemple proposé, / Et si ont à chacun son contraire
opposé, / Comme sa maladie & sa peste fatale » (v. 11–13). Selon Aristote, *Politique*
III. 7 et IV. 2, ces formes corrompues sont la tyrannie, l'oligarchie, la démagogie. Le
rapport entre les porcs et la démocratie est fondé sur un jeu de mot : δῆμος signifie
« peuple », et δημὸς signifie « graisse », attribut du cochon.

441   *duce Mercurio et Minerua* : (voir *Od.* XI. 626). Eustathe (1703. 55) fait
remarquer à propos de ce vers : Ἰστέον δὲ ὅτι καὶ Ἡρακλῆς, ὡς καὶ ἐν Ἰλιάδι
δηλοῦται, εἰς φιλόσοφον ἄνδρα ἐκλαμβάνεται παρὰ τοῖς παλαιοῖς (« Il faut savoir
qu'Hercule, comme il est aussi évident dans l'*Iliade*, était considéré par les anciens
comme un philosophe »).

444   *Gorgoneum caput* : Natalis Comes explique l'étymologie du nom Gorgone
de la même façon que Dorat dans sa « Nominum explicatio » : « Gorgones, horrendae,
terribiles. γοργὸς acer, terribilis, formidabilis. »

Le Chant XII

Les remarques sur le chant XII, sans doute à cause de l'importance de cette section de
l'*Odyssée* pour Dorat, sont beaucoup plus détaillées que celles des sections
précédentes. Après une introduction générale sur la nature mystique de ce chant, Dorat
commente les incidents concernant les Sirènes, les Pierres planctes, Scylla, Charybde,
et les vaches du Soleil, rejetant souvent les explications morales qui avaient prévalu
jusqu'alors.

451–8   *Horat< io > lib< ro > de arte poetica...* : voir *L'Art poétique*, 143–5. Horace venait d'indiquer les dangers de trop promettre au début d'un poème épique, con-
cluant par le vers célèbre : « parturient montes, nascetur ridiculus mus » (v. 139). Il est
évident que Dorat a présent à l'esprit tout ce passage horatien, car plus loin, après la
citation (l. 457–8) de *Métamorphoses* VIII. 191–2, il reprend, sans attribution et un peu
remanié, v. 152 de *L'Art poétique*, « primo ne medium, medio ne discrepet imum ».

458–60   *exordium…* : en effet, au premier chant de l'*Odyssée*, nous rencontrons Ulysse qui rêve de quitter l'île de Calypso pour retrouver Pénélope et Télémaque (*Od.* I. 13–19).

460   μ. : pour Isidore de Séville, en revanche, « Quinque autem esse apud Graecos mysticas litteras » (*Étymologies* I. 3. 8) : *Y* (symbole de la vie), *Θ* (symbole de la mort), *T* (symbole de la croix), *A* et *Ω* (qui représentent Jésus comme le début et la fin des choses).

462–4   *cum enim* μῦς… : le pouvoir attribué aux souris de prévoir l'effondrement de bâtiments est attesté par Pline (*Histoire naturelle* VIII. 103) : « ruinis imminentibus musculi praemigrant » ; et à plusieurs reprises par Élien (*Sur les animaux* VI. 41 et XI. 19, et *Histoire variée* I. 11).

464   *fabula de Melampo* : selon Apollodore (I. 9. 12), Melampus était un prophète qui avait la réputation de pouvoir communiquer avec les animaux. Emprisonné par le roi Phylacus, il entendit dans sa cellule une conversation entre deux vers (non pas des souris) qui étaient en train de ronger une poutre, prédisant que la poutre s'effondrait le lendemain matin. Melampus demanda d'être mis dans une autre cellule, et le lendemain, son ancienne cellule fut détruite. Au chant XI de l'*Odyssée*, Homère fait allusion à Melampus, sans toutefois le nommer (voir les v. 291–2, τὰς δ' οἶος ὑπέσχετο μάντις ἀμύμων / ἐξελάαν — « Seul, l'illustre devin promit de les ravir »). Eustathe, qui commente ce texte en détail (1685. 4 sq.), y raconte lui aussi l'histoire de Melampus et les vers.

466   *initiare sacris* : le verbe μύω peut signifier « se taire », condition nécessaire pour ceux qui assistaient aux mystères, comme Dorat l'indique lui-même, l. 466–7 ; cf. également l'expression latine « favete linguis ».

470–2   *Oceanus enim…* : (voir *Od.* XII. 1–2). L'idée que l'Océan était une mer circulaire qui entourait la terre est attribuée à Homère par Cratès de Mallos (voir Buffière, *op. cit.*, p. 215, n. 49), mais Dorat aurait trouvé ce détail dans la *Géographie* de Strabon, I. 1. 7 : « [Homère] indique également la position circulaire de l'océan autour de la terre quand il fait ainsi parler Héra : "Je m'en vais voir les confins de la terre féconde, / Et l'Océan, père des Dieux" [*Iliade* XIV. 200–1]. » Dorat établit aussi un parallèle entre l'Océan et les enfers (cf. « ab inferis siue Oceano », l. 469).

472   θάλασσα : pour Dorat, le mot grec θάλασσα désigne le « mare internum », la Méditerranée, divisé en trois parties (« triplex », l. 472) par les péninsules d'Italie et de Grèce. La Méditerranée est également désignée par le nom « mare superum » (l. 473), car elle se trouve dans l'hémisphère supérieur.

         tridentem : sur cette interprétation du trident, voir Guy de Tervarent, *Attributs et symboles dans l'art profane 1450–1600 : dictionnaire d'un langage perdu* (Genève : Droz, 1958–64 ; 2ᵉ édition, 1997), *s.v.* trident : « … on lit dans Cartari [*Imagines deorum qui ab antiquis colebantur* (Lyon, 1581)], s.v. "Neptunus", p. 163 : "Certains veulent que le trident représente les trois golfes de la Méditerranée." »

479   *Strabo* : voir *Géographie* I. 1. 7. A propos des vers « Quand le navire quitta le courant du fleuve Océan, / Puis atteignit les flots de la mer immense » (*Od.* XII. 1– 2), Strabon explique qu' « il ne s'agit pas alors de l'océan tout entier, mais de ce

courant du fleuve, dans l'océan, qui est partie de l'océan, et dont Cratès dit que c'est une sorte d'estuaire ou de golfe qui s'allonge vers le pôle sud à partir du tropique d'hiver ; et donc il serait possible de quitter cet estuaire et d'être encore dans l'océan, alors qu'il n'est pas possible de quitter l'océan tout entier et d'y être encore ».

480–4   κυμα… ῥόος… : (voir *Od.* XII. 1–2). Dorat continue à préciser la distinction entre la *thalassa* et l'Océan. *Kyma* appartient à la mer supérieure parce que les êtres vivants sont en mouvement perpétuel ; en revanche, *rhoös* relève de l'au-delà car, comme nous l'avons remarqué, Dorat considère que les enfers sont situés dans l'Océan.

485–8   *Per mare superum…* : non content de cette lecture figurative, Dorat nous offre une interprétation encore plus abstraite de *thalassa*, qui désignerait, selon lui, la matière seconde, par contraste avec l'Océan, la matière primitive (voir plus haut la note sur l. 285–6). Le Limousin semble s'être inspiré ici du chapitre 65 des *Allégories homériques*, où Héraclite considère la signification de Protée : « Jadis il fut un temps où n'existait qu'une masse informe ou limonneuse : la matière n'était pas encore parvenue, en recevant des traits distincts, à la perfection de la forme… l'informe et l'inerte régnaient, jusqu'au jour où le principe artisan de toutes choses et générateur du monde assura la protection de la vie et donna au cosmos son empreinte d'ordre et de beauté… les quatre éléments, racines et germes de toutes choses, reçurent, à tour de rôle, leur forme propre. » On rencontre une idée analogue chez Plutarque (*Isis et Osiris* 364d) : « Et ils pensent qu'Homère, tout comme Thalès, s'inspire de l'enseignement des Égyptiens quand il fait de l'eau le principe originel de toutes choses : car pour eux Okéanos est Osiris et Téthys, en tant que mère nourricière de l'univers, est Isis. » Bien qu'Héraclite rejette la notion que l'épithète ἅλιος (« marin »), attribuée à Protée, désigne une divinité marine, il est évident que cet adjectif est gros de signification pour Dorat et qu'il confirme son interprétation de l'Océan. Dans le mythe de Protée, Idothée, la fille de Protée qui aide Ménélas à dompter son père, symbolise la forme, la matière travaillée. Or, chez Dorat elle est remplacée par la *thalassa*, « materiam quae est in motu et assidue formatur ». Sur la forme (εἶδος) et la matière (ὕλη), Aristote déclare (*De l'âme* 414a) : « Il y a, en effet, trois façons d'entendre la substance, comme nous l'avons dit, qui sont, respectivement, la forme, la matière et le composé des deux. Et, parmi elles, la matière est potentialité, tandis que la forme est réalisation. »

489–500   *domum et cubile Aurorae…* : (voir *Od.* XII. 3–4). C'est sur l'île d'Aiaié, où habite Circé, fille du Soleil, que se trouve la demeure d'Aurore. Dorat venait d'expliquer que cette île « tantam in altitudinem uerticem tollit ut Sol ad mediam noctem illic luceat » (l. 475–6). Porphyre avait également évoqué la hauteur de cette île, disant que « l'île d'Aiaié c'est la portion, la contrée de l'*atmosphère* qui reçoit le mort » (cité par Buffière, *op. cit.*, p. 511). C'est donc là que nous trouvons ensemble le lever et le coucher du soleil, ainsi que le midi.

501–4   *tanquam per somnia uisa…* : « Après nous y être profondément endormis, nous avons attendu la divine Aurore. Et dès la première apparence de l'Aurore aux doigts de rose… », déclare Ulysse (*Od.* XII. 7–8), indication pour Dorat que la descente aux enfers était une sorte de rêve.

505–10   *de portis somniorum…* : Dorat poursuit sa notion qu'Ulysse aurait rêvé sa descente aux enfers en considérant ce que dit Virgile à propos des songes faux et véritables. Le Limousin aurait trouvé cette explication des deux portes chez Macrobe (*Commentaria in Somnium Scipionis* I. 3. 17–20), lequel avait été influencé par un passage de Porphyre : « hoc velamen cum in quiete ad verum usque aciem animae introspicientis admittit, de cornu creditur, cuius ista natura est ut tenuatum visui pervium sit ; cum autem a vero hebetat ac repellit optutum, ebur putatur, cuius corpus ita natura densetum est ut ad quamvis extremitatem tenuitatis erasum nullo visu ad ulteriora tendente penetretur. »

511–12   *duo genera ciborum...* : voir *Od.* V. 93, 165, et 194–9. C'est sans doute la nourriture apportée par Circé (« du pain, des viandes à foison, du vin aux sombres feux », *Od.* XII. 19) qui a suggéré à Dorat, peut-être en réponse à une question posée par un de ses étudiants, l'idée de commenter les deux espèces de nourritures offertes à Hermès et à Ulysse par Calypso. Celle-ci offre de l'ambroisie et du nectar à Hermès, mais du pain, de l'eau, et du vin rouge à Ulysse.

514–25   *ut apud Platonem et Ciceronem...* : Dorat pense, sans doute, à la *République* de Platon, IX. 571d : « Mais, à mon avis, lorsqu'un homme possède par devers lui la santé et la tempérance, et ne se livre au sommeil qu'après avoir éveillé sa raison et *l'avoir nourrie de belles pensées et de belles spéculations* (ἑστιάσας λόγων καλῶν καὶ σκέψεων), en s'adonnant à la méditation intérieure... c'est dans ces conditions, tu le sais, que l'âme atteint le mieux la vérité. » Cicéron traduit ce passage dans son traité *De divinatione* 1. 61, où il emploie les mots « saturataque bonarum cogitationum epulis ». Dorat, non content de cette interprétation globale, explique la signification de chacune des choses offertes à Ulysse : le pain (les sciences naturelles), le vin rouge (les sciences occultes), et la viande (l'anatomie et la médecine).

Les Sirènes

Dans son interprétation du mythe des Sirènes (voir *Od.* XII. 39–54, 158–200), Dorat rejette l'explication traditionnelle, selon laquelle les Sirènes représentent le plaisir sexuel, penchant plutôt pour une hypothèse avancée par Cicéron, selon laquelle les Sirènes symbolisent les appas de la science. Voir à ce sujet F. Buffière, *op. cit.*, p. 235 sq. et 380 sq., ainsi que notre article « The *Mythologiae* of Natale Conti and the Pléiade », in *Acta Conventus Neo-Latini Bariensis : Proceedings of the Ninth International Congress of Neo-Latin Studies (Bari 1994)*, éd. Rhoda Schnur (Tempe, Arizona : MRTS, 1998), 243–50. Du Bellay semble faire allusion à cette interprétation dans « La Lyre chrestienne », v. 129–44 (voir l'édition Chamard, t. IV, p. 142–3). Guillaume Budé, pour sa part, avait suggéré que les Sirènes représentent « urbanae vitae illicia et atriensis » (*De transitu Hellenismi ad Christianismum* II. 150).

527–8   *in piscem... desinens* : Dorat pense sans doute à l'*Art poétique* d'Horace, v. 3–4 : « ut turpiter atrum / desinat in piscem mulier formosa. »

529–31   *sunt scopuli marini...* : après avoir fait allusion à une explication plutôt littérale, Dorat semble suivre Eustathe lorsqu'il suggère que le chant des Sirènes est dû au bruit émis par le vent confiné dans les rochers : « Il est des lieux d'où sort sans cesse de terre un souffle d'air.… On a observé maintes fois que les flots, en venant frapper doucement contre un rivage arrondi, produisaient une sorte de musique harmonieuse » (Eustathe 1709. 30, dans la traduction de F. Buffière, *op. cit.*, p. 236, n. 35).

531–3   *Neque vero…* : comme nous l'avons indiqué, Dorat rejette l'explication — pourtant assez commune à la Renaissance — selon laquelle les Sirènes représenteraient soit des prostituées (cf. le ps.-Héraclite, *De incredibilibus* II, et Buffière, *op. cit.*, p. 236), soit le plaisir (cf. Clément d'Alexandrie, *Stromata* I. 10. 48, et Buffière, *op. cit.*, p. 384). Voir également la *Moralis interpretatio*, où les Sirènes désignent les « illecebrosas & fraudulentes… voluptates » (édition de Gesner, f. 8ᵛ–9ʳ). Natalis Comes évoque les Sirènes en termes similaires dans ses *Mythologiae*, éd. cit., f. 267ᵛ, les interprétant comme « illegitimarum voluptatum illecebras ».

534   *lib< ro > 3 de legib< us >* : l'auteur du manuscrit se trompe ici sur la source cicéronienne, car il s'agit en fait du livre V, ch. 18 du traité *De finibus*. Le commentaire cite textuellement Cicéron l. 534–45. Ainsi, pour Cicéron, qui selon F. Buffière aurait tout simplement répété les propos d'Antiochus d'Ascalon, les Sirènes symbolisent l'attrait de l'étude et de la connaissance (Buffière, *op. cit.*, p. 385–6).

540–2   *sic autem Homer< us >…* : voir *Od.* XII. 184–5 pour cette citation.

545–6   *Idem supra…* : voir l. 266–8.

549–50   *quibus ita parum cauti homines…* : pour Eustathe, le danger des Sirènes résidait dans leur tendance à retenir le philosophe dans la paresse de la contemplation, là où celui-ci aurait dû se consacrer également à l'action (voir Eustathe 1709. 20 et Buffière, *op. cit.*, p. 383). Les études que Dorat énumère par la suite (l. 550–2) n'auraient pas d'application pratique, d'où leur danger.

554   *sociorum Vlyssis obturandae fuerunt aures* : voir *Od.* XII. 47–9.

554–5   *ipseque malo alligandus* : voir *Od.* XII. 50–1.

558–9   *et certe Gellius…* : la citation tirée d'Aulu-Gelle (l. 559–61, « cui sane… consenescas ») provient en fait de la fin du ch. 8 du livre 16 des *Nuits attiques*.

562–4   *Merito igitur Cicero…* : voir *De finibus* V. 53, que Dorat cite textuellement.

564–6   *Omnia siquidem scire…* : Dorat cite ici *De finibus* V. 49.

567–8   *ad patriam…* : cf. *supra* l. 251–6 et note.

570–2   *Malus…* : F. Buffière (*op. cit.*, p. 381), suivant Eustathe 1707. 50 sq., explique que « le mât du navire, qui se dresse vers le ciel, et dont le pied est pris solidement dans l'emplanture, résume symboliquement l'attitude du sage, comme lui debout et enchaîné ».

573–6   *Procis Penelopes…* : un fragment du *Florilège* de Stobée (IV. 9) suggère que ceux qui se consacrent à toutes les disciplines en négligeant, pourtant, la connaissance de soi ressemblent aux prétendants de Pénélope, qui se contentent des servantes de la reine après avoir essuyé un refus de sa part (voir Buffière, *op. cit.*, p. 375, n. 34). Du Bellay pense sans doute à cette explication des prétendants de Pénélope aux vers 135–6 de « La Lyre chrestienne » (éd. Chamard, IV. 142) : « Si le fin Grec eust escouté / La musique Sicilienne / Peu cautement : s'il eust gouté / A la couppe Circeïenne, / De sa doulce terre ancienne / Il n'eust regouté les plaizirs : / Et Dieu chassera de la sienne / Les esclaves de leurs dezirs » (v. 129–36).

577   *filum Ariadneum* : cette expression ne semble pas être courante dans la littérature classique, mais voir Henricus Norisius in *Variorum exercitationes in S. Augustini Opera, Patrologia Latina*, éd. Migne, t. 47, col. 548 : « illa enim disjunctione tanquam Ariadneo filo usus ex intricato Alninianae genealogiae labyrintho evasisti. » Néanmoins, les références à l'idée du fil d'Ariane sont assez répandues, voir, par ex., Du Bellay, éd. cit., t. V, p. 78 (*Divers jeux rustiques*, « Elegie d'Amour », v. 17–20) : « Les cueurs humains un labyrinthe sont, / Qui maints destours, maintes cachettes ont, / Ou lon se perd, qui n'a le fil pour guide / D'un bon esprit & jugement solide. »

580–6   *Merito autem...* : Dorat interprète les aventures d'Ulysse qui précèdent le chant X en termes des différentes connaissances scientifiques auxquelles le héros grec avait été initié.

581   *sub Calypso* : sur cette interprétation de Calypso, voir *supra*, l. 181–6.

583   *lib< ro > 3. de leg< ibus >* : voir la note sur l. 534.

585   *sub Poliphemo* : voir également l. 777, « Cum status Tyrannidis sub Cyclope... describeretur ».

585–6   *per inferorum historiam* : cf. l. 319–20 pour la notion que la descente aux enfers représente l'investigation scientifique.

588–94 *Sirenes denominantur...* : pour le rapport étymologique entre *éïréïn* et *Iris*, voir Platon, *Cratyle* 408b : « Et *Iris*, elle aussi, c'est de *éïréïn* qu'elle semble avoir tiré son nom, car elle était messagère. » Voir la note sur l. 426–9 sur le mot éolien *sios*.

595–7   *Nonnulli uero 4 mathematicorum species...* : nous n'avons pas identifié la source de la notion que Calypso et les trois Sirènes représentent le *quadrivium*.

598   *Aedes Circes...* : dans la section qui suit, où Ulysse et ses compagnons sont présentés en termes du philosophe et de ses disciples, Dorat reprend l'exégèse morale d'Eustathe (voir Eustathe 1707 sq. et Buffière, *op. cit.*, 380–3). « Cette sagesse et cette fermeté, ce sont les fruits d'un solide et sérieux enseignement : il faut transposer sur le plan de la philosophie les rapports d'Ulysse et de ses compagnons : il faut voir, dans cette cire versée au creux de leurs oreilles, les leçons du maître, qui forgent au disciple une âme inébranlable, capable de résister aux sollicitations mauvaises » (Buffière, p. 381).

600–4   *apud Ciceron< em >...* : voir le traité *De finibus* V. 49.

601   *et a Xenophont< e >...* : il s'agit des *Mémorables* II. 11 sq.

605   *Per cumulos ossium...* : (voir *Od.* XII. 45–6). Eustathe explique que ce sont les os de ceux qui ont été consumés par la douceur du chant des Sirènes (τηκομένων τῇ ἐκ τῆς ἀοιδῆς ἡδονῇ, 1707. 50 sq.).

607   *pratum amoenissimum* : voir *Od.* XII. 45 et 159.

        ut ait Plutharcus : voir [Plutarque], *De Homero* 2. 218 : Ἐνταῦθα καιρὸς καταπαύειν τὸν λόγον, ὅν, ὡσπερεὶ στέφανον ἐκ λειμῶνος πολυανθοῦς καὶ ποικίλου πλέξαντες, ταῖς Νούσαις ἀνατίθεμεν (« Il est maintenant temps de mettre fin à ce discours que nous dédions aux Muses, comme pour ainsi dire une couronne que nous avons entrelacée, cueillie d'un pré riche en fleurs et plein de couleurs »).

609   *Lotophagi* : dans le texte homérique, il n'est pas fait mention ici du lotus. C'est plutôt Eustathe (1708. 23 sq.) qui aurait suggéré à Dorat cette comparaison dans son commentaire sur le vers 173 : θαυμάζουσι δέ τινες εἴ περ ὁ τοῦ λωτοῦ μὴ θελήσας πειράσασθαι Ὀδυσσεὺς τοῦ τῶν Σειρήνων μέλους ἀποσχέσθαι οὐκ ἐκαρτέρησε (« Certains s'étonnent que, n'ayant pas voulu goûter du lotus, Ulysse n'ait pas pu s'écarter des chants des Sirènes »).

611–13   *Cicones...* : l'humanité de Dorat est ici évidente dans sa condamnation de précepteurs cruels, qu'Homère aurait présentés sous les traits des Cicones (voir *Od.* IX. 59–61). Dorat aurait pensé aux Cicones parce que, à l'instar de Scylla (*Od.* XII. 245–6), ils avaient tué six hommes de chaque vaisseau.

612   *Orbilius* : voir Horace, *Épîtres* II. 1. 70–1 : « memini quae plagosum mihi paruo / Orbilium dictare » (« [les poésies] qu'Orbilius, grand ami du fouet, me dictait, je m'en souviens, dans mon enfance »), où il s'agit du grammairien Orbilius Pupillus de Bénévent. Voir Suétone, *De grammaticis* 9, qui cite Horace ainsi que Domitius Marsus à propos de la cruauté de ce professeur (« Si quos Orbilius ferula scuticaque cecidit » — « Tous ceux qu'Orbilius a frappés de la férule et du martinet »).

614   *Cera...* : (voir *Od.* XII. 48, 173–7). Eustathe explique la cire en termes légèrement différents : φιλοπόνου γὰρ μελίσσης ἐκλογὴ ὁ μελιηδὴς κηρός, καὶ θήκη γλυκέος χυμοῦ (« La cire est la cueillette de l'abeille industrieuse, et le récipient de la douce liqueur ») (1708. 10). Ainsi donc, selon Buffière, « elle désigne la philosophie elle-même, dont l'acquisition est laborieuse, mais la possession bien douce. Installée à demeure dans nos oreilles, elle ne laisse pas filtrer le chant des Sirènes, qui peuvent moduler leur sérénade devant la porte, mais non pas en forcer l'entrée » (Buffière, *op. cit.*, p. 382). Pour Dorat, en revanche, Ulysse avait été pareil à ses compagnons, c'est-à-dire qu'il avait eu les oreilles bouchées par la poésie et la rhétorique ; mais maintenant, comme il est plus sage qu'eux, il est prêt à s'avancer vers une vie plus active.

615–16   *Ego apis...* : voir Horace, *Odes* IV. 2. 27 sq.

616–17   *olim in ceris scribebatur...* : explication historique : la cire représente les livres et tout ce qu'ils contiennent.

619–20   *Multi enim poetarum libros...* : Dorat condamne ici ceux qui ne comprennent que le sens littéral d'un poème, sans y chercher une signification allégorique plus profonde.

622–3   *Vlysses qui iam per omnes scientias discurrerat* : cf. l. 580–6 et note.

625–7   *Iubetur autem Vlysses...* : (voir *Od.* XII. 50–1). Les liens qui attachent Ulysse au mât de son navire sont, selon Eustathe, les liens de la sagesse et de la philosophie (1707. 50 sq., voir Buffière, *op. cit.*, p. 381). Dorat semble rejeter cette hypothèse : pour lui, il s'agit plutôt des sollicitations de la part des disciples pour forcer le philosophe à leur révéler ses doctrines.

627–8   *Sicut et Aristeus…* : Dorat fait allusion, bien entendu, au livre IV des *Géorgiques* de Virgile ; voir, par exemple, les v. 398–400, où la mère d'Aristée explique comment celui-ci doit se comporter auprès de Protée : « nam sine vi non ulla dabit praecepta, neque illum / orando flectes ; vim duram et vincula capto / tende. »

629–32   *allusio autem uidetur…* : pour expliquer le rapport entre les liens qui attachent Ulysse au mât du navire et les sollicitations de ses compagnons/disciples, Dorat a recours à une explication étymologique fondée, comme c'est souvent le cas chez le Limousin, sur un jeu de mots. Quoique Socrate ait parlé d'une étymologie similaire dans le *Cratyle* 418e (« car l'obligatoire (*déon*), qui est une forme du bien, a l'air d'être une chaîne (*desmos*) »), il finit par rejeter cette explication.

631   δεσμὸς : voir *Od.* XII. 54 et 196, et XII. 50 et 178 pour δῆσαι.

633–5   *Nam Chromis et Mnasilus…* : Dorat aurait trouvé cette interprétation du début du sixième *Églogue* (non pas le deuxième, comme l'avait noté son étudiant) dans le commentaire de Servius : « Hortatur musam ad referenda ea quae Silenus cantauerat pueris. Nam vult exequi sectam Epicuream, quam didicerant tam Virgilius quam Varus, docente Sirone : & quasi sub persona Sileni, Sironem introducit loquentem. Chromim autem & Mnasylam se & Varum vult accipi. Quibus ideo coniungit puellam, vt ostendat plena secta Epicurea, quae nihil sine voluptate vult esse perfectum. » Dans son commentaire, Josse Bade est encore plus explicite : « intelligit per Silenum autem Syrenem Epicureum, sub quo simul secta Epicurea didicerat. » Voir les *Opera* de Virgile (Venise : Junte, 1544), également disponible en fac-similé (New York et Londres : Garland, 1976), f. 33ʳ.

637–8   *per τὴν νῆα…* : (voir, par ex., *Od.* XII. 150 : « toi seul, dans le croiseur, écoute, si tu veux ! »). Cf. l'étymologie de *nef* du mot latin *navis*.

639–43   *malus…* : (voir *Od.* XII. 51, 162, 179). Dorat reste fidèle à son précepte que toutes les parties d'une exégèse mythologique doivent s'accorder (cf. *supra*, l. 151–2), en expliquant les divers éléments de l'histoire des Sirènes pour qu'ils s'accordent avec son interprétation globale, selon laquelle elles représentent les attraits de la science et de la poésie.

639   φθογγὸν : voir *Od.* XII. 159.

640   λειμὸν ἀντεμόεντα : voir *Od.* XII. 159.

641   *Ventus aspirabat…* : voir *Od.* XII. 149.

643   *Vide Plutharcum* : il s'agit de l'opuscule *De recta ratione audiendi*, 38a : « Tu ne saurais donc, je pense, éprouver aucun déplaisir à lire comme préambule ces remarques sur la perception par l'ouïe dont Théophraste déclare qu'elle est de toutes, la plus liée aux passions, rien de ce qu'on peut voir, goûter ou toucher ne produisant des affolements, des troubles, des émois aussi grands que ceux qui s'emparent de l'âme quand certains bruits retentissants, fracas et cris la frappent par l'ouïe. »

644–9   *Pene idem significat* πολύαινος… : (voir *Od.* XII. 184). En mettant en relief les qualités morales exprimées par les épithètes dont Homère se sert pour qualifier Ulysse, Dorat continue à renforcer son interprétation du héros grec en termes du philosophe.

647–8   *ab Aphthon< io >*... : voir *Progymnasmata* 30 : προσαγορεύουσι δὲ αὐτοὺς [les fables] τῶν μὲν παλαιῶν οἱ ποιηταὶ μᾶλλον αἴνους, οἱ δὲ μύθους (« Chez les Anciens, le nom donné à la fable par les poètes est plutôt celui d'*aïnos*, le nom donné par les autres auteurs celui de *mythos* »).

651   αἰνίττομαι : le verbe αἰνίττομαι est cher aux exégètes homériques, voir, par exemple, Plotin, *Ennéades* I. 6. 8.

654–6   *Historia duplex est*... : glose purement lexicale sur la signification du mot *historia*.

657   ὀπὰ κάλλιμον : (voir *Od.* XII. 192). Dorat voit dans cette expression une anagramme de Calliope, Muse de la poésie épique et de l'éloquence.

          inverso nomine : sur la prédilection de Dorat pour l'anagramme, voir la note sur l. 422.

660   φθόγγος... ἀϊδος : voir *Od.* XII. 198.

662   *numeros memini* : voir Virgile, *Églogues* 9. 45, où le berger Moeris parle du rythme de l'hexamètre.

663   *Magna rota cerae*... : (voir *Od.* XII. 173). Pour Eustathe (1708. 3 sq.), comme nous l'avons déjà remarqué, les boulettes de cire représentent la philosophie, qui protège les compagnons d'Ulysse contre les Sirènes (ὁ δὲ κηρὸς... πρὸς ἀλληγορίαν δὲ φιλόσοφόν τινα διδασκαλίας λόγον ὑπαινίττεται) ; cf. la note sur l. 614.

667   *Per μελὶ μελινὴν ὄπα*... : (voir *Od.* XII. 187). Ulysse était donc le seul à entendre les propos ambigus des Sirènes parce que lui seul était capable de les comprendre. En citant inexactement les mots grecs du vers 187, l'étudiant les a sans doute confondus avec νηὶ μελαίνῃ du vers précédent.

671   *Perimedes* : (voir *Od.* XII. 195, où Périmède assiste Euryloque à resserrer les liens d'Ulysse). Natalis Comes glose ce nom de la même façon : « consilio excellens. » Le verbe *mêdomaï* signifie « méditer, réfléchir ».

          Eurylochus : (voir *Od.* XII. 195). Glosé par Comes « late insidians, sive insidiis abundans » ; de *eurus* (« large ») et *lochos* (« embuscade »). Dorat pense sans doute au rôle joué par Euryloque sur l'île du Soleil, où il incite les autres compagnons d'Ulysse à manger la chair des bœufs.

674–7   *Sybillae multa de Homero*... : sur l'attitude de Dorat à l'égard des Sibylles, voir la note sur l. 340. Pour les prophéties des Sibylles à propos d'Homère, voir *Die Oracula Sibyllina*, éd. Johann Geffcken (Leipzig : J. C. Hinrichs'sche Buchhandlung, 1902), p. 70–1 (III. 419–32), p. 119 (V. 306–7), et p. 181 (XI. 163–71). Aux vers 422–8 du livre III, nous lisons, par exemple : « Il s'appellera le chantre de Chios et il écrira l'histoire de Troie, non pas véridiquement mais habilement. Il s'emparera de mes propres paroles et de mes mètres, car il sera le premier à déplier mes livres dans ses mains. Mais il ensevelira bien les combattants de la guerre, Hector, fils de Priam, et Achille, fils de Pélée, et les autres qui se sont occupés d'activités guerrières. »

678   *Iob harum meminit* : voir Job 30. 29 dans la version des Septante : Ἀδελφὸς γέγονα σειρήνων, ἑταῖρος δὲ στρουθῶν (« Je suis devenu le frère des Sirènes, et le

compagnon des autruches »). La Vulgate traduit ainsi : « Frater fui *draconum*, et socius struthionum. »

Les Pierres Planctes

Voir *Od.* XII. 59–72. Quoique Dorat (ou bien son élève) considère que les Planctes, les îles Cyanées, les Symplégades, et les Pierres errantes sont identiques (voir l. 680), ce n'est pas tout à fait le cas. Voir Buffière, *op. cit.*, p. 229 : « Un procédé familier à Homère, c'est de transposer dans l'Océan, à l'Ouest, ce qu'il connaît du Pont : les navigations d'Ulysse sont pour une part une adaptation de celle des Argonautes…. Les Symplégades du Bosphore ont sans doute servi de modèle aux Pierres Planktes, ou en ont au moins suggéré l'idée. » Voir à ce sujet Strabon, III. 2. 12.

683–5   *quod in errorem inducunt…* : à la différence de la plupart de ses explications étymologiques, Dorat préfère donner une interprétation morale du nom Planctae. Sur les îles errantes en général, voir l. 57–9.

686   *Multa in Homero…* : c'est Strabon qui a suggéré qu'Homère s'était servi de certains épisodes du voyage des Argonautes pour le périple d'Ulysse, voir *Géographie* I. 2. 10 : « De la même manière, connaissant les Colques, la navigation de Jason vers Aea, Circé, Médée et les légendes ou les récits plus véridiques sur leur science des philtres et leur ressemblance générale, il [Homère] imagina des liens de parenté…. Raison supplémentaire : la présence des Cyanées que l'on appelle parfois roches Symplégades… Ainsi, tout paraissait plausible par comparaison : Æaé grâce à Æa, grâce aux Symplégades les Planctes et leur traversée par Jason ; et de même, grâce au Scylléon et à Charybde, le passage d'Ulysse entre les écueils. » Il est évident que Dorat accepte l'authenticité des *Argonautiques* d'[Orphée] (voir la note sur l. 687–8) ; quant à la *Thébaïde*, il ne s'agit pas, bien entendu, de l'œuvre de Stace, mais d'un poème épique perdu qui daterait d'à peu près la même époque que les épopées homériques.

687–8   *qui se in suo opere…* : Dorat fait allusion ici aux *Argonautiques* d'[Orphée], considérées à la Renaissance comme un ouvrage authentique du poète légendaire. Pour l'autoportrait de Phidias, voir Plutarque, *Periclès* 31. 3 : « Néanmoins Phidias était en butte à l'envie à cause de la réputation de ses œuvres, et notamment parce que, en représentant sur le bouclier de la déesse [Athéna] le combat des Amazones, il y avait ciselé une figure à sa ressemblance, sous la forme d'un vieillard chauve qui soulève une pierre avec ses deux mains. »

689–91   *nemo enim…* : voir *Od.* XII. 62–3, « La première [pierre] ne s'est jamais laissé frôler des oiseaux, même pas des timides colombes, qui vont à Zeus le père apporter l'ambroisie ». Après la parenthèse sur les *Argonautiques*, Dorat retourne à son explication morale.

692–3   πέλειαι… : (voir *Od.* XII. 62). Le grec connaît deux mots pour désigner les palombes : *péléïa*, que Dorat rapproche de l'adjectif πελιός (« livide, noirâtre ») ; et l'adjectif τρήρων (voir *Od.* XII. 63) qui signifie « timide, peureux », mais qui peut également désigner les colombes.

694–7   *Coeterum* πέλειαι… : Athénée consacre une longue section des *Deipnosophistae* à l'astronomie homérique, où il déclare que « le poète emploie le terme "colombes" [πελειάδες] pour les Pléiades [Πλειάδες] » (XI. 489f). Il fait également allusion à Pindare, qui affirme que les Pléiades « se situent à la queue du Taureau » (XI. 490f). Enfin, Athénée offre une raison pour expliquer pourquoi seulement six Pléiades sont visibles, XI. 492d.

698–701 *Dii interdum…* : (voir *Od.* XII. 61). Pour Dorat, les θεοὶ du vers 61 (Πλαγκτὰς δὴ τοι τάς γε θεοὶ μάκαρες καλέουσι, « chez les dieux fortunés, on les appelle Planktes ») ne sauraient être de véritables dieux. Il explique que le mot *dieux* peut désigner soit les planètes, soit les philosophes, appelés « dieux » dans ce dernier cas pour s'accommoder aux exigences du mètre, de même que les poètes utilisaient le mot σοφὸς au lieu de φιλόσοφος. C'est évidemment dans ce sens qu'il faudrait interpréter le mot au vers 61. En suggérant que les dieux étaient des « orbes célestes », Dorat pense peut-être à l'explication étymologique offerte par Socrate dans le *Cratyle* : « les premiers habitants de la Grèce croyaient seulement aux dieux qui sont aujourd'hui ceux de beaucoup de Barbares : le soleil, la lune, la terre, les astres et le ciel ; les voyant tous agités d'un mouvement et d'une course perpétuels, c'est d'après cette faculté naturelle de *courir* (*théïn*) qu'ils les nommèrent *dieux* (*théoï*) » (*Cratyle*, 397d).

701   *Phineus, Homerus Tiresias* : dans l'histoire des *Argonautiques*, Phinée est délivré des Harpies par Calaïs et Zéthès (voir Apollonius, II. 179–436 et Valerius Flaccus, IV. 426–635). Ronsard raconte cette histoire dans son « Hymne de Calaïs, et de Zetes », éd. cit., VIII. 255–93. La cécité d'Homère est légendaire, ainsi que celle de Tirésias. Selon Dorat, Homère est un prophète au même titre que Phinée et Tirésias.

703   *Zeus a calore dictus* : (voir *Od.* XII. 63). C'est Héraclite le Rhéteur qui propose l'étymologie de Zeus acceptée par Dorat : « Ce feu, j'imagine, c'est Zeus au nom si juste. Soit qu'il tire ce nom du fait qu'il donne la vie (ζῆν) aux hommes, soit qu'il le doive à sa nature enflammée et bouillante (ζέσιν) » (éd. cit., 23. 6).

        pro sole sumitur… : pour ce qui est de l'identification de Zeus au Soleil, le Limousin pense au *Phèdre*, 246e, où le roi des dieux est présenté avec les attributs du Soleil : « Or donc celui qui dans le ciel est le grand chef de file, Zeus, lançant son char ailé, s'avance le premier, ordonnant toutes choses en détail et y pourvoyant. » Voir également Buffière, *op. cit.*, p. 209.

704   *ambrosia* : (voir *Od.* XII. 63). Eustathe écrit que « l'ambroisie représente les vapeurs dont se nourrit le Soleil, selon l'opinion de Démocrite » (1713. 15–16). Dorat avait déjà évoqué cette doctrine, voir l. 27–31 et note.

706   *annum orientem et finientem* : voir Athénée 489f, qui cite Hésiode (*Travaux et Jours* 383) et Aratos (*Phénomènes* 264) pour montrer qu'elles « marquent le début de la naissance des fruits et leur récolte ».

707–8   *Argo…* : (voir *Od.* XII. 70). Dorat avait déjà suggéré que le navire d'Ulysse était une école de philosophie, voir l. 637–8.

Scylla

Quoiqu'ailleurs Dorat ait rejeté les explications morales — par exemple, de Circé, de Calypso, ou des Sirènes — dans le cas de Scylla (voir *Od*. XII. 73–97, 108–10, 118–26, 234–59), il penche pour ce genre d'interprétation. Pour lui, donc, Scylla représente les charmes et les dangers du sexe. Ce n'est pas une explication très répandue parmi les anciens. Pourtant, Scylla est considérée comme une courtisane par le ps.-Héraclite (*De incredibilibus* 11), et dans la *Moralis interpretatio*, Charybde symbolise la volupté et la débauche.

712   *unum caput habere uirgineum et sex canum* : voir *Od*. XII. 90–1.

716   *Paulo post...* : il s'agira de la signification des nombres pairs et impairs à la f. 15ʳ (l. 819–23).

717–18   *Scylla igitur...* : pour Héraclite le Rhéteur, « Skylla est la représentation allégorique de l'impudence aux mille visages » (*éd. cit.*, 70. 11).

719   *Cornelio Gallo* : ami de Virgile, auquel celui-ci fait allusion dans les *Bucoliques* (10). Sur les poésies attribuées à Gallus à la Renaissance, voir la note sur l. 1079.

721–4   *Ipse Cratinaei...* : les deux premiers vers du texte de la *Ciris* (v. 65–6) cités par l'étudiant de Dorat sont assez corrompus, mais l'essentiel du texte se trouve dans les deux derniers vers (67–8), où il s'agit de la signification allégorique de Scylla (lubricité et sensualité).

725–33   *duos scopulos...* : (voir *Od*. XII. 72). La notion que Charybde et Scylla représentent deux vices différents entre lesquels Ulysse et ses compagnons doivent passer est également à la base de l'exégèse présentée par la *Moralis interpretatio*, à cette différence près, que, pour l'auteur anonyme de cette œuvre, c'est Charybde qui figure les émotions qui « circa corpus nascuntur », comme la volupté, et Scylla qui désigne les émotions qui affectent l'âme, comme la *superbia*. En revanche, Natalis Comes identifie Scylla avec la volupté et, citant Aristote, affirme que « virtutem esse medium duorum extremorum, quae ambo sunt vitandae » (*Mythologiae*, éd. cit., f. 254ᵛ). Selon Dorat, la luxure est plus facile à éviter que l'orgueil parce qu'elle est plus apparente que les autres vices.

734–7   *Cum enim iuuenes...* : la compréhension et l'humanité de Dorat à l'égard des jeunes sont évidentes dans cette section assez personnelle où, comme Montaigne, il fait remarquer que tous les âges ont leurs propres vices ; cf. *Essais* III. 2 : « Mais, à la verité, nous ne quittons pas tant les vices, comme nous les changeons, et, à mon opinion, en pis. »

737–39   *unde dictum...* : voir Ovide, *Fastes* I. 215–16.

740   *Humilis est scopulus* : voir *Od*. XII. 101.

742   *Euclio apud Plautum* : Euclio, personnage avare dans l'*Aulularia* de Plaute. Ayant trouvé une marmite d'or dans sa maison, il veille sur elle, tourmenté de l'idée de la perdre.

744–6   *Scylla potest derivari...* : en fait, le même verbe σκύλλω sert à incorporer les deux significations de « vexer » et d' « écorcer ». Natalis Comes offre lui aussi cette explication (éd. cit., f. 339ᵛ) : « Scylla rapax a σκύλλεω rapio unguibus trahere. » Dorat donne à cette explication étymologique une interprétation nettement morale : les hommes sont torturés par l'amour. L'autre explication étymologique renforce cette notion, car les chiens qui font partie du bas-ventre de Scylla figurent le manque de pudeur des amoureux.

747–9   *caninus et inuerecundus amor...* : les guerriers d'Homère emploient souvent le mot κύων, « chien », comme injure. Plus particulièrement, Hélène s'accuse d'être « une chienne, et méchante à glacer le cœur » (*Iliade* VI. 344). Dans l'*Histoire des animaux* VI. 20. 574b, à propos des chiens, Aristote affirme que « femelles et mâles s'accouplent pendant toute leur vie », ce qui a confirmé la lubricité des chiens pour certains écrivains médiévaux comme Bartholomaeus Anglicus (*De proprietatibus rerum* XVIII). En outre, Conrad Gesner commente la lubricité des chiens, *Historiae animalium*, *De quadrupedibus* (Francfort, 1603), p. 202 : « Lacedæmonij hoc animal templis omnibus arcebant, quod impurum sit & palam coëat. Canes etiam cum mulieribus Veneris consuetudinem habere deprehensi sunt. Nam Romae mulier adulterii accusata a marito fuisse dicitur : Adulter in iudicio canis esse prædicebatur, Aelianus. » Le texte d'Élien en question est *Sur les animaux* VII. 19. Horace utilise l'adjectif rare, *inuerecundus*, à propos du dieu Amour, *Épodes* 11. 13, « inuerecundus deus ». Jean Letrouit nous a suggéré que Dorat aurait également trouvé l'image du chien comme symbole de la luxure dans l'Ancien Testament. Il cite, par exemple, Deutéronome 23. 17–18 à l'appui de cette hypothèse : « Non erit meretrix de filiabus Israel, nec scortator de filiis Israel. Non offeres mercedem prostibuli, nec pretium canis, in domo Domini Dei tui, quicquid illud est quod voveris : quia abominatio est utrumque apud Dominum Deum tuum. » Or, « scortator » et « canis » se réfèrent aux sodomites, selon les gloses bibliques.

750   *Crataeus* : (voir *Od.* XII. 124–5). Dorat, ou son étudiant, se trompe sur l'identité de Crataeis/Cratinaeis, qui est, bien sûr, la mère de Scylla. Eustathe, lequel Dorat a suivi pour bon nombre de ses explications, discute en détail de l'identité de la mère de Scylla, sans équivoque possible quant à son sexe. Dorat aura peut-être été induit en erreur par le commentaire de Domitius sur la *Ciris* : « Nam quidam dicunt, ipsam Erychthei filiam : regis Atheniensium. Nonnulli, Athidas filiam, quae filia Cratinaei fuit, qui etiam Athenis (teste Strabone) imperavit. »

752–6   αργος... : selon Natalis Comes, le nom Arges signifie « ociosus », tandis que Argius signifie « leuis, velox », et Argo « velox, celer » (éd. cit., f. 331ʳ⁻ᵛ). Quant à l'étymologie de Crataeis, l'érudit italien suit dans sa « Nominum explicatio » la première explication offerte par Dorat : « Crateis. fortis, robusta, cum κραταιός fortis dicatur » (éd. cit., f. 331ʳ). L'autre explication, selon laquelle ce nom aurait des rapports avec κέκραμαι (« mélanger le vin ») et « cratère », sert à souligner l'identification avec les plaisirs de l'amour : Ulysse doit implorer Crataeis de modérer la force de Scylla parce que le vin coupé est moins susceptible d'inciter les excès de l'amour que le vin pur.

756–7   *ueluti Baccho Venus comes est...* : Dorat pense sans doute à l'expression proverbiale « sine Cerere et Baccho friget Venus » ; voir Térence, *Eunuchus* 732, et Érasme, *Adages* II. iii. 97.

760   *ut Tibullus ait* : il est fréquemment question du vin chez Tibulle, mais très souvent comme remède aux douleurs de l'amour. Dorat pense peut-être à III. 6. 13 sq. : « Ce dieu-là [Bacchus] rend les cœurs riches, il brise l'orgueilleux et le met à la merci d'une maîtresse. »

761   *Lamia* : selon Eustathe, c'est Stésichore qui affirme que Lamia est la mère de Scylla (1714. 24). Le mot λάμια signifie « requin ».

762   *Canes marini...* : (voir *Od.* XII. 96). Le dauphin est souvent associé à l'amour dans l'iconographie de la Renaissance ; voir, par exemple, Guy de Tervarent, *Attributs et symboles*, *s.v.* dauphin : « On trouve le fils de Vénus monté sur un dauphin, soit qu'il tienne en main une voile, que gonfle le vent... soit qu'il fouette la bête.... On entendait exprimer par là l'impatience de l'amour. » Voir également Ovide, *Fastes* II. 81 ; Aulu-Gelle, *Nuits attiques* 6. 8 ; Pline, *Épîtres* 9. 33 ; et Pline, *Histoire naturelle* 9. 8. Est-ce l'emploi du mot *dauphin* pour désigner le fils aîné des rois de France qui suggère à Dorat l'idée d'associer les animaux pêchés par Scylla avec « les tyrans, les rois, et les riches » (l. 764) ?

765–6   *apud Ciceron< em >* : voir *De senectute* 44 : « divine enim Plato "escam malorum" appellat voluptatem quod ea videlicet homines capiantur ut pisces. » C'est l'étudiant de Dorat qui a ajouté cette référence.

768–9   *Rapit etiam fortissimos...* : (voir *Od.* XII. 245–6). Commentaire de Dorat sur la luxure naturelle des jeunes. Le verbe πτεροῦσθαι, qui signifie littéralement « prendre des ailes », a également le sens figuratif d'être exalté, transporté.

770   σκυζεῖν : selon le *Thesaurus linguae graecae* d'Henri Estienne, « σκυζᾶν significat Catulire [σκυζᾷ Canit, Gl. Pro Gannit] ». Le verbe *catulire* (« être en chaleur ») s'emploie uniquement pour les chiennes. Jean Letrouit a porté à notre attention la citation suivante, qui éclaire davantage l'intention de Dorat : « Latini catulire dicunt, non canire, ut nonnulli interpretantur. Varro lib. de re Rustica 2 de foetura : Principium admittendi faciunt veris principio, tunc enim dicuntur catulire, id est ostendere se velle maritari » (Jean Brodeau, *Miscellaneorum libri VI* (Bâle : Oporin, 1555), livre V, ch. 22). Voir également Gesner, *De quadrupedibus*, éd. cit., p. 202 « Catulire (σκυζᾷν apud Aristotelem, Gaza canire) dicuntur canes... quando Venerem appetunt, vel (vt Varro inquit) ostendunt se velle maritari, quo tempore etiam terra aperitur, vt Varro testatur. » La première édition de l'œuvre de Gesner date de 1551 (Zurich, Froschauer). Pour la citation de Varron, voir *Res rusticae* II. 9. 11.

770–1   *deglubere* : au sens propre, ce verbe signifie « peler, écorcer, écorcher », mais il est évident qu'il a ici un sens obscène, cf. Ausone, *Épigrammes* 79. 7–8 : « deglubit, fellat, molitur per utramque cavernam, / ne quid inexpertum frustra moritura relinquat. » Comme Scylla se sert de ses six gueules de chien pour prendre les compagnons d'Ulysse, il semblerait que Dorat pense ici à la fellation. Une épigramme composée par G. Buchanan au cours des années 1540 indique qu'au seizième siècle, (*de*)*glubere* était parfois considéré comme une activité buccale plutôt que manuelle :

« iamque etiam hesternas deglubere coeptat ofellas » (« et maintenant elle commence aussi à sucer les morceaux de viande préparés la veille ») (*Miscellaneorum liber* 17. 5).

771   *ait Catul< lus >* : voir Catulle, 58. 4–5 : « nunc in quadriuiis et angiportis / glubit magnanimi Remi nepotes. » Contrairement à l'emploi fait par Buchanan de (*de*)*glubere*, Rabelais semble considérer (avec raison) que ce verbe signifie « masturber » ; voir *Le Tiers Livre*, ch. 18 : « Les femmes, au commencement du monde, ou peu après, ensemblement conspirèrent escorcher les hommes tous vifz… Elles commencèrent escorcher l'homme, ou gluber, comme le nomme Catulle, par la partie qui plus leurs hayte, c'est le membre nerveulx, caverneulx ; plus de six mille ans a, et toutesfoys jusques à præsent n'en ont escorché que la teste. Dont, par fin despit, les Juifz eulx-mesmes en circuncision se le couppent et retaillent… »

774   *ad occasum et tenebras* : voir *Od.* XII. 80–1 : « A mi-hauteur, se creuse une sombre caverne, qui s'ouvre, du côté du noroît, vers l'Érèbe. »

776   *Horat< ius > in carm< inibus >* : il s'agit sans doute des *Odes* I. 25. 1–6 : « Paruius iunctas quatiunt fenestras / ictibus crebris iuvenes proterui, / nec tibi somnos adimunt, amatque / ianua limen, / quae prius multum facilis movebat / cardines » (« Ils viennent plus rarement ébranler sous une grêle de pierres tes fenêtres jointes les pétulents jeunes hommes, ils ne t'enlèvent plus le sommeil, et ta porte se fait amie du seuil, elle auparavant si complaisante à mouvoir ses gands »). L'emploi au vers 10 de cette ode du mot rare *angiportus* (« flebis in solo levis angiportu »), également employé dans l'épigramme de Catulle, 58. 4, aurait suggéré à Dorat ce rapprochement des deux textes.

777   *sub Cyclope* : cf. l. 585.

778   *Scyllam cum immani Cyclope comparat* : voir *Od.* XII. 208–10 où Ulysse s'exclame : « Nous avons, mes amis, connu bien d'autres risques ! peut-il nous advenir quelque danger plus grand qu'au jour où le Cyclope, au fond de sa caverne, nous tenait enfermés sous sa prise invincible ? » Dorat poursuit cette comparaison entre le Cyclope et Scylla jusqu'à la ligne 789.

780   *l. metamorphos< oseon >* : Dorat fait allusion aux *Métamorphoses*, I. 452–62.

780–1   *Tibul< li > Eleg< orum > 3 lib< ri > 1.* : les vers se trouvent en fait à Tibulle II. 3. 27–30.

786–7   *in immenso scopuli hiatu* : voir *Od.* XII. 84.

788   *uino Maroneo* : voir *Od.* IX. 196–7 : « J'emportais avec moi une outre, en peau de chèvre, de ce vin noir si doux, que le fils d'Évantheus, Maron, m'avait donné. »

790–5   *Tria enumerantur…* : (voir *Od.* XII. 211). Sur la vertu d'Ulysse, voir Buffière, *op. cit.*, p. 386–7, où il cite Maxime de Tyr sur l'ἀρετὴ du héros grec. Selon Maxime, c'est la vertu d'Ulysse « qui l'arrache aux mains de Polyphème, le fait remonter de l'Hadès, lui fait construire un radeau ; qui persuade Alkinoos, qui lui fait soutenir l'assaut des prétendants, délivrer son foyer, venger son honneur conjugal ». Selon Dorat, c'est d'abord la βουλή, « la délibération », qui a le rôle de comprendre le témoignage des sens ; ensuite, le νοῦς (« la raison », « faculté humaine qui dirige les autres puissances de l'âme », Magnien–Lacroix, p. 1204) détermine quelles actions il faut suivre, ce qui mène à la vertu.

796   ἀρετὴ quasi αἱρετὴ : cf. Platon, *Cratyle* 415d : « Ce nom signifie d'abord l'aisance de la marche, puis le cours, toujours libre, de l'âme bonne ; bref, c'est *ce qui coule toujours* (*aéï rhéon*) sans gêne et sans obstacle qui a été, semble-t-il, qualifié de ce nom. Il est juste de l'appeler *aéïrhéîtê*, mais peut-être l'auteur veut-il dire *haïrétê* (*préférable*), pour indiquer que cette disposition est préférable entre toutes : la contraction a donné le mot *arétê*. » Cf. également *supra*, l. 393–5, où Dorat explique le nom de la femme d'Alcinoos, Arété.

798   ἀνίμβατες : l'adjectif ἀνέμβατος ne se trouve nulle part dans le texte homérique.

799   ῥηγμὴν : (voir *Od.* XII. 214). Eustathe explique, 1719. 22–4, que le substantif ῥηγμὶς désigne un rivage où la mer est profonde, αἰγιαλὸς un rivage où la mer est peu profonde.

800   *Per fumum* : (voir *Od.* XII. 202). Selon Eustathe, « la fumée apparaît à ce moment précis parce que, le jour, le feu n'est pas apparent ».

801   *Per* κύμα : voir *Od.* XII. 202 : « Mais soudain j'aperçois la fumée d'un grand flot dont j'entends les coups sourds. » Dorat voit dans ces détails une allégorie de la luxure de Scylla.

802–3   *unde Ouid< ius >* : le vers en question ne se trouve pas dans l'œuvre d'Ovide.

804–6   *Et Tibul< lus >* : Tibulle III. 11. 5–6.

809–18   *Quatenus homo est* μικροκοσμος... : vers la fin de *L'Antre des Nymphes*, Porphyre nous rappelle que Numénius interprétait l'*Odyssée* de cette façon : « Ce n'est pas sans raison, j'imagine, que Numénius et son école pensaient qu'Ulysse, dans l'idée d'Homère, offrait l'image, le long de l'*Odyssée*, de l'homme qui traverse les successives épreuves de la génération, pour être ainsi rétabli parmi ceux qui sont hors de toute agitation des flots et ignorent la mer » (voir Buffière, *op. cit.*, p. 615). Dorat interprète le discours prononcé par Ulysse à ses compagnons (v. 208–21) plutôt en termes d'un monologue où le héros grec s'arme de courage pour éviter les vices auxquels il est exposé.

810–12   *Vlysses... gubernatorem suum* : voir *Od.* XII. 217–21.

813–14   *Remigij uectores* : voir *Od.* XII. 214–15.

815   *Arma inclyta* : voir *Od.* XII. 228.

816   *Duo hastilia* : voir *Od.* XII. 228–9.

819–23   *Notandum est...* : sur la signification des nombres en général, voir Buffière, *op. cit.*, p. 559–82 ; pour leur signification plus particulièrement pour Dorat, voir Demerson, *Dorat en son temps*, p. 227–9. Les nombres impairs sont, selon Dorat, supérieurs aux nombres pairs ; voir Demerson, p. 227, qui cite les vers suivants de Dorat : « Aut inter numeros quis sit praestantior alter / Impar quam numerus ? » Selon les Pythagoriciens, qui auraient fourni à Dorat les principes de l'arithmologie, les nombres impairs sont mâles et analogues « au principe de fécondité ou de reproduction chez les mâles ». En revanche, « le pair n'a pas de limites précises, les constituantes peuvent s'échapper en tous sens.... La monade est active et la dyade passive : la monade est dieu, la dyade est la matière » (Buffière, *op. cit.*, p. 560–1). Dorat aurait peut-être puisé ces idées chez Plutarque, *Sur l'E de Delphes*, 387e–391e ; voir, par exemple, 388a–b : « On l'appelle [c'est-à-dire le nombre 5] le nombre "nuptial", en raison de l'analogie du nombre pair avec le sexe féminin et du nombre impair avec le sexe masculin. En effet, lorsqu'on divise les nombres en deux parties égales, le nombre pair se partage entièrement, ne laissant pour ainsi dire à l'intérieur de lui-même qu'un espace vide, qui attend d'être comblé, tandis que, si le nombre impair subit la même opération, il y a toujours un reste au milieu après la division. Et c'est pourquoi l'impair est plus générateur que l'autre. »

824–5   *Sex canes...* : ainsi, selon Dorat, les six chiens qui forment la partie inférieure de Scylla représentent les sens qui amènent les hommes à céder à leurs pulsions sexuelles.

826   *Quatuor primum sensus...* : Plutarque, toujours dans son traité *Sur l'E de Delphes*, n'admet l'existence que de cinq sens, eux-mêmes liés aux éléments : « Il est même des auteurs qui mettent en relation les facultés des sens — lesquels sont également au nombre de cinq — avec les substances premières » (390A). Marsile Ficin, *De amore* V. 2, ajoute à ces cinq sens la raison (*ratio*) : « Propterea sex ad cognitionem pertinentes, quantum ad propositum attinet quaestionem, vires animi numerantur : ratio, visus, auditus, vaporum odori olfactus, aquae gustus, tactus terrae tribuitur. » Aristote parle de cinq sens dans son traité *De l'âme*, 416b–424b. Pour Dorat, il existe quatre sens proprement dits qui contribuent au plaisir physique : l'ouïe, la vue, le goût, le toucher (il omet l'odorat), et deux autres sens : le *sensus communis* et la *phantasia*.

831   *sensus communis* : pour Aristote, *De anima* 424b sq., le « sens commun » n'est pas un sens à part, mais une certaine unité du sensitif qui permet la perception des « sensibles communs », comme le mouvement, qui dépendent de plus d'un seul sens ; cf. Dorat, l. 834–5, « communio quaedam sensuum dictorum ».

833   *phantasia* : toujours selon Aristote, la *phantasia*, évoquée dans le même ouvrage (427b–428b), n'est pas un sens non plus : « l'imagination est cette fonction dont on dit qu'elle produit en nous l'image, tout usage métaphorique du mot étant exclu, elle est, parmi d'autres, une faculté ou un état qui permet de juger en étant dans la vérité ou l'erreur » (428a).

836–9   *Hinc phantasiae...* : Dorat évoque ici la notion du songe amoureux, thème fréquent dans la poésie érotique. Il pense également, sans doute, au passage où Lucrèce parle des pollutions nocturnes : « De même l'adolescent dont la semence commence à se répandre dans tous les vaisseaux de son corps, au jour même où elle s'est mûrie dans l'organisme, voit s'avancer en foule des simulacres de diverses personnes qui lui présentent un visage charmant, un teint sans défaut : vision qui émeut et sollicite en lui les parties gonflées d'une abondante semence, au point que, dans l'illusion d'avoir consommé l'acte, il répand à larges flots cette liqueur et en souille son vêtement » (*De rerum natura* IV. 1030–6).

841–3   *Scylla dicitur piscatrix…*: (voir *Od.* XII. 95–7). Explication purement morale.

  et comparatur piscatori : *Od.* XII. 251–5.

844–5   *at in recessu…* : cf. l'expression proverbiale, « post coitum omne animal triste ».

847–9   κέρας… : le commentaire sur l'emblème 25 d'Alciat (« In statuam Bacchi ») explique également que Bacchus avait des cornes parce que « olim soliti erant in capiendo potu cornibus uti pro poculis. hinc verbum κεράσαι, pro, *vinum fundere* : & κράτηρ, quasi κερατὴρ, quod a nomine κέρας deflexum est » (Alciat, *op. cit.*, p. 142).

850   *membrum virile* : (voir *Od.* XII. 253). Dorat commente ici la comparaison des v. 251–5 : « Sur un cap avancé, quand, au bout de sa gaule, le pêcheur a lancé vers les petits poissons l'appât trompeur et la corne du bœuf champêtre, on le voit brusquement rejeter hors de l'eau sa prise frétillante. » Pour l'emploi du mot κέρας pour désigner le pénis, voir *L'Anthologie grecque* XII. 95. 5–6 : ἰαίνοι δὲ Δίων τόδ' εὔστοχον ἐν χερὶ τείνων / σὸν κέρας, Οὐλιάδης δ' αὐτὸ περισκυθίσαι (« que Dion dans sa main chauffe et bande ta "corne", cet arc qui vise juste, qu'Ouliadès le dégaine »), où le contexte est manifestement érotique.

852   *Venus ex mari nata est* : cf., par ex., Hésiode, *Théogonie* 188–92 sur la naissance d'Aphrodite par suite de la castration d'Ouranos par son fils Cronos : « Quant aux bourses, à peine les eut-il tranchées avec l'acier et jetées de la terre dans la mer au flux sans repos, qu'elles furent emportées au large, longtemps ; et, tout autour, une blanche écume sortait du membre divin. De cette écume une fille se forma…. »

Charybde

Voir *Od.* XII. 101–6, 234–44, 426–44. Dorat, tout en évoquant comme Eustathe l'étymologie du nom Charybde (« gouffre marin »), continue son explication morale selon laquelle elle représente l'avarice, interprétation adoptée à plusieurs reprises par les poètes de la Pléiade ; voir, par exemple, Ronsard, « Hymne de l'Or » (éd. cit., VIII. 188–9. 203–6).

856   *Charybdis denominatur…* : voir l'*Odyssée* XII. 105 : τρὶς μὲν γάρ τ' ἀνίησιν ἐπ' ἤματι, τρὶς δ' ἀναροιβδεῖ…. (« elle vomit trois fois chaque jour, et trois fois, ô terreur ! elle engouffre »). La notion que Charybde représente un gouffre marin se trouve dans certaines scolies qui commentent ce vers de l'*Odyssée*, voir Buffière, *op. cit.*, p. 236. Natalis Comes affirme que « Charybdis ἀπὸ τοῦ χάσαειν ab hiando, & ῥοιβοῶ sorbeo nominata est » (éd. cit., f. 332ʳ).

858–9   *statis temporibus…* : (voir *Od.* XII. 105–6). Selon Eustathe (1716. 15 sq.) et Strabon (I. 1. 7), il s'agit des marées de l'Océan. Si Homère parle de trois marées au lieu de deux, c'est pour rendre son récit plus dramatique. Voir à ce sujet Buffière, *op. cit.*, p. 223–5.

859–64   *Unde Vergil< ilius >*… : voir *Énéide* III. 20–3.

868   *auaritiam* : interprétation sans doute suggérée par Héraclite le Rhéteur, qui déclare que « Charybde est un nom bien choisi pour la débauche dépensière, insatiable de beuveries » (éd. cit., ch. 70).

869–70   *Diuina…* θεοδακτὸς : voir *Od.* XII. 104, δῖα Χάρυβδις (« la divine Charybde »). Le terme θεοδίδακτος est employé une seule fois dans la Bible (I Théssaloniens 4. 9) : « car vous avez vous-mêmes appris de Dieu (αὐτοὶ γὰρ ὑμεῖς θεοδίδακτοί ἐστε) à vous aimer les uns les autres. »

871   *ut ait Ouid< ius >* : voir *Métamorphoses* I. 21 : « Hanc deus et melior litem natura diremit. » Eustathe tient à expliquer qu'Homère fait une distinction entre « dieu » (θεός) et « immortel » (ἀθάνατος) (voir *Od.* XII. 117) : « Remarquez ici qu'elle n'est pas mortelle mais qu'elle représente un mal immortel, parce que chez Homère il existe une différence entre "immortel" et "dieu". Car les chevaux d'Achille sont représentés comme immortels, et non pas comme des dieux. Scylla est également ainsi. Et l'âme tout en étant divine et immortelle n'est pas un dieu. » Dorat offre une explication différente : en tant que création de la nature, Charybde et Scylla sont divines parce que la nature est divine.

875–6   *iuxta illud Horat< ius >*… : voir Horace, *Épîtres* I. 10. 24.

878–9   *inquit Horat< ius >* : voir Horace, *Satires* I. 3. 68–9. Il est intéressant de noter ici que Dorat omet de faire allusion à la doctrine chrétienne du péché originel.

881   *Per fortissimum* : allusion au vers 120 : φυγέειν κάρτιστον ἀπ᾿ αὐτῆς (« le mieux [littéralement « le plus fort »] est de la fuir »). Circé recommande à Ulysse de ne pas essayer de combattre Charybde.

885–90   *Caprificus* : voir *Od.* XII. 103 et 432–6, où Ulysse se cramponne au figuier pour éviter de tomber dans les gouffres de Charybde. Perse et Juvénal font tous les deux allusion à la capacité du figuier sauvage de briser les rochers, voir Perse, 1. 25 et Juvénal 10. 45.

889–90   *quapropter tumulo…* : Dorat pense sans doute à Horace, *Épodes* 5. 17 : « Iubet sepulcris caprificos erutas… aduri » (« Elle ordonne que des figuiers sauvages arrachés des tombeaux… soient brûlés »).

891   *Quemadmodum…* : sur l'interprétation d'Éole, voir le début de ce commentaire, l. 38–40.

892   θύελλα : (voir *Od.* XII. 409). Dorat continue son explication en développant le parallèle entre le navire et l'État. L'orage qui frappe le navire représente le désordre civil.

894   *tota nauis ad totam ciuitatem* : Dorat poursuit sa comparaison, de sorte que chaque détail aux vers 407–44 reçoit une explication dans cette optique, parfois suggérée par un jeu de mots, par ex. *malus* (« mât ») et *malum* (« mal »). Sur ce passage, voir notre article « Jean Dorat and the Reception of Homer in Renaissance France », p. 271–2.

896–9   *est similis malo…* : voir *Od.* XII. 409. Dorat prône ici la stabilité du gouvernement aristocratique.

899   *tunc arma in sentinam cadunt* : voir *Od*. XII. 410–11 (« la rafale… fait pleuvoir tous les agrès à fond de cale »).

902–6   *Caput autem gubernatoris…* : (voir *Od*. XII. 412). Sur les dangers d'un prince indécis et des divisions nationales, voir l'article de Dudley Wilson et Ann Moss, « Portents, Prophecy and Poetry in Dorat's *Androgyn* Poem of 1570 », in G. Castor et T. Cave, *Neo-Latin and the Vernacular in Renaissance France* (Oxford : Oxford University Press, 1984), 156–73.

905   *Tabulata* : voir *Od*. XII. 441, « Quand je revois mes bois qui sortent de Charybde… ».

907–9   *iacens ex his…* : (voir *Od*. XII. 439). Dorat commente les vers : « c'était l'heure tardive où, pour souper, le juge, ayant entre plaideurs réglé mainte querelle, rentre de l'agora. »

910   *Fulminatio nauis* : voir *Od*. XII. 415–16.

911   *Circumuolutio in orbem* : voir *Od*. XII. 416, ἡ δ' ἐλελίχθη (« le vaisseau tournoya »).

913   κερὰs : sans doute une erreur de la part du disciple de Dorat pour κεραυνός, « foudre » (voir *Od*. XII. 415 et 416). Dorat rapproche le substantif θεῖον (« soufre ») de l'adjectif θεῖος (« divin »), voir *Od*. XII. 417.

915–17   *Cornices…* : (voir *Od*. XII. 418). Dorat emploie le mot *cornix* (« corneille ») pour traduire κορώνη (« corneille » ou « cormoran »). Son commentaire fait allusion à Pline, *Histoire naturelle* X. 13. 30 : « ipsa ales [c'est-à-dire la *cornix*] est inauspicatae garrulitatis. » La citation virgilienne se trouve dans les *Bucoliques*, 1. 18.

918–19   *Noctuae…* : la chouette est le symbole traditionnel de la sagesse, et en tant que tel l'appanage de Minerve ; cf. Érasme, « Ululas Athenas », *Adages* I. 2. 11, cité dans Guy de Tervarent, *Attributs et symboles dans l'art profane*, *s.v.* « chouette » : « La chouette était jadis très chère au peuple d'Athènes et consacrée à Minerve, à cause de ses yeux pers, au moyen desquels elle distingue dans les ténèbres ce que les autres oiseaux ne voient pas. On la croyait donc de bon conseil. »

921–2   *Propertius sic…* : voir Properce, III. 12. 14.

923   *Zephirus* : voir *Od*. XII. 408, 426.

924   *Auster* : voir *Od*. XII. 427 (Νότος).

926–7   *Vespertiliones inter se cohaerere…* : (voir *Od*. XII. 433). Dorat aurait pu trouver cette notion chez Ambroise, *Hexaemeron libri*, V. 111–12 : « Habet et illud hoc vile animal, quod sibi invicem adhaerent, et quasi in speciem botryonis ex aliquo loco pendent, at si se ultima quaeque laxaverint, omnes resolvuntur. Quod fit quodam munere charitatis, quae difficile in hominibus hujus mundi reperitur » (« Ce vil animal possède aussi la qualité suivante, qui consiste à former une masse compacte et à rester suspendue quelque part presque comme une grappe de raisins ; mais si les plus reculés se dégagent, ils se dispersent tous. Ceci arrive grâce à un don de charité, difficile à trouver parmi les hommes de ce monde »).

927   ἀντιπατίαν : Conrad Gesner affirme dans son œuvre *Historiae animalium liber III., De auibus* (Francfort, 1604), p. 768, que le cœur et les ailes des chauves-souris sont antipathiques aux fourmis, non pas la tête : « Vespertilionum pennis... ad formicarum nidos admotis nulla ex ipsis egreditur. » Pline pour sa part attribue des pouvoirs magiques à la chauve-souris, *Histoire naturelle* XXIX. 4. 26 (83) : « si on la promène vivante trois fois autour de la maison et qu'on la cloue ensuite, la tête en bas, en haut d'une fenêtre, cela fait une amulette. »

930–1   *formicae...* : l'assiduité de la fourmi est légendaire, cf. Proverbes 6. 6–8 : « Paresseux, va vers la fourmi : observe sa conduite, et deviens sage. Elle n'a ni chef, ni surveillant, ni maître ; elle prépare sa nourriture en été, et amasse durant la moisson de quoi manger. »

932–7   *similitudinem forensem...* : (voir *Od.* XII. 439–40). Cf. ce que dit Dorat à propos des avocats dans la section sur les Lestrygons (l. 143–4).

938–43   *in figura crucis...* : (voir *Od.* XII. 444, où Ulysse dit : « je me plaque entre mes longues poutres... Je remonte dessus ; je rame des deux mains »). X, le nombre 10, est le plus parfait des nombres parce qu'il résulte de l'addition des quatre premiers nombres (1 + 2 + 3 + 4) ; voir Buffière, *op. cit.*, p. 579–82. Isidore de Séville parle pour sa part de « X littera, quae et figura crucem significat et in numero decem demonstrat » (*Étymologies* I. 3. 11).

947   *Ogygia* : (voir *Od.* XII. 448). La notion qu'Ogygia représente le ciel provient du fait que Calypso, fille d'Atlas, symbolise l'astronomie et l'astrologie (voir à ce sujet Buffière, *op. cit.*, p. 388–9, qui cite Eustathe, 1389. 65 sq.).

949   *ut diximus* : voir l. 181–6.

Des troupeaux du Soleil

Sur cet incident important, voir *Od.* XII. 127–41, 297–302, 312–402. Dorat accepte comme base de son interprétation l'explication d'Aristote : les bœufs et les brebis du Soleil représentent les jours et les nuits dont l'année est composée. A partir de cette idée, il retourne à une considération de l'astrologie : quelles devraient être les limites de la divination pour l'homme sage ?

952–8   *Eustath< ius > citans Aristotelem* : voir *Od.* XII. 129–30 et Eustathe, 1717. 32 sq. : Ἰστέον δὲ ὅτι τὰς ἀγέλας ταύτας καὶ μάλιστα τὰς τῶν βοῶν φασὶ τὸν Ἀριστοτέλην ἀλληγορεῖν εἰς τὰς κατὰ δωδεκάδα τῶν σεληνιακῶν μηνῶν ἡμέρας, γινομένας πεντήκοντα πρὸς ταῖς τριακοσίαις, ὅσος καὶ ὁ ἀριθμὸς ταῖς ἑπτὰ ἀγέλαις, ἐχούσαις ἀνὰ πεντήκοντα ζῷα (« Il faut savoir qu'Aristote affirme que ces troupeaux, surtout les troupeaux de bœufs, parlent allégoriquement des jours des mois lunaires divisés en douze, au nombre de 350, le même nombre que les sept troupeaux qui ont chacun cinquante bêtes »). Voir également Buffière, *op. cit.*, p. 243–5, qui cite d'autres scolies où se trouve la même explication.

959–60   *Boues masculi...* : l'idée que les jours sont mâles provient, selon Dorat, du rapport entre la lumière et la masculinité, suggérée par l'image des cornes.

960–1   *unde etiam Mosem...* : la tradition iconographique selon laquelle Moïse porte des cornes comme symbole de la lumière est fondée sur Exode, 34. 29–30 : « et ignorabat quod cornuta esset facies sua ex consortio sermonis Domini. Videntes autem Aaron et filii Israel cornutam Moysi faciem, timuerunt prope accedere. »

962–3   *vel quod boues...* : voir Ovide, *Métamorphoses* XV. 120–1 : « quid meruere boues, animal sine fraude dolisque, / innocuum, simplex, natum tolerare labores ? »

967–70   *ut apud Ouid< ium >...* : voir *Métamorphoses* XI. 607–8.

971   *madidis nox aduolat alis* : sans doute une allusion aux *Métamorphoses*, I. 264, où les éditions modernes, pourtant, présentent le leçon suivante : « madidis Notus evolat alis. »

974   *Vide initio huius operis* : voir l. 21–6.

976   *Phaetusa et Lampetia* : (voir *Od*. XII. 132). Phaéthuse et Lampétie, filles du Soleil et de Néère, étaient selon Homère (*Od*. XII. 131) les bergères qui s'occupaient des troupeaux du Soleil.

976–8   *Vnde Propertius...* : voir Properce, III. 12. 30. Dans les éditions modernes, « solis » est remplacé par « Phoebo ».

979   *ut metamorph[oseon] 2. Ouidius docet* : voir *Métamorphoses* II. 340–9 : « Les Héliades ne sont pas moins désolées [par la mort de Phaéton] ; ... L'une des sœurs, Phaétuse, la plus âgée, qui voulait se prosterner sur la terre, se plaignait que ses pieds étaient devenus rigides ; en s'efforçant d'aller jusqu'à elle, la blanche Lampétie se sentit tout à coup retenue par une racine.... »

980   *ardorem et splendorem* : cf. Natalis Comes, éd. cit., f. 165ʳ : « & Phaethusa ardens, & Lampetie splendens... est », et également dans sa « Nominum explicatio », où il écrit : « Lampetie. splendida illustris, λάμπω enim splendeo significat » (f. 336ʳ), et « Phaetusa. splendens, ardens, ab eodem verbo [φαέθω] » (f. 338ᵛ).

982–4   *Per Neaeram...* : (voir *Od*. XII. 133). Comes (f. 337ᵛ) offre cette fois une étymologie différente de celle de Dorat : « quasi nuper elata, νέως enim nuper, αἱρῶ extollo. » Pour Eustathe, il s'agit plutôt de la jeunesse perpétuelle de cette déesse, mais aussi de son mouvement vers le haut : Νέαιρα, ἡ ἀεὶ νεάζουσα ἐν αὐτῷ καὶ ἀκμαία κίνησις.

984   *per conuersionem* : il est évident que Dorat, comme bien d'autres érudits de sa génération, n'accepte pas les théories sur le système solaire proposées par Copernic dans son traité *De revolutionibus orbium coelestium libri VI*, paru en 1543.

987   *a contemplatione coelestium* : sur cette interprétation de Calypso, voir plus haut, l. 183–6 et l. 580–3.

988   *moly et uinum* : le moly est la plante magique que présente Hermès à Ulysse comme antidote contre les poisons de Circé (*Od*. X. 287–306, 302–6) ; le vin, dont se sert Ulysse pour enivrer le Cyclope Polyphème, lui fut offert par Maron, non pas Hermès (*Od*. IX. 196–7) ; voir *supra*, l. 788 et note.

989–92 *sed damnat eos...* : voir *supra* la section sur les Sirènes, et surtout l. 546–53.

993–6 *Epulae...* : sans doute cette réfutation de la doctrine de la prédestination et de l'influence des astres sur le destin de l'individu vise-t-elle en partie les Protestants, en partie les disciples d'Averroès (voir ci-après l. 1012–13).

996 ἀπὸ τοῦ δαίνεισθαι : ou plutôt δαίνυσθαι ; Dorat commente ici le verbe δαίνυντ᾽, *Od.* XII. 398 (le moyen présent de δαίνυμαι, « prendre sa part du repas »).

998–1002 *Devorare boues...* : (voir *Od.* XII. 364–6). Sur cette explication, voir Buffière, *op. cit.*, p. 244, et n. 67 : « Quand le poète conte qu'ils tuèrent et mangèrent les vaches d'Hélios, il songe à tous ces jours consumés dans l'oisiveté. » Selon Buffière, c'est Aristote, dans ses *Problèmes homériques*, qui fut l'initiateur de cette explication, transmise par les scolies.

1000 *ut ait Horat< ius >...* : voir Horace, *Odes* I. 1. 19–21, « est qui nec ueteris pocula Massici / nec partem solido demere de die / spernit ». L'expression signifie « prendre sur le jour entier un temps pour le repos ou le plaisir ».

1001 *Achillis* : lapsus de la part de notre étudiant.

1003 *Apud Platonem Sol et Iuppiter...* : voir *supra*, l. 703 et note. Dorat pense également, peut-être, à la fin du livre VI de la *République*, où Socrate parle de l'importance du soleil : « Eh bien, maintenant, sache-le, repris-je, c'est le soleil que j'entendais par le fils du bien, que le bien a engendré à sa propre ressemblance, et qui est, dans le monde visible, par rapport à la vue et aux objets visibles, ce que le bien est dans le monde intelligible, par rapport à l'intelligence et aux objets intelligibles » (508b–c). Voir également Buffière, *op. cit.*, p. 200, n. 69 : « Devenu dieu cosmique, le soleil fut, bien sûr, identifié à Zeus. Selon Eustathe (128, 14), Zeus s'en allant banqueter chez les Éthiopiens (*Il.*, I, 423), c'est le soleil s'éloignant vers le midi et le pays des nègres. »

1004 *diuersa quoque sortitur nomina* : l'idée que, chez les anciens, Dieu recevait des noms différents selon ses différentes fonctions est très chère à Ronsard ; voir, par ex., « L'Hymne de la Justice », éd. cit. VIII. 69. 473–6 : « Car Jupiter, Pallas, Apollon, sont les noms / Que le seul DIEU reçoit en meintes nations / Pour ses divers effectz que l'on ne peut comprendre, / Si par mille surnoms on ne les fait entendre », et *L'Abbregé de l'art poëtique françois*, éd. cit., XIV. 4. 8–19.

1006 *Sol conqueritur apud Iouem* : voir *Od.* XII. 377–83, où le Soleil commence son discours à Zeus par les paroles : « Zeus le Père et vous tous, éternels Bienheureux, faites payer aux gens de ce fils de Laerte le meurtre de mes bêtes. »

1008 *Sol minatur tenebras mundo* : (voir *Od.* XII. 382–3). Dorat développe ici sa condamnation de la nécromancie et de l'astrologie, ainsi que l'idée que les astres peuvent exercer une influence directe sur les hommes. Ronsard, pour sa part, ne partage pas entièrement l'opinion de son maître en ce qui concerne l'influence astrologique sur la vie humaine, tout en affirmant pourtant que les astres ne peuvent pas influencer les âmes ; voir « L'Hymne des Astres », v. 97–8 : « Les Estoilles adonc seulles se firent dames / Sur tous les corps humains, & non dessus les ames.... »

1012–13 *Sicut Auerrois et alij multi...* : sur l'astrologie dans la pensée d'Averroès et de ses adeptes, voir Nancy G. Siraisi, *Avicenna in Renaissance Italy : The* Canon *and*

Medical Teaching in Italian Universities after 1500 (Princeton : Princeton University Press, 1987), p. 250–1, et 279–89. Elle cite Giambatista Da Monte, *In nonum librum Rhasis ad Mansorem regem Arabum expositio* (Venise, 1554), qui prétend pour sa part que « the correct belief of all the Greeks together with Averroes was that mixed bodies were generated from the elements by celestial Intelligences, not through any intention on their part, but rather as a result of the influence of the heavenly bodies, the different aspects and positions of the latter being responsible for the diversification of species and the different characters of human beings » (p. 250).

1013–14 *Sicut etiam Eurylochus* : (voir *Od.* XII. 340–51). Effectivement, c'est Euryloque qui persuade les compagnons d'Ulysse de débarquer sur l'île de Trinacrie, et ensuite de tuer et manger des bœufs appartenant au Soleil. Selon Comes, ce nom signifie « late insidians, siue insidiis abundans. λόχος insidiae dicuntur » (*Mythologiae*, éd. cit., f. 334ᵛ). C'est là d'ailleurs l'explication offerte par Dorat *supra*, l. 671–2. Ici, pourtant, il adapte l'étymologie de ce nom en fonction des circonstances de l'histoire.

1016–21 *et uinum et fruges...* : (voir *Od.* XII. 363 et 358). Le vin et le grain symbolisent également l'Eucharistie. Dorat semble rapprocher ici la tradition païenne (« ueteres in sacrificijs ») de la tradition chrétienne (« feruor contemplantis animi... pabulum animi »). Abandonner les symboles de la messe entraîne la déshumanisation.

1022 *Per pisces... per aues* : (voir *Od.* XII. 331). Symbolisme tout à fait conventionnel dans les beaux-arts pour représenter ces deux éléments ; voir Tervarent, *Attributs et symboles dans l'art profane*, éd. cit., p. 340–1, *s.v.* Oiseau, et James Hall, *Dictionary of Subjects and Symbols in Art* (New York, Hagerstown, San Francisco, Londres : Icon Editions, 1974), p. 122, *s.v.* Fish.

1026–7 *Stellae igitur...* : Dorat précise, donc, que les astres peuvent indiquer l'avenir, non pas le déterminer ; cf. l'opinion de Plotin, citée dans la note sur l. 1109–14. Pour la notion que les astres prédisent plus particulièrement les conditions météorologiques, voir Virgile, *Géorgiques* I. 351 sq.

1028 *Iuppiter...* : voir *Od.* XII. 377, 384.

1028 *Mercurius* : voir *Od.* XII. 390.

1029 αὐτολογὸν : mot employé par Origène, *Contre Celse* II. 31, où c'est Jésus qui est présenté comme « le verbe même de Dieu » : « Il accuse ensuite les *chrétiens d'user de sophismes quand ils disent que le Fils de Dieu est son propre Logos* [τὸν υἱὸν τοῦ θεοῦ εἶναι αὐτολόγον]. » Voir Origène, *Contre Celse*, Introduction, texte critique, traduction et notes par Marcel Borret (Paris : Les Éditions du cerf, 1967), p. 362–3. Dans le même traité (II. 76), Origène commente *Odyssée* X. 281, XII. 45 et 184 sur Hermès et sur les Sirènes : « Comment, mon brave, quand Hermès dans Homère dit à Ulysse : "Pourquoi donc, malheureux, t'en vas-tu seul le long de ces coteaux ?" tu supportes qu'on le justifie en disant qu'Hermès chez Homère interpelle Ulysse de la sorte pour le ramener au devoir — car les paroles flatteuses et caressantes sont le fait des Sirènes, près de qui s'élève "tout autour un tas d'ossements", elles qui disent : "Viens ici, viens à nous, Ulysse tant vanté, l'honneur de l'Achaïe." »

1029 *Calypso* : (voir *Od.* XII. 389). Nous avons rencontré cette interprétation de Calypso à plusieurs reprises, cf. *supra*, l. 183–6, 580–3, 987. Dans le texte homérique, Ulysse explique que « ce fut de Calypso, la nymphe aux beaux cheveux, que j'appris ces discours [du Soleil et de Zeus], qu'elle disait tenir d'Hermès le messager ». Dans les deux interprétations, allégorique et littérale, Calypso sert d'intermède entre le monde divin et le monde humain.

1031–2 *Per tegora et pelles* : (voir *Od.* XII. 395). Cf. l'explication de l'outre dans laquelle Éole enferme les vents, l. 41–4.

1033   *uerua* : voir *Od.* XII. 395.

1035–6 *Non aliter quam Hercules…* : voir *Il.* V. 393. Héraclite le Rhéteur offre une explication plus abstraite de cet incident : « Homère lui nous présente Héra blessée par Héraclès : l'air épais, placé comme un brouillard devant l'intelligence de chacun, Héraclès fut le premier à l'éclaircir, grâce aux lumières de la divine raison » (éd. cit., ch. 34).

1038–41 *Per sex dies…* : voir *Od.* XII. 397. Noter encore une fois le syncrétisme de Dorat, l. 1039–41.

1044–8 *Idem de Dyonisio…* : pour cet incident, voir Valère Maxime, ch. I (« De religione »), *externa* 3 : « Originaire de Syracuse, Denys a cru bon d'accompagner tous les sacrilèges que nous connaissons maintenant sous son nom de plaisanteries faites pour son bon plaisir. C'est ainsi qu'il avait pillé le sanctuaire de Proserpine à Locres et qu'il allait en mer avec sa flotte sous un vent favorable quand il dit en riant à ses amis : "Voyez-vous comme elle est bonne la traversée que les dieux immortels offrent d'eux-mêmes aux sacrilèges ?"… Car si la colère des dieux n'arrive que lentement à la vengeance qu'ils réclament, elle compense le retard de la peine par sa rigueur. »

L'Hymne de Vénus

Dans les éditions des *Hymnes homériques* que Dorat aurait connues, il manquait les deux premiers hymnes des éditions modernes, dédiés à Bacchus et à Cérès. Ainsi donc, les trois premiers hymnes étaient dédiés à Apollon, à Hermès, et à Aphrodite. Il semble que les pages consacrées à « L'Hymne à Aphrodite » ne représentent que le début d'un cours que notre étudiant n'a pas complété.

1050–2 *Qui reliquos imitantur…* : cette théorie de l'imitation littéraire était très répandue à la Renaissance ; voir, par exemple, *L'Art poétique* de M. G. Vida, dont l'édition princeps date de 1527 : « Cum vero cultius moliris furta poetis, / Cautius ingredere, et raptus memor occule versis / Verborum indiciis, atque ordine falle legentes / Mutato : nova sit facies, nova prorsus imago. / Munere (nec longum tempus) vix ipse peracto / Dicta recognosces veteris mutata poetae » (*Art poétique* III. 217–22). Voir à ce sujet notre ouvrage, *George Buchanan, Prince of Poets* (Aberdeen : Aberdeen University Press, 1982), p. 24–7.

1053–4 *Ideam perfectae sapientiae…* : Dorat pense aux *Argonautiques* d'[Orphée], ainsi qu'aux poèmes d'Apollonius de Rhodes et de Valérius Flaccus pour l'histoire de Jason ; aux Stoïciens, qui considèrent Hercule comme l'exemple parfait du sage ; et à Homère pour les aventures d'Ulysse.

1056-7 *Xenophon...* : la *Cyropédie* de Xénophon inspira plusieurs pièces de théâtre en France dès la fin du seizième siècle ; voir notre édition de la *Panthée* d'Alexandre Hardy (Exeter : University of Exeter, 1984), p. IX–XVI.

1058-61 *Aeneae natalia...* : Dorat considère, donc, que l'importance de « L'Hymne à Aphrodite » réside dans la description des circonstances qui aboutissent à la naissance d'Énée. Pour Homère, de même que pour les astrologues, affirme Dorat, l'heure précise de la naissance est primordiale pour l'avenir de l'individu ; cf. la pratique de Jérôme Cardan dans ses *Geniturae* (voir *supra*, l. 77–8 et note).

1063 *non sunt epitomici quales apud Orpheum* : les hymnes attribués par la Renaissance à Orphée étaient plutôt des compositions, écrites en dialecte homérique, datant du deuxième siècle apr. J.-C.

1065-7 *nonnulli tamen adhuc dubitant...* : Dorat défend l'authenticité des *Hymnes homériques*, rejetant des objections de nature lexicale formulées contre ceux-ci.

1069 *camella in fastis* : voir *Fastes* IV. 779, « tum licet adposita, ueluti cratere, camella ». Le mot *camella* (« écuelle ») se trouve également chez Pétrone (*Satiricon* 135), mais les éditions de cette œuvre au XVIe siècle étaient incomplètes.

1069-70 *apud Virgil< ium >* : il est donc évident que Dorat accepte en général l'authenticité de l'*Appendix Virgiliana*. Il considère que ces œuvres, tout comme les *Hymnes homériques* dans le cas d'Homère, sont les *juvenilia* de Virgile ; en revanche, pour son attribution de la *Ciris* à Gallus, voir *supra*, l. 719–20.

1071-3 *Ita Homerus...* : Dorat fait allusion ici à l' « Hymne à Apollon », v. 166–73, qui confirmerait pour lui l'identité de l'auteur des *Hymnes* : « Mais pensez à moi plus tard, quand un homme de la terre, un de ces étrangers qui ont beaucoup souffert, viendra vous demander : "Jeunes filles, quel est pour vous, parmi les poètes d'ici, l'auteur des chants les plus doux, et qui vous plaît davantage ?" Alors toutes — oui toutes ! — en réponse dites-lui de nous : "C'est un homme aveugle ; il demeure dans l'âpre Chios ; tous ces chants sont à jamais les premiers." »

1074 *ut Pindarus docet* : voir *Néméennes* 2. 1–3 : ὅθεν περ καὶ Ὁμηρίδαι / ῥαπτῶν ἐπέων τὰ πόλλ' ἀοιδοὶ / ἄρχονται, Διὸς ἐκ προοιμίου (« Imitons les Homérides, ces aèdes qui, dans les chants qu'ils enchaînent, aiment en leur prélude à commencer par Zeus »).

1075 *ex Callimacho* : pour l'influence d'Homère sur Callimaque, voir la note sur l. 1093–6.

1076-9 *Quemadmodum uero inter tragicos...* : notons ici que, loin d'être intéressé uniquement par des questions herméneutiques ou philologiques, Dorat possède également un important sens esthétique à l'égard des auteurs qu'il étudie et que, pour ce qui est du style, il prône surtout la *mediocritas*.

1079-80 *Nam ut ait Gallus* : en fait, il s'agit d'une citation de Maximien, dont les *Élégies* étaient attribuées à Cornelius Gallus dans les éditions de la Renaissance (cf. *Cornelii Galli fragmenta* (Venise : B. de Vitalibus, 1501) et *Cornelii Galli quae recolligi potuere fragmenta : Ascensiana accuratiore reimpressa* (Paris : I. Petit, 1503). Voir François Spaltenstein, *Commentaire des Élégies de Maximien*, Bibliotheca Helvetica Romana, XX (Vevey ; Institut suisse de Rome, 1983). Pour le texte, voir

Aemilius Baehrens, éd., *Poetae Latini Minores*, t. V (Leipzig : Teubner, 1883), 313–48. Le vers cité par Dorat vient de la première élégie, v. 82.

1081–2   *Ita Homerus...* : il est intéressant de constater, dans le contexte des premiers hymnes de Ronsard, que Dorat considère les *Odes* de Pindare comparables aux hymnes de Callimaque et d'Homère, car le Vendômois hésite lui-même entre des formes qui relèvent plutôt de l'ode et d'autres formes plus typiques de l'hymne ancien dans ses compositions de 1554–5.

1082–6   *Praeterea aduertendum est...* : évidemment, cette affirmation sur la nécessité d'une lecture allégorique de la poésie ancienne est à la base de toute la méthodologie de Dorat.

1085–6   *apud Aesopum* : il s'agit sans doute de la fable 206 de l'édition de la Collection Budé, Λέων καὶ μῦς.

1087–92   *Poetae enim...* : il s'agit ici d'une explication essentiellement morale des dieux antiques.

1093–6   *Callimachus...* : pour démontrer que Callimaque a imité Homère dans ses hymnes, Dorat tient à dresser des parallèles entre les compositions d'Homère dédiées à Apollon, Hermès, et Aphrodite, et celles de Callimaque dédiées à Zeus, Apollon, et Artémis. Selon Dorat, Callimaque n'aurait fait que changer les noms, conformément à sa théorie de l'imitation développée au début de cette section.

1099–00   *apud Macrob< ium >* : voir *Saturnales* VII. 16. 27 : « hinc est quod Diana, quae luna est, Ἄρτεμις dicitur quasi ἀερότεμις hoc est aerem secans » (« c'est la raison pour laquelle Diane, qui est la lune, est appelée Artémis ou *aérotemis*, pour ainsi dire "qui fend l'air" »). Ce n'est pas là l'explication offerte dans le *Cratyle*, 406 b.

1100–1   *Poetae debent esse Mercuriales* : voir encore la section sur l'imitation, l. 1050–2. Mercure était le patron des voleurs, mais aussi des poètes ; cf. Horace, *Odes* II. 17. 29–30, où il appelle les poètes « Mercurialium / ... uirorum ».

1103–4   *in ordine Planetarum* : comme nous l'avons déjà fait constater, Dorat, comme la plupart des humanistes du seizième siècle, conçoit l'univers en termes du système de Ptolomée. Ainsi donc, la terre est au centre de l'univers, et l'ordre des « planètes » qui tournent autour de la terre est le suivant : la lune, Mercure, Vénus, le Soleil, Mars, Jupiter, Saturne. L'ordre véritable des planètes qui gravitent autour du soleil est, bien entendu : Mercure, Vénus, la terre, Mars, Jupiter, Saturne (avec ensuite Uranus, Neptune, Pluton, tous les trois inconnus au seizième siècle).

1109–14   *Nec temere Plotinus Platonicique...* : Plotin discute de l'influence des astres sur les affaires humaines dans deux traités en particulier : *Ennéades* II. 3, « De l'influence des astres », et III. 1, « Du destin ». En général, il affirme que les astres « présagent tout ce qui arrive dans le monde sensible ; mais ils ne sont les causes que des événements qu'ils produisent manifestement » (II. 3. 8). Dans le traité « Du destin », il écrit : « Mais comment [les astres] produisent-ils les caractères, les occupations et en particulier celles qui, semble-t-il, ne dépendent pas du tout des tempéraments physiques, comme celles de grammairien, de géomètre, de joueur de dés ou d'inventeur ?... Il faut dire plutôt que le mouvement de translation des astres se rapporte à la conservation de l'univers mais qu'il sert aussi à un autre usage ; en tournant ses regards vers les astres comme vers des lettres, celui qui connaît un pareil alphabet lit l'avenir d'après les figures qu'ils forment. »

De Vénus

1122–35 *Venus ap< p >ellatur* : sur l'étymologie d'Aphrodite, voir Platon, *Le Cratyle* 406c–d : « Quant à Aphrodite il ne vaut pas la peine de contredire Hésiode, et il faut lui accorder que c'est pour être née de l'*écume* (*aphros*) qu'elle a été nommée *Aphrodite* » ; cf. *Théogonie* 195–7, et *supra*, l. 852 et note.

1124 ἀυροδιαίτη : la prononciation du grec employée par les humanistes français était manifestement en partie basée sur celle des réfugiés de Constantinople, où les lettres β et υ auraient été prononcées [v], d'où la confusion entre ἀυροδιαίτη et ἀβροδιαίτη.

1125 ἀφολοδέτη : ce mot n'existe pas. S'agit-il plutôt de ἀφόρητη (« insupportable ») ?

1128–30 *Vt ait Cornel< ius > Gal< lus >* : il s'agit encore des *Élégies* de Maximien, 5. 129–30. Le texte de l'édition Teubner présente la leçon « inuictas » au lieu d' « inuitas » au v. 130.

1131–5 *apud Ouid< ium >...* : voir *Les Métamorphoses* IV. 537–8.

1136–9 *Non est corporea...* : Dorat pense ici aux distinctions établies par Diotima dans le *Banquet* de Platon, 206b–c, entre l'amour physique et l'amour spirituel : « Cette manière d'agir, vois-tu, consiste en un enfantement dans la beauté, et selon le corps, et selon l'âme…. Une fécondité, vois-tu, Socrate, existe, dit-elle, chez tous les hommes : fécondité selon le corps, fécondité selon l'âme, et, quand on en est venu à un certain âge, alors notre nature est impatiente d'enfanter. » De plus, Dorat aurait présent à l'esprit le commentaire de Ficin sur le *Banquet* ; voir *Commentaire sur le Banquet de Platon : Texte du manuscrit autographe*, éd. Raymond Marcel (Paris : Les Belles Lettres, 1956), p. 154 : « Denique ut summatim dicam, duplex est Venus. Altera sane est intelligentia illa, quam in mente angelica posuimus. Altera, vis generandi anime mundi tributa. Utraque sui similem habet amorem. »

1139–41 *Illa prior informatur...* : toujours selon Ficin, *ibid.*, la Vénus qui exerce une influence directe sur les hommes reçoit de la Vénus céleste les étincelles de la lumière divine, qu'elle peut faire passer dans la matière du monde.

1143 *quae pulchritudo diuinitus hominibus contigit* : cf. Ficin, éd. cit., p. 154 : « la présence de telles étincelles fait que chaque corps de ce monde apparaît beau dans la mesure de sa capacité. »

1145 θεῶν ἀπὸ κάλλος ἔχοντα : voir l' « Hymne à Aphrodite », 77.

1147–54 *Plato transtulisse haec uidetur...* : voir le *Banquet* 203 : « le jour où naquit Aphrodite, les dieux banquetaient, et parmi eux était le fils de Sagesse [*Mètis*], Expédient [*Poros*]. Or, quand ils eurent fini de dîner, arriva Pauvreté [*Pénia*], dans l'intention de mendier, car on avait fait bonne chère, et elle se tenait contre la porte. Sur ces entrefaites, Expédient, qui s'était enivré de nectar (car le vin n'existait pas encore), pénétra dans le jardin de Zeus, et, appesanti par l'ivresse, il s'y endormit. Et voilà que Pauvreté, songeant que rien jamais n'est expédient pour elle, médite de se faire faire un enfant par Expédient lui-même. Elle s'étend donc auprès de lui, et c'est ainsi qu'elle devint grosse d'Amour. Voilà aussi la raison pour laquelle Amour est le suivant d'Aphrodite et son servant ; parce qu'il a été engendré pendant la fête de naissance de celle-ci, et qu'en même temps l'objet dont il est par nature épris, c'est la beauté, et qu'Aphrodite est belle. »

1155-6   *Vergil< ius > in Aeneid< e >* : il s'agit plutôt des *Géorgiques* I. 145-6.

1160   *in pastoribus id est regibus* : cf. l. 142-3, où Dorat interprète également les bergers en termes de rois, parallèle sans doute suggéré par l'épithète homérique appliquée à Agamemnon, ποιμὴν λαῶν.

1164-5   *Venus captu humano uenit ornata...* : voir « Hymne à Aphrodite », 81-3 : « Elle vint se dresser devant lui — Aphrodite, la fille de Zeus ! — en prenant l'apparence et la taille d'une vierge ignorante du joug, afin qu'il n'eût point peur en l'apercevant de ses yeux. ».

1167-9   *Homerus lib< ro > ι. odyss< eae >...* : en fait, il s'agit d' *Od.* X. 573-4.

1171   κύπρις : voir « Hymne à Aphrodite », 2. Selon le *Thesaurus Graecae Linguae* d'Henri Estienne, « De etymologia nominis multa disputat schol. Hom. Il. E, 422, qui non a Cypro insula derivatum, sed κατὰ συγκοπὴν ex κυόπορις contractum esse contendit, quod τὴν τὸ κύειν πορίζουσαν significet : quam opinionem sequitur Suidas » (« La scolie à *Iliade* V. 422 discute en détail de l'étymologie de ce nom, affirmant qu'il dérive non pas de l'île de Chypre mais qu'il est contracté par syncope de *kyoporis*, qui signifie "celle qui procure les grossesses" ; Suidas est de cet avis »). Il s'agit de la scolie du Venetus B, voir Buffière, *op. cit.*, p. 61. Voir aussi Suidas, *s.v.* Κύπρις : « épithète d'Aphrodite : *kyoporis tis ousa*. »

1172-5   *at contra Athenae...* : l'explication étymologique offerte ici par Dorat n'est pas celle de Platon dans le *Cratyle* 407b : « La plupart de ceux-ci [c'est-à-dire les connaisseurs en poésie homérique], commentant le poète, prétendent qu'il a fait d'*Athéna* l'esprit et la pensée même ; l'auteur des noms avait d'elle, apparemment, une idée analogue ; allant plus loin encore, et voulant désigner l'*intelligence de la divinité* (*théou noêsis*), il déclare... qu'elle est la *raison divine* (*ha théonoa*).... Mais peut-être n'est-ce pas non plus la raison, et estimait-il qu'elle *conçoit* mieux que les autres *les choses divines* (*ta théïa noousa*), en l'appelant *Théonoê*. » Par contre, Natalis Comes est essentiellement de l'avis de Dorat : « ἀθηνα a θεῖν lac sugere, a privat. sine matre enim fuit. »

1174   θιλὴ *id est nutrix* : le mot θηλὴ signifie en fait « bout de sein » ; θηλονὴ a le sens de « nourrice », et θηλάζω veut dire « allaiter ». Le *Thesaurus Linguae Graecae* affirme également à propos d'Athéné « dicta autem hoc nomine putatur quasi Ἀθὴλη, quod ubera non suxerit, utpote e capite Jovis prognata (V. Eustath. ad Il. A, p. 83) ».

1175-6   *uide Caelium...* : il s'agit de Lodovicus Caelius Rhodiginus, dont les *Lectionum antiquarum libri* connurent plusieurs éditions au XVIe siècle. Dorat aurait consulté l'édition publiée en 1517 par Josse Bade et Jehan Petit à Paris, où nous lisons, livre 8, chapitre 18, p. 354 : « ita Pallas prouidentiam significat intellectualem. Vnde & graece dici ἀθήνη videtur, quasi Athrena de praeuidendi potestate : quamuis Mythici sic dictam putent, quod de Iouis capite prosiluerit integrae puellae aestatis, nec vbera sugere fuerit necesse, quod θηλάζειν dicunt Graeci, & scribit Eustathius. »

1177   ἵερος uel ερως : voir « Hymne à Aphrodite », 91 et 144, ᾿Αγχίσην δ᾿ ἔρος εἷλεν (« le désir s'empara d'Anchise »).

1178   ἵμερος : voir « Hymne à Aphrodite », 53, 57, 73, 143.

1180-2   Ammonius... : l'œuvre dont il s'agit ici est le traité Περὶ ὁμοίων καὶ διάφορων λέξεων. La citation est une traduction un peu approximative d'Ammonius 192 : ἔρως μέν ἐστι ἐπιβολὴ φιλοποιΐας, πόθος δ᾿ ἀπόντος, ἵμερος δ᾿ ἔρως σπανίζων τῆς πρὸς τὸν ἐρώμενον χρείας (« Érôs est une lutte pour gagner une amitié, pothos est l'amour de ce qui est absent, himéros un amour privé de relations avec l'objet aimé »). Noter dans le commentaire l'orthographe de πότος au lieu de πόθος.

1183   Aves nuncupantur διειπετεὶς... : voir « Hymne à Aphrodite », 4. Dans son édition des Hymnes, Jean Humbert explique que « le sens de l'adjectif διιπετής était tout à fait obscur pour les Anciens. Souvent appliqué à des fleuves..., il signifiait, selon Hésychius, "gonflé par les pluies de Zeus".... Les scholies de l'Odyssée (δ 477) semblent plus près de la vérité en le glosant par "né de Zeus, qui vient de Zeus" ».

1186-8   Lucretius : il s'agit, bien sûr, de Lucrèce I. 1.

De Minerve, de Vesta, et de Diane

Cette dernière section du commentaire — manifestement inachevée — concerne les v. 7-32 de l'hymne, qui commence par les mots : τρισσὰς δ᾿ οὐ δύναται πεπιθεῖν φρένας οὐδ᾿ ἀπατῆσαι (« Mais il y a trois cœurs qu'elle ne peut persuader ni séduire »).

1194-6   cum enim... : Dorat tient à souligner ici l'importance du génie individuel plutôt que l'éducation pour le développement des connaissances scientifiques.

1197-8   Vnde canit Gallus... : encore une fois, il s'agit de Maximien, Élégies 5. 54.

1199   Et Propert< ius >... : voir Properce, III. 9. 20.

1201   ad solam reminiscentiam : allusion à la théorie de la réminiscence, développée par Platon dans le Phédon, selon laquelle toute connaissance est le souvenir d'une existence précédente, où l'âme jouissait d'une vue plus directe des Idées.

1206-9   quod Ouid< ius > scribit... : voir Les Remèdes à l'amour, v. 149 et 144.

1210-12   Paulo post : ibid., 199-200

1219-20   Vide Hesiod.... : Travaux et jours 740-1 ; voir supra, l. 197-8 et note. Érasme se réfère à ces vers dans son adage « Illotis manibus », I. 9. 55.

BIBLIOGRAPHIE

ŒUVRES DE RÉFÉRENCE

BRIQUET, C. M., *Les Filigranes : Dictionnaire historique des marques du papier dès leur apparition vers 1282 jusqu'en 1600*, 1ère édition 1907 (Amsterdam : The Paper Publication Society, 1968 ; en fac-similé)

GAFFIOT, F., *Dictionnaire Latin-Français* (Paris : Hachette, 1934)

HALL, James, *Dictionary of Subjects and Symbols in Art* (New York, Hagerstown, San Francisco, Londres : Harper & Row, 1979)

HUGUET, E., *Dictionnaire de la langue française au seizième siècle* (Paris : Champion, 1925–67)

MAGNIEN, Victor et Maurice LACROIX, *Dictionnaire Grec-Français* (Paris : Librairie classique Eugène Belin, 1969)

SUIDAS, *Suidae Lexicon*, éd. Ada Adler, 5 t. (Stuttgart : Teubner, 1967–71)

TERVARENT, Guy de, *Attributs et symboles dans l'art profane : dictionnaire d'un langage perdu (1450–1600)* (Genève: Droz, 1958–64 ; réimpr. 1997)

Thesaurus Graecae Linguae, ab Henrico Stephano constructus, 8 t. (Paris : Ambroise Firmin Didot, 1831–65)

AUTEURS ANTIQUES ET MÉDIÉVAUX

AMBROISE, *Hexaemeron libri sex*, in *Patrologiae cursus completus*, éd. J.-P. Migne, t. XIV (Paris, 1845)

AMMONIUS, *De adfinium vocabulorum differentia*, éd. K. Nickau (Leipzig : Teubner, 1966)

ANON., *Moralis interpretatio errorum Ulyssis Homerici*, éd. et tr. par Conrad Gesner (Zurich : Froschauer, 1542)

Anthologie grecque, livre XII, texte établi et traduit par Robert Aubreton, avec le concours de Félix Buffière et Jean Irigoin (Paris : Les Belles Lettres, 1994)

APHTHONIUS, *Progymnasmata*, éd. Hugo Rabe (Leipzig : Teubner, 1928)

APOLLODORE, *The Library*, tr. Sir James George Frazer, 2 t. (Londres et Cambridge, MA : Heinemann et Harvard University Press, 1967)

APULÉE, *Les Métamorphoses*, texte établi et traduit par Paul Vallette, 3 t. (Paris : Les Belles Lettres, 1940–6)

ARATOS, *Les Phénomènes*, texte établi et traduit par André Le Bœuffle (Paris : Les Belles Lettres, 1975)

ARISTOTE, *De l'âme*, texte établi et traduit par A. Jannone et E. Barbotin (Paris : Les Belles Lettres, 1966)

—, *Histoire des animaux*, texte établi et traduit par Pierre Louis, 3 t. (Paris : Les Belles Lettres, 1964–9)

—, *Politique*, texte établi et traduit par Jean Aubonnet, 5 t. (Paris : Les Belles Lettres, 1960–89)

ATHÉNÉE DE NAUCRATIS, *Les Deipnosophistes*, texte établi et traduit par A. M. Desrousseaux, avec le concours de Charles Astreu (Paris : Les Belles Lettres, 1956–)

AUGUSTIN, Saint, *La Cité de Dieu*, traduction de G. Combès, t. 33–37 des *Œuvres de Saint Augustin* (Bruges : Desclée De Brouwer, 1959–60)

AUSONE, *The Works of Ausonius*, edited with introduction and commentary by R. P. H. Green (Oxford : Clarendon Press, 1991)

AULU-GELLE, *Les Nuits attiques*, texte établi et traduit par René Marache et Yvette Julien, 4 t. (Paris : Les Belles Lettres, 1967–98)

BERNARDUS, Silvestris, *The Commentary on the First Six Books of the Aeneid of Vergil Commonly Attributed to Bernardus Silvestris*, a new critical edition by Julian Ward Jones et Elizabeth Frances Jones (Lincoln, Nebraska et Londres : University of Nebraska Press, 1977)

CASSIANUS BASSUS, *Geoponica : sive Cassiani Bassi scholastici de re rustica eclogae*, éd. Heinrich Beckh (Leipzig : Teubner, 1895)

CATULLE, *Poésies*, texte établi et traduit par Georges Lafaye (Paris : Les Belles Lettres, 1922)

CICÉRON, *Caton l'Ancien (De la vieillesse)*, texte établi et traduit par P. Wuilleumier, (Paris : Les Belles Lettres, 1940)

—, *Des termes extrêmes des biens et des maux*, texte établi et traduit par Jules Martha, 2 t. (Paris : Les Belles Lettres, 1928–30)

CLAUDIEN, *Carmina*, éd. John Barrie Hall (Leipzig : Teubner, 1985)

—, *Le Rapt de Proserpine*, texte établi et traduit par Jean-Louis Charlet (Paris : Les Belles Lettres, 1991)

DIODORE DE SICILE, *Bibliothèque historique*, texte établi et traduit par Pierre Bertrac et Yvonne Vernière, (Paris : Les Belles Lettres, 1972–)

ÉLIEN, *De natura animalium libri XVII : Varia historia, epistolae, fragmenta*, éd. Rudolf Hercher, 2 t. (Leipzig : Teubner, 1864–6)

ÉSOPE, *Fables*, texte établi et traduit par Émile Chambry (Paris : Les Belles Lettres, 1927)

EUSTATHE, *Commentarii ad Homeri Iliadem*, éd. M. van der Valk, 5 t. (Leyde : Brill, 1971–95)

—, *Commentarii ad Homeri Odysseam*, 2 t. (Leipzig, 1825–6)

HÉRACLITE LE RHÉTEUR, *Heraclidis Pontici, qui Aristotelis aetate vixit, Allegoriae in Homeri fabulas de diis, nunc primum e Graeco sermone translatae*, éd. et tr. par Conrad Gesner (Bâle : Oporin, 1544)

—, *Allégories d'Homère*, texte établi et traduit par Félix Buffière (Paris : Les Belles Lettres, 1989, 2ᵉ tirage mis à jour)

HÉRACLITE, *De incredibilibus*, in *Mythographi Graeci*, III. 2, éd. N. Festa (Leipzig: Teubner, 1902)

HÉRODOTE, *Histoires*, texte établi et traduit par Ph. E. Legrand, 11 t. (Paris : Les Belles Lettres, 1932–54)

HÉSIODE, *Théogonie, Les Travaux et les jours, Le Bouclier*, texte établi et traduit par Paul Mazon (Paris : Les Belles Lettres, 1928)

HOMÈRE, *Hymnes*, texte établi et traduit par Jean Humbert (Paris : Les Belles Lettres, 1936)

—, *Iliade*, texte établi et traduit par Paul Mazon, 5 t. (Paris : Les Belles Lettres, 1937–42)

—, *L'Odyssée*, texte établi et traduit par Victor Bérard, 5 t. (Paris : Les Belles Lettres, 1924)

HORACE, *Épîtres*, texte établi et traduit par F. Villeneuve (Paris : Les Belles Lettres, 1934)

—, *Odes et Épodes*, texte établi et traduit par F. Villeneuve (Paris : Les Belles Lettres, 1927)

—, *Satires*, texte établi et traduit par F. Villeneuve (Paris : Les Belles Lettres, 1932)

ISIDORE DE SÉVILLE, *Etymologiarum sive originum libri XX*, texte établi par W. M. Lindsay, 2 t. (Oxford : The Clarendon Press, 1991)

[JAMBLIQUE], *Theologoumena arithmeticae*, éd. Victorius de Falco (Leipzig : Teubner, 1922)

JUVÉNAL, *Satires*, texte établi et traduit par Pierre de Labriolle et François Villeneuve (Paris : Les Belles Lettres, 1921)

LUCRÈCE, *De la nature*, texte établi et traduit par Alfred Arnout, 2 t. (Paris : Les Belles Lettres, 1967–8)

MACROBE, *Commentarii in somnium Scipionis*, éd. James Willis (Leipzig : Teubner, 1970)

—, *Saturnalia*, éd. James Willis (Leipzig : Teubner, 1963)

MANILIUS, *Astronomica*, texte traduit par G. P. Goold (Cambridge, MA et Londres : Harvard University Press et Heinemann, 1977)

MARTIAL, *Epigrammata*, texte établi par W. M. Lindsay (Oxford : Clarendon Press, 1965)

MAXIMIEN, *Élégies*, in *Poetae Latini minores*, éd. Aemilius Baehrens, t. V (Leipzig : Teubner, 1883)

NORISIUS, Henricus, *Variorum exercitationes in S. Augustini Opera*, in *Patrologiae cursus completus*, éd. J.-P. Migne, t. XLVII (Paris, 1849)

ORIGÈNE, *Contre Celse*, Introduction, texte critique, traduction et notes par Marcel Borret (Paris : Les Éditions du cerf, 1967)

[ORPHÉE], *Les Argonautiques orphiques*, texte établi et traduit par François Vian (Paris : Les Belles Lettres, 1987)

OVIDE, *Les Fastes*, texte établi et traduit par Robert Schilling, 2 t. (Paris : Les Belles Lettres, 1992–3)

—, *Métamorphoses*, texte établi et traduit par Georges Lafaye, 3 t. (Paris : Les Belles Lettres, 1928–30)

—, *Les Remèdes à l'amour*, texte établi et traduit par Henri Bornecque (Paris : Les Belles Lettres, 1930)

PALAEPHATUS, *De incrediblibus*, in *Mythographi Graeci*, III. 2, éd. N. Festa (Leipzig : Teubner, 1902)

PAUSANIAS, *Description of Greece*, éd. et tr. W. H. S. Jones, 4 t. (Cambridge, MA et Londres : Harvard University Press et Heinemann, 1965–9)

PERSE, *Satires*, texte établi et traduit par A. Cartault (Paris : Les Belles Lettres, 1929)

PÉTRONE, *Le Satiricon*, texte établi et traduit par Alfred Ernout (Paris : Les Belles Lettres, 1922)

PINDARE, *Odes*, texte établi et traduit par Germaine Aujac, 4 t. (Paris : Les Belles Lettres, 1969)

PLATON, *Le Banquet*, texte établi et traduit par Léon Robin (Paris : Les Belles Lettres, 1951)

—, *Cratyle*, texte établi et traduit par Louis Méridier, (Paris : Les Belles Lettres, 1929 ; réimpr. 1989)

—, *Gorgias*, texte établi et traduit par Alfred Croiset (Paris : Les Belles Lettres, 1923)

—, *Les Lois*, texte établi et traduit par Édouard des Places et A. Diès, 4 t. (Paris : Les Belles Lettres, 1951–6)

—, *Phédon*, texte établi et traduit par Léon Robin (Paris : Les Belles Lettres, 1926 ; réimpr. 1983)

—, *Phèdre*, texte établi et traduit par Léon Robin (Paris : Les Belles Lettres, 1926 ; réimpr. 1983)

—, *La République*, texte établi et traduit par Émile Chambry, 2 t. (Paris : Les Belles Lettres, 1932–4)

PLAUTE, *Comédies*, texte établi et traduit par Aimé Puech, 7 t. (Paris : Les Belles Lettres, 1922–3)

PLINE L'ANCIEN, *Histoire naturelle*, texte établi et traduit par Jean Beaujeu, (Paris : Les Belles Lettres, 1950–)

PLINE LE JEUNE, *Lettres*, texte établi et traduit par Anne-Marie Guillemin, 4 t. (Paris : Les Belles Lettres, 1927–8)

PLOTIN, *Ennéades*, texte établi et traduit par Émile Bréhier, 7 t. (Paris : Les Belles Lettres, 1924–38)

PLUTARQUE, *Isis et Osiris*, texte établi et traduit par Christian Froidefond (Paris : Les Belles Lettres, 1988)

—, *Propos de table*, texte établi et traduit par François Fuhrmann, Françoise Frazier, Jean Sirinelli, 3 t. (Paris : Les Belles Lettres, 1972–96)

—, *Sur l'E de Delphes*, in t. VI des *Œuvres morales*, texte établi et traduit par Robert Flacelière (Paris : Les Belles Lettres, 1974)

—, *Vies*, texte établi et traduit par Robert Flacelière, Émile Chambry, Marcel Juneaux, 16 t. (Paris : Les Belles Lettres, 1957–83)

PORPHYRE, *Commentatio Porphyrii philosophi de Nympharum antro in XIII. libro Odysseae Homericae*, éd. et tr. par Conrad Gesner (Zurich : Froschauer, 1542)

—, *L'Antre des Nymphes*, traduction de Félix Buffière ; voir Buffière, *Les Mythes d'Homère et la pensée grecque*, 597–616

PROCLUS, *Ex commentariis Procli Lycii, philosophi Platonici in libros Platonis de Repub. apologiae quaedam pro Homero, & fabularum aliquot enarrationes*, éd. et tr. par Conrad Gesner (Zurich : Froschauer, 1542)

—, *Commentaire sur la République*, texte traduit et édité par A. J. Festugière, 3 t. (Paris : Vrin, 1970)

PROPERCE, *Élégies*, texte établi et traduit par D. Paganelli (Paris : Les Belles Lettres, 1929)

SERVIUS, voir Virgile, *P. Virgilii Maronis Opera*

[SIBYLLES], *Die Oracula Sibyllina*, éd. Joh. Geffcken (Leipzig: J. C. Hinrichs'sche Buchhandlung, 1902)

STRABON, *Géographie*, texte établi et traduit par Germaine Aujac (Paris : Les Belles Lettres, 1969–)

SUÉTONE, *Vies des douze Césars*, texte établi et traduit par Henri Ailloud, 3 t. (Paris : Les Belles Lettres, 1931–2)

TÉRENCE, *Comédies*, texte établi et traduit par J. Marouzeau, 3 t. (Paris : Les Belles Lettres, 1947–9)

THÉOCRITE, *Idylles*, texte établi et traduit par Ph. E. Legrand (Paris : Les Belles Lettres, 1925)

THÉOPHRASTE, *Recherches sur les plantes*, texte établi et traduit par Suzanne Amigues, (Paris : Les Belles Lettres, 1988–)

TIBULLE, *Tibulle et les auteurs du Corpus Tibullianum*, texte établi et traduit par Max Pouchout (Paris : Les Belles Lettres, 1924)

VALÈRE MAXIME, *Faits et dits mémorables*, texte établi et traduit par Robert Combès (Paris : Les Belles Lettres, 1995–)

VARRON, *Marcus Porcius Cato on Agriculture, Marcus Terentius Varro on Agriculture*, tr. William Davis Hooper, rév. Harrison Boyd Ash (Cambridge, MA : Harvard University Press, 1936)

VIRGILE, *Bucoliques*, texte établi et traduit par E. de Saint-Denis, (Paris : Les Belles Lettres, 1978)

—, *Énéide*, texte établi et traduit par Jacques Perret, 3 t. (Paris : Les Belles Lettres, 1981–2)

—, *Géorgiques*, texte établi et traduit par E. de Saint-Denis, (Paris : Les Belles Lettres, 1956)

—, *P. Virgilii Maronis Opera nunc recens accuratissime castigata. Cum XI. acerrimi iudicii virorum commentariis* (Venise : Junta, 1544 ; édition en fac-similé New York et Londres : Garland, 1976)

XÉNOPHON, *Memorabilia, Oeconomicus*, éd. et tr. par O. J. Todd (Cambridge MA et Londres : Harvard University Press, 1997)

AUTEURS DE LA RENAISSANCE

ALCIAT, André, *Emblemata, cum commentariis Claudii Minois, I.C....* (Padoue : P. P. Tozzi, 1621)

ALI, Aboul Hasan, *Albohazen Haly filii Aben-Ragel libri de iudiciis astrorum*, (Bâle : Henricus Petri, 1551)

AUGUSTINUS, Antonius, *Antonii Augustini Iurecos. Emendationum, & Opinionum Lib. IIII* (Lyon : Jean Frellon, 1560)

BAÏF, Jean-Antoine de, *Euvres en rime de Ian Antoine de Baïf*, éd. Ch. Marty-Laveaux, 5 t. (Paris : A. Aubry, 1881–90 ; Genève : Slatkine Reprints, 1966)

BRODEAU, Jean, *Miscellaneorum libri sex* (Bâle : Jean Oporin, 1555)

BUCHANAN, George, *Opera omnia*, éd. Thomas Ruddiman et Peter Burman, 2 t. (Leyde : Jan Arnold Langerak, 1725)

BUDÉ, Guillaume, *Le Passage de l'hellénisme au christianisme : De transitu Hellenismi ad Christianismum*, Introduction, traduction et annotations par Marie-Madeleine de La Garanderie et Daniel Franklin Penham (Paris : Les Belles Lettres, 1993)

CANTER, Guillaume, *Nouarum lectionum libri septem : in quibus, praeter uariorum autorum, tam Graecorum quam Latinorum, explicationes & emendationes : Athenaei, Agellij, & aliorum fragmenta quaedam in lucem proferuntur*, editio secunda, tribus libris aucta (Bâle : Jean Oporin, 1566)

CARDAN, Jérôme, *Hieronymi Cardani Medici Mediolanensis, Libelli quinque. Quorum duo priores, iam denuo sunt emendati, duo sequentes iam primum in lucem editi, & quintus magna parte auctus est* (Nuremberg : Iohannes Petreius, 1547)

—, *Ma vie*, traduction de Jean Dayre (Paris : Champion, 1936)

CARTARI, Vincenzo, *Imagines deorum qui ab antiquis colebantur* (Lyon : B. Honoratus, 1581)

COMES, Natalis, *Mythologiae, siue explicationum fabularum libri decem* (Venise : Comin da Trino, 1567)

—, édition en fac-similé (New York et Londres : Garland, 1976)

DORAT, Jean, *Les Odes latines*, texte présenté, établi, traduit, annoté par Geneviève Demerson (Clermont-Ferrand : Association des Publications de la Faculté des Lettres et Sciences Humaines de Clermont-Ferrand, 1979)

—, *Sibyllarum duodecim oracula, ex antiquo libro Latine per Ioan. Auratum, poetam & interpretem Regium, & Gallice per Claud. Binetum edita* (Paris : Jean Rabel, 1586)

DU BELLAY, Joachim, *La Deffence et illustration de la langue françoyse*, édition critique par Henri Chamard (Paris : Albert Fontemoing, 1904)

—, *Œuvres poétiques*, édition critique publiée par Henri Chamard, 6 t. (Paris : 1910–31 ; réimpr. Paris : STFM, 1970–85)

—, *Œuvres poétiques : Œuvres latines*, texte présenté, établi, traduit et annoté par Geneviève Demerson, 2 t. (Paris : Librairie Nizet, 1984–85)

ÉRASME, *Omnia opera* (Bâle : Froben, 1540)

FICIN, Marsile, *Commentaire sur le Banquet de Platon : texte du manuscrit autographe*, établi et traduit par Raymond Marcel (Paris : Les Belles Lettres, 1956)

GESNER, Conrad, *Historiae animalium lib. I, de quadrupedibus viviparis* (Francfort : in bibliopolio Cambieriano, 1603)

—, *Historiae animalium liber III., qui est de avium natura* (Francfort : in bibliopolio A. Cambieri, 1604)

MONTAIGNE, *Essais*, présentation, établissement du texte, apparat critique et notes par André Tournon, 3 t. (Paris : Imprimerie nationale, 1998)

RABELAIS, François, *Œuvres complètes*, édition établie, présentée et annotée par Mireille Huchon, avec la collaboration de François Moreau (Paris : Gallimard, 1994)

RHODIGINUS, Lodovicus Caelius, *Lectionum antiquarum libri* (Paris : Josse Bade et Jehan Petit, 1517)

RONSARD, Pierre de, *Œuvres complètes*, édition critique avec introduction et commentaire par Paul Laumonier, révisée et complétée par I. Silver et R. Lebègue, 20 t. (Paris : STFM, 1924–75)

TURNÈBE, Adrien, *Adriani Turnebi Regij philosophiæ græcæ professoris aduersariorum, Tomus primus duodecim libros continens* (Paris : Gabriel Buon, 1564)

VIDA, Marco Girolamo, *Poétique de Vida*, traduite en vers français par J. F. Barrau (Paris, 1808)

ÉTUDES

BÉGUIN, Sylvie, Jean GUILLAUME, Alain ROY, *La Galerie d'Ulysse à Fontainebleau* (Paris : Presses Universitaires de France, 1985)

BOLGAR, R. R., *The Classical Heritage and its Beneficiaries : From the Carolingian Age to the End of the Renaissance* (Cambridge : Cambridge University Press, 1954)

BUFFIÈRE, Félix, *Les Mythes d'Homère dans la pensée grecque* (Paris : Les Belles Lettres, 1973)

CÉARD, Jean, *La Nature et les prodiges : l'insolite au XVIᵉ siècle* (Genève : Droz, 1977 ; réimpr. 1996)

CHAMARD, Henri, *Histoire de la Pléiade*, 4 t. (Paris : Henri Didier, 1939–40)

CHATELAIN, Jean-Marc, « Les Recueils d'*adversaria* aux XVIᵉ et XVIIᵉ siècles : des pratiques de la lecture savante au style de l'érudition », in *Le Livre et l'historien : études offertes en l'honneur du Professeur Henri-Jean Martin*, réunies par Frédéric Barbier *et al.* (Genève : Droz, 1997), 169–86

DEMERSON, Geneviève, « Dorat, commentateur d'Homère », in *Études seiziémistes offertes à M. le professeur V.-L. Saulnier*, THR, 177 (Genève : Droz, 1980), 223–34

—, *Dorat en son temps : culture classique et présence au monde* (Clermont-Ferrand : ADOSA, 1983)

—, « Jean Dorat », in *Centuriae Latinae : Cent une figures humanistes de la Renaissance aux Lumières offertes à Jacques Chomarat*, réunies par Colette Nativel, THR, 314 (Genève : Droz, 1997), 323–31

—, « Qui peuvent être les Lestrygons ? », *Vita Latina*, LXX (1978), 36–42

DUPÈBE, Jean, « Documents sur Jean Dorat », *BHR*, L (1988), 707–14

FORD, Philip, « Conrad Gesner et le fabuleux manteau », *BHR*, XLVII (1985), 305–20

—, *George Buchanan, Prince of Poets* (Aberdeen : Aberdeen University Press, 1982)

—, « Jean Dorat and the Reception of Homer in Renaissance France », *International Journal of the Classical Tradition*, II (1995), 265–74

—, « Ronsard and Homeric Allegory », in *Ronsard in Cambridge : Proceedings of the Cambridge Ronsard Colloquium, 10–12 April 1985*, éd. Philip Ford et Gillian Jondorf (Cambridge : Cambridge French Colloquia, 1986), 40–53

—, « Ronsard the Painter : A Reading of "Des peintures contenues dedans un tableau" », *French Studies*, XL (1986), 32–44

—, « The *Mythologiae* of Natale Conti and the Pléiade », in *Acta Conventus Neo-Latini Bariensis : Proceedings of the Ninth Internation Congress of Neo-Latin Studies, Bari 29 August to 3 September 1994*, éd. Rhoda Schnuur (Tempe, Arizona : Medieval & Renaissance Texts & Studies, 1998), 243–50

GADOFFRE, Gilbert, *Du Bellay et le sacré* (Paris : Gallimard, 1978)

GRAFTON, Anthony, « Teacher, Text and Pupil in the Renaissance Class-Room : A Case Study from a Parisian College », *History of Universities*, I (1981), 37–70

HEPP, Noémi, « Homère en France au XVIe siècle », *Atti della Accademia delle Scienze di Torino*, II. Classe di Scienze Morali, Storiche e Filologiche, 96 (1961–2), 389–508

LAMBERTON, Robert, *Homer the Theologian : Neoplatonist Allegorical Reading and the Growth of the Epic Tradition* (Berkeley, Los Angeles, Londres : University of California Press, 1986)

LEWIS, John, *Adrien Turnèbe (1512–1565) : A Humanist Observed*, THR, 320 (Genève : Droz, 1998)

MOSS, Ann, *Ovid in Renaissance France : A Survey of the Latin Editions of Ovid and Commentaries Printed in France before 1600*, Warburg Institute Surveys, 8 (Londres : The Warburg Institute, 1982)

MUND-DOPCHIE, Monique, « Le Premier Travail français sur Eschyle : le *Prométhée enchaîné* de Jean Dorat », *Lettres romanes*, XXX (1976), 261–74

NOLHAC, Pierre de, *Ronsard et l'humanisme* (Paris : Champion, 1921 ; réimpr. 1965)

SEZNEC, Jean, *La Survivance des dieux antiques : essai sur le rôle de la tradition mythologique dans l'humanisme et dans l'art de la Renaissance* (Londres : The Warburg Institute, 1940)

SHARRATT, Peter, « Ronsard et Pindare : un écho de la voix de Dorat », *BHR*, XXXIX (1977), 97–114

SIRAISI, Nancy G., *Avicenna in Renaissance Italy : The* Canon *and Medical Teaching in Italian Universities after 1500* (Princeton : Princeton University Press, 1987)

SPALTENSTEIN, François, *Commentaire des Élégies de Maximien*, Bibliotheca Helvetica Romana, 20 (Vevey : Institut suisse de Rome, 1983)

WILSON, Dudley et Ann MOSS, « Portents, Prophecy and Poetry in Dorat's *Androgyn* Poem of 1570 », in *Neo-Latin and the Vernacular in Renaissance France*, éd. G. Castor et T. Cave (Oxford : Oxford University Press, 1984), 156–73

INDEX DES AUTEURS ET TEXTES CITÉS PAR DORAT

INDEX GÉNÉRAL

Table des matières

DERNIÈRES PARUTIONS
DANS LA COLLECTION

291. *Registres de la Compagnie des pasteurs de Genève. Au temps de Calvin.* Tome XII: 1614-1616, Gabriella Cahier et Matteo Campagnolo. 1995, XL-504 p.
ISBN: 2-600-00076-3

292. Théodore de BÈZE, *Correspondance*. Tome XVIII (1577). Editée par Alain Dufour, Béatrice Nicollier et Reinhard Bodenmann. 1995, XX-276 p.
ISBN: 2-600-00083-6

293. Béatrice NICOLLIER-DE WECK, *Hubert Languet (1518-1581). Un réseau politique international de Melanchthon à Guillaume d'Orange.* 1995, XX-684 p.
ISBN: 2-600-00096-8

294. Martine FURNO, *Le Cornu copiæ de Nicoló Perotti. Culture et méthode d'un humaniste qui aimait les mots.* 1995, 256 p.
ISBN: 2-600-00100-X

295. Edward BENSON, *Money and Magic in Montaigne: The Historicity of the Essais.* 1995, 208 p.
ISBN: 2-600-00102-6

296. Michel MARULLE, *Hymnes naturels*. Edition critique par Jacques Chomarat. 1995, 304 p.
ISBN: 2-600-00082-8

297. Isabelle PANTIN, *La Poésie du ciel en France dans la seconde moitié du XVIe siècle.* 1995, 560 p.
ISBN: 2-600-00105-0

298. Judith PUGH MEYER, *Reformation in La Rochelle. Tradition and Change in Early Modern Europe, 1500-1568.* 1996, 184 p.
ISBN: 2-600-00115-8

299. Kurt STADTWALD, *Roman Popes and German Patriots: Antipapalism in the Politics of the German Humanist Movement from Gregor Heimburg to Martin Luther.* 1996, 240 p.
ISBN: 2-600-00118-2

300. Frank LESTRINGANT, *L'Expérience huguenote au Nouveau Monde (XVIe siècle).* 1996, 400 p.
ISBN: 2-600-00125-5

301. Frank COLLARD, *Un Historien au travail à la fin du XVe siècle: Robert Gaguin.* 1996, 376 p.
ISBN: 2-600-00145-X

302. *Rabelais et la nature.* Etudes Rabelaisiennes: tome XXXI. Actes des conférences du Cycle «Rabelais et la nature» organisé durant l'année 1994 par Francis Métivier. 1996, 136 p.
ISBN: 2-600-00149-2

303. Marie-Hélène PRAT, *Les Mots du corps. Un imaginaire lexical dans les Tragiques d'Agrippa d'Aubigné.* 1996, 400 p.
ISBN: 2-600-00152

304. Théodore de BÈZE, *Correspondance*. Tome XIX (1578). Editée par Alain Dufour, Béatrice Nicollier et Reinhard Bodenmann. 1996, XXXII-280 p.
ISBN: 2-600-00162-X

305. *Registres du Consistoire de Genève au temps de Calvin*. Tome I (1542-1544). Edité par Robert M. Kingdon, Thomas A. Lambert, Isabella M. Watt et Jeffrey R. Watt. 1996, XLII-446 p.
ISBN: 2-600-00167-0

306. Pierre BELON DU MANS, *Histoire de la nature des oyseaux (1555)*. Edition critique avec fac-similé de l'édition de 1555 par Philippe Glardon, 1997, 656 p.
ISBN: 2-600-00171-9

307. PALINGÈNE (Pier Angelo Manzolli dit Marzello Palingenio Stellato), *Le Zodiaque de la vie (Zodiacus vitæ)*. Edition critique par Jacques Chomarat. 1996, 536 p.
ISBN: 2-600-00181-6

308. Richard COOPER, *Litteræ in tempore belli. Etudes sur les relations littéraires italo-françaises pendant les guerres d'Italie*. 1997, XX-412 p.
ISBN: 2-600-00194-8

309. Gérard DEFAUX, *Rabelais agonistes: du rieur au prophète. Etudes sur «Pantagruel», «Gargantua» et «Le Quart Livre»*. Etudes rabelaisiennes: tome XXXII. 1997, 632 p.
ISBN: 2-600-00202-2

310. Henri Lancelot VOISIN, Sieur de La Popelinière, *Les Trois Mondes*. Edition critique par Anne-Marie Beaulieu. 1997, 536 p.
ISBN: 2-600-00201-4

311. John L. FLOOD et David J. SHAW, *Johannes Sinapius (1505-1560) Hellenist and Physician in Germany and Italy*. 1997, VIII-312 p.
ISBN: 2-600-00207-3

312. Jan MIERNOWSKI, *Signes dissimilaires. La quête des noms divins dans la poésie française de la Renaissance*. 1997, 304 p.
ISBN: 2-600-00216-2

313. Mary Beth WINN, *Anthoine Vérard, Parisian Publisher, 1485-1512: Prologues, Poems and Presentations*. 1997, 560 p., 80 ill.
ISBN: 2-600-00219-7

314. *Centuriæ latinæ. Cent une figures humanistes de la Renaissance aux Lumières offertes à Jacques Chomarat*. Editées par Colette Nativel. 1997, 832 p.
ISBN: 2-600-00222-7

315. José C. NIETO, *El Renacimiento y la Otra España. Visión Cultural Socioespiritual*. 1997, 856 p.
ISBN: 2-600-00234-0

316. Edwin M. DUVAL, *Design of Rabelais's Tiers Livre de Pantagruel*. Etudes rabelaisiennes: tome XXXIV. 1997, 256 p.
ISBN: 2-600-00228-6

317. Pierre MONNET, *Pouvoirs, affaires et parenté à l'aube de la Renaissance allemande: les Rohrbach de Francfort*. 1997, 416 p.
ISBN: 2-600-00225-1

318. Théodore de BÈZE, *Correspondance*. Tome XX (1579). Editée par Alain Dufour, Béatrice Nicollier et Reinhard Bodenmann. 1998, XXII-346 p.
ISBN: 2-600-00249-9

319. Cardinal Charles de LORRAINE, *Lettres (1525-1574)*. Publiées et présentées par Daniel Cuisiat. 1998, 712 p.
ISBN: 2-600-00263-4

320. John LEWIS, *Adrien Turnebe (1512-1565): A Humanist Observed*. 1998, 384 p.
ISBN: 2-600-00270-7

321. Michel SIMONIN, *Rabelais pour le XXIe siècle*. Etudes Rabelaisiennes: tome XXXIII. 1998, VI-450 P.
ISBN: 2-600-00267-7

322. Malcolm SMITH, *Renaissance Studies*. Articles édités par Ruth Calder. 1999, XVIII-374 p., 19 ill.
ISBN: 2-600-00281-2

323. *Etudes Rabelaisiennes:* tome XXXV. 1998, 195 p.
ISBN: 2-600-00261-8

324. Edwin M. DUVAL, *Design of Rabelais's Quart Livre de Pantagruel*. Etudes rabelaisiennes: tome XXXVI. 1998, 160 p.
ISBN: 2-600-00288-X

325. Michael SCREECH, *Montaigne's Annotated Copy of Lucretius*. A transcription and study of the manuscript, notes and pen-marks by Michael Screech, with a foreword by Gilbert de Botton. 1998, 544 p., 16 ill.
ISBN: 2-600-00293-6

326. Francis M. HIGMAN, *Lire et découvrir. La circulation des idées au temps de la Réforme*. Préface de Jean-François Gilmont. 1998, 768 p.
ISBN: 2-600-00294-4

327. Théodore de BÈZE, *Correspondance*. Tome XXI (1580). Editée par Alain Dufour, Béatrice Nicollier et Hervé Genton, avec la collaboration de Reinhard Bodenmann. 1999, XXX-338 p.
ISBN: 2-600-00321-5

328. *Le Tiers Livre*. Actes du colloque international de Rome, 5 mars 1996. Etudes Rabelaisiennes: tome XXXVII. Réunis et publiés par Franco Giacone. 1999, 144 p.
ISBN: 2-600-00325-8

329. Jules-César SCALIGER, *Orationes duae contra Erasmum*. Textes présentés, établis traduits et annotés par Michel Magnien. Préface de Jacques Chomarat. 1999, 458 p.
ISBN: 2-600-00336-3

330. Viviane MELLINGHOFF-BOURGERIE, *François de Sales (1567-1622). Un homme de lettres spirituelles. Culture, tradition, épistolarité*. 1999, 536 p.
ISBN: 2-600-00355-X

331. Alison ADAMS, Stephen RAWLES, Alison SAUNDERS, *A Bibliography of French Emblem Books*. Tome I (A-K). 1999, 672 p.
ISBN: 2-600-00357-6

332. Nicolas BRÛLART, *Journal d'un ligueur parisien des Barricades à la levée du siège de Paris par Henri IV (1588-1590)*. Edition critique par Xavier Le Person. 1999, 216 p.
ISBN: 2-600-00362-2

333. *Poétiques d'Aubigné*. Actes du colloque de Genève, mai 1996. Publiés par Olivier Pot. 1999, 304 p., 14 ill.
ISBN: 2-600-00370-3

Les catalogues *Général* et *Nouveautés* sont maintenant disponibles sur le World Wide Web / *General catalogue* and *New publications* are now available on the Web. Tapez / Type : www.droz.org

IMPRIME
RIE MEDE
CINE m+h
HYGIENE

mars-2000